Introduction

On ne compte plus les biographies du Prophète de l'islam[1]. Des sources classiques, comme celles d'Ibn Ishâq ou Ibn Hishâm, aux ouvrages les plus récents narrant la vie de l'Envoyé de Dieu (*Sîra ar-Rasûl*), en passant par les productions les plus célèbres des savants musulmans à travers l'Histoire, il semble que tout a dû être dit et répété et que la matière d'un tel sujet est forcément épuisée. Pourquoi donc s'engager dans une énième tentative ?

La présente biographie n'a pas l'intention d'entrer en compétition avec les sources classiques (qui sont d'ailleurs sa matière première), ni d'apporter du nouveau dans l'exposé des faits, ni enfin d'offrir une réinterprétation originale, voire révolutionnaire, de

1. Les musulmans ont reçu la recommandation de prier sur le Prophète à chacune des mentions de son nom. Il est donc courant de lire la formule « *Salla Allahu 'alayhi wa sallam* » (Que la Paix et la Bénédiction de Dieu soient sur lui) chaque fois que le nom du Prophète est cité dans les biographies classiques. Cet ouvrage étant destiné à un public musulman comme non musulman, nous ne l'indiquerons pas dans le texte, laissant le soin au lecteur musulman de formuler, personnellement et intérieurement, cette prière au cours de sa lecture.

l'histoire de la prophétie et de son contexte. Les objectifs du présent texte sont bien plus modestes, sans que cela signifie pour autant qu'ils soient plus aisés à réaliser.

Le Prophète de l'islam tient une place particulière dans la conscience et la vie des musulmans d'hier et d'aujourd'hui. Pour ces derniers, il a reçu et transmis le dernier Texte révélé, le Coran, lequel ne cesse de rappeler la place éminente et singulière de l'Envoyé de Dieu, qui est tout à la fois un prophète, un avertisseur, un modèle et un guide. Il ne fut qu'un homme qui a agi et transformé le monde à la lumière des révélations et des inspirations qui lui sont parvenues de Dieu, de son Éducateur (*ar-Rabb*), et c'est cette humanité assumée, élue et inspirée qui fait de Muhammad un exemple et un guide pour les fidèles musulmans.

L'Envoyé de l'islam n'a pas pour les musulmans une fonction de médiateur entre Dieu et les hommes. Chaque conscience est invitée à s'adresser directement à Dieu, et s'il arrive à l'Envoyé d'invoquer le Très-Haut pour sa communauté, il a maintes fois mentionné la responsabilité première de chacun dans son dialogue et sa relation avec l'Unique. Muhammad s'en tient donc à rappeler la Présence de Dieu, à initier à Sa connaissance et à dévoiler le chemin initiatique de la spiritualité. Il enseigne à ses compagnons et à sa communauté qu'il faut transcender le respect et l'amour qu'on lui porte par l'adoration et l'Amour qu'il faut offrir et demander à l'Un, qui n'est point engendré et n'a point engendré.

À ceux qui, de son vivant, voulaient des miracles et des preuves tangibles de sa qualité de Prophète, la Révélation lui commanda de répondre : *« Je ne suis qu'un être humain comme vous à qui il est révélé que votre Dieu est un Dieu unique*[1]. » Et cette même Révélation informe les croyants, pour l'éternité, du statut singulier de ce Messager élu par Dieu, mais qui n'en a point perdu ses qualités humaines : « *Il y a certes pour vous, dans le Messager de Dieu, le meilleur des modèles pour qui désire* [aspire à s'approcher de] *Dieu et l'Au-delà et se souvient de Dieu intensément*[2]. » Ce sont ces deux dimensions qui nous ont intéressé dans la présente biographie : l'humanité de l'homme et l'exemplarité du Prophète.

On ne trouvera donc point ici exposés de façon détaillée les faits historiques, les grandes réalisations ou les guerres célèbres. Les biographies classiques du Messager regorgent de ces informations, et il ne nous paraissait pas intéressant de nous y attarder de façon exhaustive. Ce qui a retenu notre attention, tout au long de la narration de l'histoire de cette vie, ce sont surtout des situations, des attitudes, des propos à même de révéler la personnalité de Muhammad en ce qu'elle a à nous transmettre et à nous enseigner aujourd'hui. 'Aïsha, son épouse, questionnée un jour sur la personnalité du Prophète, avait répondu : « *Son caractère* [l'éthique qui orientait son comportement] *était le Coran*[3]. » Si ce dernier s'adresse à la conscience croyante à travers les âges, il nous paraissait essentiel d'observer comment celui qui en fut la meilleure incarnation en matière de comportement pouvait « s'adresser » à nous, nous guider et nous éduquer aujourd'hui.

---

1. Coran 18, 110.
2. Coran 33, 21.
3. *Hadîth* rapporté par al-Bukhârî.

L'idée initiale était donc de s'immerger au cœur de la vie du Prophète et d'en extraire d'abord les enseignements spirituels atemporels. En effet, de sa naissance à sa mort, sa vie est traversée d'événements, de situations et de propos qui nous renvoient à l'édification spirituelle la plus profonde. L'adhésion de la foi, le dialogue avec Dieu, l'observation de la Nature, le doute de soi, la paix intérieure, les signes et les épreuves, etc., sont autant de thèmes qui nous touchent et nous rappellent qu'au fond, rien n'a changé. La biographie du Messager nous renvoie aux questions existentielles premières et éternelles : sa vie, en cela, est une initiation.

Il existe néanmoins un second type de leçons à tirer des événements historiques qui ont jalonné l'existence du Prophète. Au VIIe siècle, au cœur d'un environnement social, politique et culturel déterminé, l'Envoyé de Dieu a agi, réagi et s'est exprimé vis-à-vis d'êtres humains et d'événements au nom de sa foi, à la lumière de sa morale. Étudier son action dans ce contexte historique et géographique particulier devrait nous permettre de mettre en lumière un certain nombre de principes quant à la relation aux êtres humains, à la fraternité, à l'amour, à l'adversité, à la collectivité, à la justice, aux lois ou à la guerre. Il s'est donc agi pour nous d'observer cette vie avec l'éclairage de notre époque en nous demandant comment elle nous concerne encore, quels en sont les enseignements actuels.

Le lecteur, musulman ou non, est donc invité ici à pénétrer une vie en suivant les sinuosités d'une narration rigoureusement fidèle aux biographies classiques (quant aux faits et à la chronologie), mais qui ne cesse néanmoins d'y adjoindre des réflexions et des commentaires inspirés par les faits rapportés, et cela autant sur les plans spirituel et philosophique que social, juridique, politique ou culturel. Le choix de souligner certains événements plutôt que d'autres est bien sûr déterminé par ce souci d'extraire des enseignements qui intéressent nos vies et notre époque. Dans chacune des sections des chapitres (volontairement courts) qui constituent ce livre, on constatera de constants allers-retours entre la vie du Prophète, le Coran et les enseignements à la fois spirituels et contemporains que l'on peut dégager des différentes situations historiques.

Il s'agit davantage de chercher à connaître le Prophète lui-même que de s'informer sur sa personnalité ou sur les événements de sa vie. Il est ici question d'immersion, de complicité et, au fond, d'amour. Que l'on ait la foi ou non, il n'est point impossible d'essayer de s'imprégner de la quête et du parcours du Prophète et d'accéder au souffle – à l'esprit – qui donne sens à sa mission. Telle est bien l'ambition première de cet ouvrage : faire de la vie du Messager un miroir dans lequel les cœurs et les consciences faisant face aux défis de notre époque puissent s'observer, s'étudier et s'initier aux questions de l'être et du sens comme aux réflexions plus largement éthiques et sociales.

Le texte est destiné à un large public, musulman ou non. La rigueur académique, en matière de référence aux sources islamiques classiques, permet d'appréhender cette vie de l'intérieur selon les normes reconnues par les savants et les sciences islamiques, alors que la narration, nourrie de réflexions et de méditations, est d'un accès volontairement aisé et s'efforce de traduire les enseignements spirituels et universels de l'islam. L'expérience historique du Messager est à l'évidence la voie privilégiée pour accéder aux principes éternels auxquels adhèrent plus d'un milliard de musulmans à travers le monde. Ce livre est donc aussi une introduction vivante à l'islam.

Le Messager avait appris à ses compagnons à aimer Dieu, et le Coran leur avait enseigné en retour : « *Dis* [toi, le Messager] *! Si vous aimez Dieu, suivez-moi* [mon exemple] *; Dieu alors vous aimera*[1]. » Ils essayaient donc de suivre son exemple, portés par un amour lui-même vivifié par l'intensité de leur amour en Dieu. Cet amour était tel que 'Umar ibn al-Khattâb, apprenant la mort du Prophète, menaça de tuer celui qui oserait affirmer qu'il était mort : il était monté au ciel et allait sans doute revenir. Son compagnon Abû Bakr l'invita au silence et affirma : « *Ô vous les gens, que ceux qui adoraient Muhammad sachent qu'il est mort ! Que ceux qui adoraient Dieu, sachent que Dieu est vivant et qu'Il ne meurt point*[2]. » Puis il récita le verset suivant :

> *Muhammad n'est qu'un Messager. Avant lui, d'autres Messagers ont passé. S'il mourait donc, ou s'il venait à être tué, retourneriez-vous sur vos pas ? Quiconque retourne sur ses pas ne nuira en rien à Dieu, et Dieu récompensera les reconnaissants*[3].

Ces paroles ont rappelé avec force la finitude de sa vie, mais n'ont en rien diminué l'infini amour et le

---

1. Coran, 3, 31.
2. Ibn Hishâm, *As-Sîra an-Nabawyya*, Dâr al-Jîl, Beyrouth, sans date, vol. 6, p. 75-76 (en arabe).
3. Coran, 3, 144.

profond respect qu'ont continué à témoigner les musulmans pour le dernier Prophète à travers les âges.

Cet amour s'exprime par le souvenir permanent de sa vie dans leur cœur et leur mémoire, par les prières renouvelées sur le Messager et, quotidiennement, par cette exigence humaine et morale de « suivre son exemple ». Hier comme aujourd'hui. La présente biographie tente de répondre aux exigences de cet amour et de cette connaissance. La vie du Prophète est une initiation à une spiritualité qui n'évite aucune question et qui nous apprend – au fil des événements, des épreuves, des souffrances et de la quête – que les vraies réponses existentielles sont plus souvent celles du cœur que celles de l'intelligence. Profondément, simplement : il ne pourra point comprendre, celui qui ne sait aimer.

1

RENCONTRE AVEC LE SACRÉ

Un Dieu

Le monothéisme islamique s'est immédiatement inscrit dans le prolongement de l'histoire sacrée des prophéties. Depuis l'origine, l'Unique a envoyé à l'humanité des Prophètes et des Messagers chargés de porter le message, le rappel de Sa présence, de Ses commandements, de Son amour et de Son espérance. D'Adam, le premier des Prophètes, à Muhammad, le dernier des Messagers, la tradition musulmane reconnaît et se reconnaît dans l'ensemble du cycle de la prophétie comprenant les plus célèbres des Envoyés (Abraham, Noé, Moïse, Jésus, etc.), de moins connus, ainsi que d'autres qui nous sont même inconnus. L'Un n'a eu de cesse d'accompagner les Hommes, Sa création, de son origine à son terme, et c'est le sens même du *Tawhîd* (l'unicité de Dieu) et de la formule coranique qui réfère autant au destin de l'humanité qu'à celui de chaque individu : « *Certes nous sommes à Dieu et c'est à Lui que nous retournons*[1]. »

De tous les Messagers, la figure la plus importante dans la filiation du Prophète de l'islam est sans conteste Abraham. Il y a certes plusieurs raisons à cela, mais le Coran, d'emblée, inscrit ce lien particulier avec Abraham par l'expression affirmée et continuée du monothéisme pur, de l'adhésion de la conscience humaine au projet divin, de l'accession du cœur à Sa reconnaissance, à Sa paix dans le don de soi. C'est le sens du mot « islam », souvent trop vite traduit par l'idée de simple « soumission », et qui contient pourtant le double sens de « paix » et de « don entier de soi » : ainsi le *« muslim »*, le musulman, est l'être humain qui, à travers l'Histoire – et avant même la dernière Révélation –, désirait accéder à la Paix de Dieu par le don absolu de son être à l'Être. Abraham fut, en ce sens, l'expression profonde et exemplaire du « musulman » :

> *C'est Lui* [Dieu] *qui vous a élus. Il ne vous a imposé aucune gêne dans la religion. Celle de votre père Abraham lequel vous avait nommés « musulmans » avant* [ce livre] *et ici* [dans ce livre] *afin que le Messager soit témoin vis-à-vis de vous* [la nouvelle communauté de foi musulmane] *et que vous-mêmes vous soyez témoins vis-à-vis des gens*[2]*...*

Avec cette reconnaissance de l'Unique, la figure d'Abraham a un statut tout à fait singulier dans la lignée des Prophètes qui mène au Messager de l'islam pour plusieurs autres raisons fondamentales. Le livre de la Genèse[3], comme le Coran, rapporte l'histoire de la servante d'Abraham, Hagar, qui donna naissance tardivement à son premier enfant, Ismaël. Sarah, l'épouse

1. Coran, 2, 156.
2. Coran, 22, 78.
3. Genèse, 15, 5.

d'Abraham, devenue à son tour mère d'Isaac, demanda à son mari d'éloigner sa servante et son enfant.

Une filiation, un lieu

Abraham emmena Hagar et Ismaël loin dans une vallée de la péninsule Arabique nommée Bacca, identifiée à La Mecque actuelle par la tradition islamique. Cette dernière, comme la Genèse, rapporte les questionnements, la souffrance et les prières d'Abraham et de Hagar obligés de vivre l'exil et la séparation. Dans les deux traditions, l'épreuve est présentée et vécue avec l'assurance et le réconfort intime qu'il s'agit, pour le couple et l'enfant, de répondre à l'exigence de Dieu qui protégera et bénira la descendance d'Abraham née de Hagar. En réponse aux invocations d'Abraham concernant son fils, Dieu répond dans la Genèse : « *En faveur d'Ismaël, Je t'ai entendu. Vois, Je l'ai béni... et Je ferai de lui une grande nation*[1] », puis, plus loin, au moment où Hagar se trouve désemparée, sans nourriture ni eau : « *Dieu entendit la voix de l'enfant et l'Ange de Dieu appela Hagar et lui dit : "Qu'as-tu Hagar ? Ne crains pas, car Dieu a entendu la voix de l'enfant dans le lieu où il est. Lève-toi ! Relève l'enfant et prends-le par la main, car Je ferai de lui une grande nation"*[2]. » Le Coran rapporte :

> *Notre Seigneur ! J'ai établi une partie de mes descendants dans une vallée stérile, auprès de la Maison sacrée, – Ô notre Seigneur ! afin qu'ils s'acquittent de*

1. Genèse, 17, 20.
2. Genèse, 21, 17-19.

la prière. Fais en sorte que les cœurs de certains hommes s'inclinent vers eux, accorde-leur des fruits en nourriture. Peut-être, alors, seront-ils reconnaissants. Ô notre Seigneur ! Tu connais parfaitement ce que nous cachons et ce que nous divulguons. Rien n'est caché à Dieu sur la terre et dans le ciel. Louange à Dieu ! Dans ma vieillesse Il m'a donné Ismaël et Isaac ! Mon Seigneur est celui qui entend et exauce les prières[1].

Sur le plan strictement factuel, le Prophète Muhammad est un descendant des enfants d'Ismaël, et il fait ainsi partie de cette « grande nation » annoncée dans les textes sacrés. Abraham est donc son « père » au sens premier, et la tradition musulmane comprend que les prières de ce père couvrent de leur bénédiction son descendant, le dernier des Prophètes, ainsi que le lieu où il laissa Hagar et Ismaël. C'est là que, quelques années plus tard, il aura à vivre la terrible épreuve du sacrifice de son fils et où, enfin, il érigera avec lui la Maison de Dieu (la *Ka'ba*). La Révélation coranique rapporte :

Lorsque son Seigneur éprouva Abraham par certains ordres et que celui-ci les eut accomplis, Dieu dit : « Je vais faire de toi un guide pour les hommes », Abraham dit : « Et pour ma descendance aussi ? » Le Seigneur dit : « Mon alliance ne concerne pas les injustes. Nous avons fait de la Maison un lieu où l'on revient souvent et un asile pour les hommes. Prenez donc la station d'Abraham comme lieu de prière. Nous avons confié une mission à Abraham et Ismaël : Purifiez ma

1. Coran, 14, 37-39.

Maison pour ceux qui accomplissent les circuits ; pour ceux qui s'y retirent pieusement, pour ceux qui s'inclinent et se prosternent. » Abraham dit : « Mon Seigneur ! Fais de cette cité un asile sûr ; accorde à ses habitants des fruits comme nourriture, à ceux d'entre eux qui auront cru en Dieu et au dernier Jour[1]. »

Tel est l'enseignement millénaire de la tradition islamique : il est un Dieu et une lignée de Prophètes dont la figure centrale est Abraham, expression archétypale du « musulman ». Père de sang de cette descendance d'Ismaël qui mène à Muhammad, il sanctifiera ce lieu de l'ancienne vallée de Bacca, devenue La Mecque, en construisant avec Ismaël la Maison de Dieu (*bayt Allah*). C'est là, très exactement, que naîtra le dernier des Envoyés pour l'humanité, Muhammad ibn 'Abdullah, portant le message du rappel de l'Unique, des Prophètes et de la Maison sacrée. Un Dieu, un Lieu, un Prophète.

L'épreuve de la foi : doute et confiance

Ces simples faits illustrent à eux seuls le lien particulier qui lie la vie de Muhammad à celle d'Abraham. Mais c'est plus encore la filiation spirituelle qui est révélatrice de la singularité de ce lien. L'ensemble de l'expérience abrahamique dévoile la dimension fondamentale de la foi en l'Unique. Abraham, déjà très âgé et qui vient juste d'accueillir son enfant à la vie, doit subir l'épreuve de la séparation et de l'abandon qui mèneront Hagar et son fils aux abords de la

1. Coran, 2, 124-126.

détresse et de la mort. Sa foi est « confiance en Dieu » : il entend (comme d'ailleurs Hagar) l'ordre de Dieu, il y répond malgré l'épreuve et la souffrance et ne cesse d'invoquer Dieu et de s'en remettre à Lui. Hagar questionne Abraham sur les motifs d'un tel comportement et, découvrant qu'il s'agit des commandements de Dieu, elle s'y soumet volontairement. Elle s'enquiert, fait confiance puis accepte. En agissant ainsi, elle détermine les étapes d'une « acceptation » active et profonde de la volonté de Dieu : questionner avec son esprit, comprendre avec son intelligence et se soumettre avec son cœur. Au-delà de ses déchirements humains et par la nature même de ces derniers, Abraham entretient et développe, au fil de ses épreuves, un rapport de fidélité, de réconciliation, de paix et de confiance avec Dieu. Celui-ci l'éprouve, mais Il ne cesse de lui parler, de l'inspirer et de jalonner sa route de signes qui l'apaisent et le rassurent.

Quelques années après l'abandon dans le désert, Abraham devra vivre une autre épreuve, puisque Dieu lui demande de sacrifier son premier-né Ismaël. Le Coran rapporte cette histoire en ces termes :

> *Nous lui avons alors annoncé* [à Abraham] *une bonne nouvelle : la naissance d'un garçon, doux de caractère. Lorsqu'il fut en âge d'accompagner son père, celui-ci dit : « Ô mon fils ! Je me suis vu en songe, je t'immolais ; qu'y vois-tu donc ? » Il dit : « Ô mon père ! Fais ce qui t'est ordonné. Tu me trouveras patient, si Dieu le veut ! » Après que tous deux se furent soumis, et qu'Abraham eut placé son fils, le front à terre, Nous l'appelâmes : « Ô Abraham ! Tu as cru en cette vision et tu l'as réalisée ; c'est ainsi que*

Nous récompensons ceux qui font le bien : voilà l'épreuve concluante. » Nous avons racheté son fils par un sacrifice solennel. Nous avons perpétué son souvenir dans la postérité : paix sur Abraham[1] *!*

L'épreuve est terrible : au nom de son amour et de sa foi en Dieu, Abraham doit sacrifier son fils, maîtriser et dépasser son amour de père. L'épreuve de la foi s'exprime ici dans cette tension entre deux amours. C'est pourtant son propre fils, objet du sacrifice, qui le réconforte et l'accompagne comme un signe et une confirmation lorsqu'il lui murmure : *« Ô mon père ! Fais ce qui t'est ordonné. Tu me trouveras patient, si Dieu le veut ! »* Comme ce fut le cas, quelques années plus tôt, avec Hagar, il trouve en autrui des signes qui lui permettent de faire face à l'épreuve. Ces signes, expression de la présence du divin au cœur de l'épreuve, ont une fonction fondamentale dans l'expérience de la foi et façonnent le mode d'être avec soi et avec Dieu. Lorsque Dieu fait subir une épreuve terrible à Son Envoyé et qu'Il accompagne cette dernière de signes de Sa Présence et de Son soutien (les propos de confirmation de la femme ou de l'enfant, une vision, un rêve, une inspiration, etc.), Il l'éduque dans la foi et lui impose une double attitude. Abraham doute de soi, de sa force, de sa foi à l'instant même où les signes l'empêchent de douter de Dieu. L'épreuve de la foi, accompagnée des signes de la présence du divin, est donc une école de l'humilité et de la reconnaissance du Créateur. Abraham subit l'épreuve et est tenté par un profond doute quant à soi, sa foi, la véracité de ce qu'il entend

1. Coran, 37, 101-109.

et comprend. Les inspirations, les confirmations de sa femme comme de son fils (qu'il aime et qu'il sacrifie au nom de l'amour divin), lui permettent de ne point douter de Dieu, de Sa présence et de Sa bonté. Le doute « quant à soi » se marie à la profonde « confiance quant à Lui ».

De fait, l'épreuve de la foi n'est jamais « tragique » dans la tradition islamique. En ce sens, l'histoire d'Abraham, si elle est rapportée de façon similaire en beaucoup de points en ce qui concerne l'histoire de Hagar et d'Ismaël, est fondamentalement différente de celle de la Bible quant à l'expérience du sacrifice. On lit dans la Genèse :

> *Or, après ces événements, Dieu mit Abraham à l'épreuve et lui dit : « Abraham » ; il répondit : « Me voici. » Il reprit : « Prends ton fils, ton unique, Isaac, que tu aimes. Pars pour le pays de Moriyya et là, tu l'offriras en holocauste sur celle des montagnes que je t'indiquerai. »* [...] *Abraham prit les bûches pour l'holocauste et en chargea son fils Isaac ; il prit en main la pierre à feu et le couteau, et tous deux s'en allèrent ensemble. Isaac parla à son père Abraham : « Mon père », dit-il, et Abraham répondit : « Me voici, mon fils. » Il reprit : « Voici le feu et les bûches ; où est l'agneau pour l'holocauste ? » Abraham répondit : « Dieu saura voir l'agneau pour l'holocauste, mon fils. » Tous deux continuèrent à aller ensemble*[1].

---

1. Genèse, 22, 1-2 et 6-8 ; traduction œcuménique (TOB), Livre de Poche, 1980.

Abraham doit sacrifier son fils et il vit ici cette épreuve dans une absolue solitude. À la question directe de son fils : *« Où est l'agneau pour l'holocauste ? »*, Abraham répond de façon elliptique. Il est *seul* à répondre à l'appel de Dieu. Cette différence entre les deux narrations est apparemment anodine, mais elle a pourtant des conséquences fondamentales dans la perception même de la foi, de l'épreuve de la foi et de la relation de l'être humain à Dieu.

Expérience tragique ?

Cette solitude tragique de l'Homme faisant face au divin traverse l'histoire de la pensée occidentale depuis la tragédie grecque (avec la figure centrale du rebelle Prométhée face aux dieux de l'Olympe) jusqu'aux interprétations chrétiennes existentialistes et modernes, à l'instar de l'œuvre de Søren Kierkegaard[1]. La récurrence du thème de l'« épreuve tragique de la foi solitaire » dans la théologie et la philosophie occidentales a associé à cette réflexion la question du doute, de la révolte, de la culpabilité, du pardon et elle a, à son tour, naturellement façonné le discours sur la foi, l'épreuve et la faute[2].

Il faut néanmoins se méfier des analogies apparentes. Certes les histoires des Prophètes, et notamment celle d'Abraham, sont rapportées respectivement dans les traditions juive, chrétienne et musulmane, de

---

1. Notamment son analyse sur l'expérience d'Abraham dans son ouvrage *Craintes et Tremblements* (1843).
2. Voir à ce sujet notre analyse dans *Islam, le face à face des civilisations. Quel projet pour quelle modernité ?*, Tawhîd, Lyon, 1995 (troisième partie : « Valeurs et finalités »).

façon semble-t-il similaire. À l'étude, on s'aperçoit cependant que les narrations sont différentes et ne présentent pas toujours ni les mêmes faits ni les mêmes leçons. Ainsi, à celle ou à celui qui entre dans l'univers de l'islam et cherche à rencontrer et à comprendre « le sacré » islamique et ses enseignements, il faut demander de faire l'effort intellectuel et pédagogique de se dépouiller – le temps de cette rencontre – des liens naturels qu'elle/il a pu établir entre l'expérience de la foi, l'épreuve, la faute et la dimension tragique de l'existence.

La Révélation coranique rapporte les histoires des Prophètes et, tout au long de cette narration, elle façonne dans l'esprit et le cœur du musulman un rapport au Transcendant qui ne cesse de mettre en avant la permanence de la communication par l'intermédiaire des signes, des inspirations, et, au fond, de la présence très intime de l'Unique, comme l'exprime si bien ce verset du Coran : « *Si Mon serviteur te questionne à Mon sujet : Certes, Je suis proche. Je réponds à l'appel de qui M'appelle quand il M'appelle*[1]. » Tous les Envoyés ont, comme Abraham et Muhammad, vécu l'épreuve de la foi, et tous ont, de la même façon, été protégés d'eux-mêmes et de leurs doutes par Dieu, Ses signes et Sa parole. Leur souffrance n'est point synonyme de faute, et elle ne révèle pas non plus une quelconque dimension tragique de l'existence : elle est plus simplement une initiation à l'humilité, comprise comme une étape nécessaire à l'expérience de la foi.

Parce que sa vie a exprimé l'essence manifestée et vécue de ce message, la rencontre avec le Prophète

1. Coran, 2, 186.

Muhammad est un moyen privilégié d'accéder à l'univers spirituel de l'islam. De sa naissance à sa mort, l'expérience de cet Envoyé marie – bien loin de tout tragique humain – l'appel de la foi, l'épreuve parmi les hommes, l'humilité, et la quête de paix avec l'Unique.

2

NAISSANCE ET ÉDUCATION

Polythéisme, monothéisme

La Maison de Dieu (*al-Ka'ba*) avait été érigée par Abraham et son fils Ismaël au nom du monothéisme pur, de l'adoration du Dieu unique, Créateur des cieux et de la terre, Dieu des hommes et de l'ensemble des Prophètes et Envoyés[1]. Des siècles passèrent et La Mecque devint certes un lieu de pèlerinage, mais surtout de foire, de commerce et, par voie de conséquence, de profonds métissages culturels et spirituels. Avec le temps, l'adoration de l'Unique laissa la place au culte des idoles tribales ou régionales, au polythéisme multiforme, et la tradition islamique rapporte qu'au début de la Révélation, plus de trois cent soixante idoles, images ou statues se trouvaient dans

1. La tradition musulmane distingue les Prophètes (*nabî*, plur. *anbiyâ'*) des Envoyés (*rasûl*, plur. *rusul*). Les Prophètes portent un message ou un enseignement qu'ils ne sont pas destinés à transmettre à l'humanité, alors que les Envoyés reçoivent, vivent et transmettent le message divin (parfois à leur tribu ou peuple, parfois à l'humanité entière). Ainsi, tout Envoyé (*rasûl*) est Prophète, mais tout Prophète (*nabî*) n'est pas forcément un Envoyé.

la Ka'ba et y étaient vénérées. Seul un petit groupe de croyants restaient attachés à l'adoration du Dieu unique et refusaient de s'adonner à l'idolâtrie ambiante. Ils se faisaient appeler les « *hunafâ'*[1] » et revendiquaient leur filiation avec la tradition monothéiste abrahamique. Le Coran lui-même, parlant d'Abraham et de la nature de son adoration, le et/ou la qualifie de pur(e) (*hanîfan*) :

> *Qui donc professe une meilleure religion que celui qui se soumet à Dieu, tout en faisant le bien et qui suit le culte d'Abraham, le monothéisme pur* [ou le pur monothéiste]. *Et Dieu a pris Abraham pour ami*[2].

À l'époque de la naissance du Prophète de l'islam, le plus célèbre des *hunafâ'* se nommait Waraqah Ibn Nawfal et s'était converti au christianisme. Avec les autres croyants, les chrétiens et les juifs vivant dans la région, Waraqah Ibn Nawfal représentait l'expression d'un monothéisme devenu marginal, marginalisé et parfois combattu à La Mecque et aux alentours.

Une naissance

Dans son livre de référence sur la vie du Prophète de l'islam, Ibn Hishâm[3] nous informe que Ibn Ishâq a

---

1. Dont le sens est « pur », qui suit une ligne fidèle, « orthodoxe ».
2. Coran, 4, 125.
3. Ibn Hishâm (mort en 828, 213 de l'Hégire) est l'auteur de la première somme présentant la vie du Prophète de l'islam (*as-sîra*) qui nous soit parvenue : *As-Sîra an-Nabawyya* (La Vie du Prophète). Elle est considérée comme l'œuvre de référence en la matière. Son auteur a reproduit, commenté, précisé et sélectionné les faits tels que les avait rapportés Ibn Ishâq (mort en 767, 150 de l'Hégire) dans une œuvre antérieure qui est aujourd'hui perdue.

clairement et précisément déterminé la date de naissance du Prophète. « *L'Envoyé* (*Paix et Bénédiction de Dieu soient sur lui*) *est né un lundi, le 12 pendant la nuit du mois de Rabi'al-awwal, l'année de l'éléphant*[1]. » Il existe d'autres recensions qui font état d'autres mois de l'année, mais il a existé, à travers l'Histoire et jusqu'à ce jour, un accord majoritaire entre les savants, et à l'intérieur des communautés musulmanes, quant à l'acceptation de cette date. Le calendrier musulman étant lunaire, il est difficile d'établir avec exactitude le mois solaire de sa naissance, mais « l'année de l'éléphant » à laquelle Ibn Ishâq fait référence correspond à l'an 570 du calendrier grégorien.

Le Prophète de l'islam est né dans une des familles nobles de La Mecque, les Banû Hâshim, grandement respectée par l'ensemble des tribus de La Mecque et de la région. Très vite cette filiation noble va se mêler à une histoire personnelle particulièrement douloureuse et fragilisante. Sa mère Aminah est enceinte de deux mois seulement quand son père 'Abdallah décède lors d'un voyage à Yathrib au nord de La Mecque : orphelin de père dès sa naissance, le jeune Muhammad va vivre avec ce double statut que consacrent parmi les Mecquois la respectabilité de la filiation et la précarité de l'enfant sans père.

Ibn Ishâq rapporte que le nom « Muhammad[2] », tout à fait inconnu dans la péninsule Arabique à cette époque, fut inspiré à sa mère par une vision alors

---

1. Ibn Hishâm, *As-Sîra an-Nabawyya*, vol. 1, Dâr al-jîl, Beyrouth, sans date, p. 294 (en arabe).
2. Qui veut dire « celui qui est souvent loué » ou « digne de louanges ».

qu'elle était encore enceinte[1]. Cette même vision lui aurait annoncé la naissance du « seigneur de ce peuple » (*sayed hadhihi al-umma*), au moment de laquelle elle devait prononcer la formule : *« Je le place sous la protection de l'Unique* (al-Wâhid) *contre la perfidie de tout envieux*[2]. » Tiraillée entre le chagrin d'avoir perdu son époux et la joie d'accueillir son enfant, Aminah répétera à plusieurs reprises que des signes étranges ont accompagné la gestation puis la naissance extraordinairement aisée de son enfant.

Le désert

Elle eut tôt conscience d'être la mère veuve d'un enfant singulier. C'était le sentiment partagé du grand-père de Muhammad, 'Abd al-Muttalib, qui allait le prendre en charge dès sa naissance. À La Mecque, il était de coutume de confier son enfant à une nourrice des tribus bédouines nomadisant dans le désert avoisinant. Parce qu'il était orphelin de père, les nourrices refusaient une à une de se charger de lui, de peur que son statut ne leur apporte aucun bénéfice. Halîma, qui était arrivée après toutes les autres nourrices en raison de sa monture fatiguée, décida avec son mari qu'il valait mieux accepter de s'occuper de l'enfant, même orphelin, plutôt que d'essuyer à leur retour les possibles moqueries de sa tribu. Ils s'en retournèrent donc avec le bébé Muhammad et Halîma, comme Aminah, rapporte que de nombreux signes lui ont fait penser, ainsi qu'à son époux, que cet enfant semblait béni.

---

1. Ibn Hishâm, *op. cit.*, p. 293 (en arabe).
2. *Ibid.*

Pendant quatre ans, l'orphelin vivra avec Halîma et avec les Bédouins de Banû Sa'd dans le désert d'Arabie. Il partagera la vie des nomades, au cœur de la nature la plus dépouillée et la plus rude, subissant la sécheresse du climat et entouré à perte de vue des horizons qui rappellent la fragilité de l'humain, la contemplation et la solitude. Muhammad traversait, sans le savoir encore, les premières étapes et les premières épreuves lui étant prédestinées par l'Unique qui l'avait choisi comme Messager et qui était pour l'heure Son Éducateur, Son *Rab*[1].

Le Coran rappellera plus tard sa situation particulière d'enfant orphelin, de même que les enseignements spirituels accompagnant l'expérience de la vie dans le désert :

> *Ne t'a-t-Il pas trouvé orphelin ; Il t'a alors accueilli ! Ne t'a-t-Il pas trouvé égaré ; Il t'a alors guidé ! Ne t'a-t-Il pas trouvé pauvre ; Il t'a alors enrichi ! Donc* [pour cette raison]... *quant à l'orphelin, ne le maltraite point ; quant à l'homme dans le besoin, ne le repousse pas et quant au bienfait de ton Seigneur, proclame-le*[2] *!*

Ces versets du Coran sont forts de plusieurs enseignements : le fait d'être à la fois orphelin et pauvre a été un véritable état initiatique pour le futur Envoyé de Dieu, et ce pour au moins deux raisons. Le premier enseignement est évidemment celui de la vulnérabilité et de l'humilité que l'enfant a naturellement ressenties

1. On traduit souvent « *Rab* » par « Seigneur », mais la racine du mot renvoie à l'idée d'éducation, d'Éducateur, que l'on trouve directement dans le mot de la même racine « *tarbiyya* ».
2. Coran, 93, 6-11.

dès son plus jeune âge. Cet état sera renforcé quand, quatre ans plus tard, il perdra sa mère Aminah. Cette rupture quant à sa filiation le mit presque immédiatement sous la protection de Dieu, mais également dans la proximité des êtres les plus démunis parmi les hommes. Le Coran lui rappelle de ne jamais l'oublier tout au long de sa vie, et en particulier durant sa mission prophétique. Il fut orphelin et pauvre et donc, « pour cette raison », il lui est rappelé et commandé de ne jamais se séparer des laissés-pour-compte et des nécessiteux. Le second enseignement spirituel qui sourd de ces versets est, à la lumière de l'exemplarité de l'expérience prophétique, valable pour chaque cœur et chaque conscience : ne jamais oublier son passé, ses épreuves, son milieu, son origine, et transformer son expérience en enseignement positif pour soi et pour autrui. Ton passé, lui rappelle l'Unique, est une école où il faut puiser une connaissance utile, pratique et concrète, notamment pour celles et ceux dont tu as partagé la vie et les peines puisque, mieux que personne, tu sais, de l'intérieur, ce qu'ils ressentent et endurent.

Une éducation et la nature

La vie dans le désert va façonner l'homme et son regard sur les éléments et la Création. Ce qui était connu et reconnu à cette époque déjà était la possibilité d'acquérir une excellente maîtrise de la langue parlée dans le terreau naturel de la tradition orale que véhiculaient et nourrissaient les Bédouins. Plus tard, le Prophète de l'islam se distinguera par la force de sa parole, son éloquence et, surtout, sa capacité de transmettre des enseignements profonds et universels au moyen d'expressions courtes et synthétiques (*jawâmi'al-kalim*). Le désert est le lieu des Prophéties parce qu'il offre naturellement aux regards de l'être humain les horizons de l'infini. Pour les nomades au déplacement perpétuel, la finitude dans l'espace se marie à un sens de la liberté mêlée, ici encore, à l'expérience de l'éphémère, de la vulnérabilité et de l'humilité. Le nomade apprend à passer, à se faire étranger, et à appréhender, au cœur de l'infini linéaire de l'espace, la finitude cyclique du temps : c'est l'expérience de la vie du croyant que le Prophète décrira plus tard au jeune 'Abdallah ibn 'Umar en des termes qui rappellent cette dimension : « *Sois sur la terre comme un étranger ou un passant*[1]. »

Ces premières années de la vie du Prophète vont nourrir une relation tout à fait particulière avec la Nature, qui demeurera une constante tout au long de sa mission. L'univers est empli de signes qui rappellent la présence du Créateur et le désert, plus que tout autre, ouvre l'esprit humain à l'observation, à la méditation et à l'initiation au sens. Ainsi trouve-t-on de multiples versets du Coran qui renvoient au livre de la Création et à ses enseignements. Le désert, où la vie, la végétation et la verdure sont apparemment absentes, montre et prouve régulièrement à la conscience observatrice de l'homme la véracité du miracle du retour à la vie :

> *Tu vois, parmi Ses signes, la terre comme prostrée* [par l'effet de la sécheresse] *s'animer et s'épanouir*

---

1. Tradition prophétique (*hadîth*) rapportée par al-Bukhârî.

dès que Nous descendons sur elle quelques ondées du ciel. Celui qui lui rend la vie est aussi Celui qui fait revivre les morts, car Sa puissance n'a pas de limite[1].

Cette relation à la Nature fut telle dans la vie du Prophète, et ce dès son plus jeune âge (le message coranique est également traversé de tant de versets renvoyant le croyant à observer, à méditer et à voyager), qu'on parvient aisément à la conclusion que la vie à proximité de la Nature, dans son observation, sa compréhension et son respect, est un impératif de la foi profonde. Bien des années plus tard, alors que le Prophète est à Médine, en butte aux conflits et aux guerres, la Révélation – au cœur de la nuit – tourne son regard vers un autre horizon de sens :

Il y a certes dans la création des cieux et de la terre, et dans la succession de la nuit et du jour, des signes pour ceux qui sont doués d'intelligence[2].

Il est rapporté que le Prophète pleura une nuit entière lorsque ce verset lui fut révélé. À l'aube, lorsque le muezzin Bilâl, venant faire l'appel à la prière, le questionna sur la cause de ses larmes, il lui expliqua le sens de sa tristesse et ajouta : *« Malheur à qui entend ce verset et ne le médite pas ! »* Un autre verset transmet le même enseignement en se référant à une multiplicité de signes :

Il y a certes dans la création des cieux et de la terre, et dans la succession de la nuit et du jour, dans

1. Coran, 41, 39.
2. Coran, 3, 190.

le navire qui vogue en mer chargé de choses profitables aux hommes, dans l'eau que Dieu fait descendre du ciel, par laquelle Il rend la vie à la terre une fois morte et y répand des bêtes de toute espèce, dans la variation des vents, et dans les nuages soumis entre le ciel et la terre, en tout cela il y a des signes pour un peuple qui raisonne[1].

Les premières années de la vie de Muhammad ont sans l'ombre d'un doute façonné et préparé son regard à accueillir les signes de l'univers. On peut en tirer un enseignement spirituel de première importance pour l'éducation du Prophète autant que pour notre éducation à travers les âges : la proximité de la Nature, le respect de ce qu'elle est, de même que l'observation et la méditation sur ce qu'elle nous montre, nous offre ou nous (re)prend sont autant d'exigences d'une foi qui, dans sa quête, cherche à se nourrir, à s'approfondir et à se renouveler. La Nature est le premier guide et l'intime amie de la foi. Ainsi Dieu a-t-Il décidé d'exposer Son Prophète, dès son plus jeune âge, aux leçons naturelles de la Création, conçue comme une école où la conscience appréhende peu à peu les signes et le sens. Très loin du formalisme des rituels religieux sans âme, cette éducation, par et dans la proximité de la Nature, développe une relation au divin qui s'appuie sur la contemplation et la profondeur et qui permettra, plus tard, dans un second moment de l'éducation spirituelle, de comprendre le sens, la forme et les finalités du rituel religieux. Éloignés de la Nature, dans nos villes et nos cités, nous

1. Coran, 2, 164.

semblons aujourd'hui avoir oublié le sens de ce message, au point d'inverser dangereusement l'ordre des exigences et de penser que l'enseignement des techniques et des formes (prières, pèlerinages, etc.) suffit à appréhender et à comprendre leur sens et leurs finalités. Une méprise aux conséquences graves, puisqu'elle finit par vider l'enseignement religieux de sa substance spirituelle qui devrait pourtant en être le cœur.

La poitrine fendue

La tradition rapporte qu'un événement tout à fait particulier se produisit alors que Muhammad avait quatre ans et jouait avec des enfants de la tribu bédouine des Banû Sa'd. Halîma raconte que son fils vint à elle et à son mari affolé et leur annonça que « *deux hommes vêtus de blanc se sont saisis de lui* [Muhammad] *et l'ont couché à terre ; puis ils lui ont ouvert la poitrine et y ont plongé leurs mains*[1] ».

Halîma et son mari coururent à l'endroit indiqué par leur enfant et ils trouvèrent Muhammad secoué et pâle. Il confirma les propos de son frère de lait en ajoutant que les deux hommes, après avoir ouvert sa poitrine, y « *touchèrent quelque chose ; je ne sais ce que c'est*[2] ».

Troublés par cette histoire et craignant que l'enfant ait pu être atteint par un mal quelconque, le couple décida de le ramener à sa mère. Ils cachèrent d'abord à Aminah la raison première de leur décision mais,

---

1. Ibn Hishâm, *op. cit.*, p. 301.
2. *Ibid.*, p. 301.

face à sa surprise puis à ses questions insistantes, ils l'informèrent de ce qui s'était passé. Elle n'en fut pas surprise et révéla qu'elle-même fut témoin de signes attestant qu'un destin particulier se préparait pour son enfant.

Bien des années plus tard, le Prophète parlera de cet événement et affirmera que deux hommes « *lui fendirent la poitrine, en sortirent le cœur qu'ils ouvrirent à son tour pour en extraire un caillot noir qu'ils jetèrent au loin. Puis ils me lavèrent le cœur et la poitrine avec de la neige*[1]. » Dans d'autres traditions, il exposera le sens spirituel de ces faits, comme lors d'une discussion avec des compagnons, rapportée par Ibn Mas'ûd, durant laquelle le Prophète affirmera : « *Il n'en est point parmi vous qui ne soit accompagné d'un djinn et d'un ange pour lequel ils furent spécifiquement mandatés. Ils demandèrent : Il en est de même pour toi, ô Envoyé ? Il en est de même pour moi si ce n'est que Dieu m'a aidé et qu'il* [le djinn, au sens de l'esprit du mal, ici] *s'est soumis et ne me commande que le bien*[2]. »

Le Prophète oriente ici notre compréhension de l'événement, au-delà des faits rapportés, vers sa dimension spirituelle fondamentale. Dès son plus jeune âge, l'Envoyé a été protégé contre les tentations du mal qui sévissent dans le cœur de chacun. Sa poitrine, purifiée du mal, l'a préparé à sa mission prophétique et il revivra une expérience similaire, environ cinquante ans plus tard, lorsque son cœur sera à nouveau ouvert et purifié pour pouvoir vivre l'expérience du voyage

1. *Ibid.*, p. 302.
2. *Hadîth* rapporté par Muslim.

nocturne vers Jérusalem, puis l'élévation vers *Sidra al-Muntahâ*, le *Lotus de la limite.* Expériences spirituelles, singulières et initiatiques, qui préparent l'Élu, le Choisi (*al-Mustafâ*[1]) à recevoir, dans le premier cas, le message de l'islam puis, dans le second, l'injonction de la prière rituelle, pilier de la pratique religieuse.

Le Coran, sur un plan plus général, fait mention de cette singularité prophétique :

> *N'avons-Nous pas ouvert pour toi ta poitrine ? Ne t'avons-Nous pas débarrassé du* [de ton] *fardeau qui pesait sur ton dos ? N'avons-Nous pas exalté ta renommée*[2] *?*

Pour la majorité des exégètes du Coran, ces versets se rapportent d'abord au triple don accordé au Prophète : la foi en l'Unique inscrite en son cœur, l'élection de la prophétie et, enfin, l'accompagnement de Dieu lui-même tout au long de sa mission. Dès son plus jeune âge, nous l'avons vu, Muhammad va être accompagné des signes et des épreuves qui l'éduquent et le préparent à ladite mission.

Il restera deux ans avec sa mère. Il a six ans et cette dernière tient à ce que son fils fasse la connaissance des membres de sa famille qui réside à Yathrib. Ils s'y rendent mais, sur le chemin du retour, Aminah tombe malade et meurt à Abwâ où elle sera enterrée. Orphelin de père et de mère, Muhammad est entouré par les signes d'élection autant que par la douleur, la souffrance et la mort. Barakah, qui était du voyage avec eux et qui

---

1. *Al-Mustafâ* est l'un des noms du Prophète de l'islam.
2. Coran, 94, 1-4.

servait Aminah, ramène l'enfant à La Mecque. C'est son grand-père, 'Abd al-Muttalib, qui se charge aussitôt de lui. Il ne cessera de témoigner un amour et un respect tout à fait particuliers à son petit-fils. Deux ans plus tard, cependant, il décède à son tour.

L'orphelin et son Éducateur

Difficile histoire. Les deux versets qui suivent le passage coranique précité, en rappelant et en répétant avec force l'enseignement simple de la vie, traduisent ce qui fut une constante dans la vie du Prophète, et cela dès son plus jeune âge : *« Car avec la difficulté, il y a certes une facilité. Avec la difficulté, il y a certes une facilité*[1]. » À huit ans, le jeune Muhammad a connu l'absence de son père, la pauvreté, la solitude, la mort de sa mère puis de son grand-père, et cependant, toujours, sur sa route, il trouve les signes d'une destinée qui, à travers des êtres et des circonstances, accompagne et facilite son évolution et son éducation. Sur son lit de mort, 'Abd al-Muttalib demandera à son fils Abû Tâlib, l'oncle de Muhammad, de s'occuper de lui, et celui-ci s'acquittera de cette mission comme un père l'aurait fait pour son enfant. Plus tard, le Prophète n'aura de cesse de rappeler comment son oncle et son épouse Fâtimah l'avaient tant aimé et si bien traité. *« Avec la difficulté, il y a certes une facilité. »*

À travers toutes les vicissitudes de cette vie qui ne l'avait pas épargné, Muhammad demeurait bien sûr sous la protection de l'Unique, de son *Rab*, de son Éducateur. À La Mecque, la tradition rapporte qu'il fut

1. Coran, 94, 5-6.

protégé, en toutes circonstances, du culte des idoles et des fêtes, festins ou mariages où l'ivresse et l'oubli de soi étaient la règle. Un soir, il entendit qu'un mariage allait être célébré à La Mecque, et il voulut s'y rendre. Sur la route qui l'y menait, raconte-t-il, il se sentit tout à coup fatigué. Il se reposa puis s'assoupit. C'est la chaleur du soleil qui, le lendemain, le réveilla de son lourd sommeil. Cette histoire, apparemment anodine, en dit néanmoins long sur les méthodes utilisées par l'Éducateur du Prophète pour empêcher que Son futur Envoyé soit tenté par l'oubli de soi et l'ivresse. L'Unique, dans Son accompagnement, l'a littéralement « endormi » et ainsi protégé de ses propres instincts sans développer, dans le cœur de Son protégé, de sens de la faute, de la culpabilité ou autre torture morale face à une attraction somme toute naturelle pour un enfant de cet âge. Protégé dans la douceur et la diversion, ces événements – dont le Prophète parlera plus tard – ont peu à peu façonné chez lui un sens moral qui prenait forme à travers la nécessaire compréhension de ces signes et de ce dont ils le protégeaient. Cette initiation naturelle à la morale, très éloignée de l'obsession de la faute et de l'entretien de la culpabilité, aura une influence dans le type d'éducation que le Prophète dispensera à ses compagnons. S'appuyant sur une pédagogie de la douceur, le sens commun des individus et leur compréhension des injonctions, le Prophète s'attacha également à enseigner comment « endormir » les instincts et comment « faire diversion » à l'appel des mauvaises tentations. Pour ses compagnons comme pour nous, à travers les âges et les sociétés, cette pédagogie est un trésor et rappelle que le sens moral ne se développe pas à coups d'interdits et de sanctions mais, profondément, avec le temps, par étapes, avec douceur, exigence et compréhension.

Durant les années qui suivirent, le jeune Muhammad deviendra berger afin de pouvoir subvenir à ses besoins. Alors qu'il est encore jeune, il surveillera des troupeaux dans les environs de La Mecque, et il fera mention de cette expérience à ses compagnons en en faisant un trait commun caractéristique des Prophètes : « *Il n'est pas un Prophète qui n'ait surveillé les troupeaux. On demanda : "Et toi aussi ô Envoyé de Dieu ?" Il répondit : "Et moi de la même façon."*[1] »

Berger, le jeune Muhammad apprendra la solitude, la patience, la contemplation et la vigilance. Autant d'états et de qualités dont tous les Prophètes ont eu besoin pour mener à bien leur mission parmi les hommes. Il acquerra aussi un sens profond de l'indépendance, ce qui lui permettra d'obtenir de nombreux succès dans la vie de commerçant à laquelle il allait bientôt se consacrer.

---

1. *Hadîth* rapporté par al-Bukhârî. Voir aussi Ibn Hishâm, *op. cit.*, p. 303.

3

PERSONNALITÉ ET QUÊTE SPIRITUELLE

'Abd al-Muttalib, le grand-père de Muhammad, avait vu fondre sa richesse durant les dernières années de sa vie, et Abû Tâlib, qui avait désormais la charge de son neveu, traversait une période particulièrement difficile en matière commerciale et financière. Muhammad ne manquait pas une occasion de venir en aide aux membres de sa nouvelle famille.

Le moine Bahîrâ

Alors qu'il a douze ans, Abû Tâlib décide de l'emmener avec une caravane de marchands qui doit se rendre en Syrie. Ils font halte à Busra, à proximité de la demeure d'un moine chrétien nommé Bahîrâ. La tradition musulmane rapporte que le moine reclus, Bahîrâ, comme d'ailleurs Waraqa Ibn Nawfal et la plupart des chrétiens, des juifs et des *hunafâ'* de la péninsule, attendaient la venue imminente d'un nouveau Prophète et n'avaient de cesse d'en guetter les signes[1].

---

1. Voir Ibn Hishâm, *op. cit.*, p. 319.

Lorsqu'il voit arriver la caravane, il lui semble qu'un nuage accompagne et protège le groupe de la chaleur du soleil. Voulant en savoir davantage, il décide, contrairement aux habitudes des ermites de la région, d'inviter l'ensemble des voyageurs à partager un repas. Après une observation méticuleuse de chacun des membres du groupe, son regard se fixe sur le jeune Muhammad. Il s'approche de lui, le prend à l'écart et lui pose un certain nombre de questions sur sa situation, ses affaires, ses rêves, etc. Il lui demande enfin s'il peut jeter un regard sur son dos, et le jeune Muhammad accepte. Entre les deux omoplates, le moine Bahîrâ remarque une excroissance de la peau que ses livres identifiaient comme la marque du « sceau de la Prophétie » (*khâtim an-nubuwwa*[1]). Le moine s'empresse d'avertir Abû Tâlib du fait qu'un destin particulier attend cet enfant et qu'il conviendra de le protéger de l'adversité et des attaques qui ne manqueront pas de s'abattre sur lui, comme ce fut le cas pour tous les Envoyés de Dieu.

Nous avons vu que de nombreux signes avaient jalonné les premières années de la vie de Muhammad. Tous, autour de lui, ressentaient et pensaient que ce bébé, puis ce jeune enfant, sortait de la normalité, et qu'il aurait un destin singulier. Le moine Bahîrâ confirma – en quelques minutes – cette impression et l'intégra à l'histoire sacrée des Prophéties. À douze ans, le jeune homme, aimé de tous, se voit annoncer l'adversité future des êtres humains autour de lui : s'il peut sentir que sa singularité force aujourd'hui l'amour, déjà il sait que demain elle fera naître des haines.

1. *Ibid.*, p. 321.

Muhammad continua pendant plusieurs années à garder les troupeaux. Jeune, un peu à l'écart de la vie active des sédentaires de La Mecque, il est parfois informé, voire témoin, des incessantes disputes et des conflits qui déchirent les différentes tribus et remettent en cause la nature de leurs alliances. À La Mecque, la guerre des clans est plus la règle que l'exception, et d'aucuns en tirent parti en traitant injustement un commerçant ou un visiteur quand ils savent que celui-ci est vulnérable et n'est protégé par aucun traité ni aucun pacte et qu'il ne peut s'appuyer sur aucune alliance. C'est ce qui arriva à un marchand yéménite de passage qui avait été spolié et qui décida pourtant de ne point se laisser faire : il exposa sa situation sur la place publique et en appela à la noblesse et à la dignité des Quraysh pour qu'ils lui rendent justice.

Le pacte des vertueux

'Abd Allah ibn Jud'ân, chef de la tribu de Taym et membre de l'une des deux grandes alliances des tribus de La Mecque (les Gens du Parfum), décida d'inviter dans sa demeure tous ceux qui, épris de justice, voulaient mettre un terme à cette situation malheureuse en établissant un pacte qui devait engager les tribus au-delà de leurs alliances tribales d'intérêts politiques ou commerciaux.

Des chefs et des membres de nombreuses tribus se réunirent et élaborèrent une sorte de pacte d'honneur et de chevalerie. Ils stipulaient qu'il était de leur devoir collectif d'intervenir et de faire corps au côté de l'opprimé et de s'opposer à l'oppresseur quel qu'il soit et quelle que soit la nature des alliances qui lieraient, ou non, ce dernier à d'autres tribus. Ce pacte, connu sous le nom de *hilf al-fudûl* (l'alliance, le pacte des vertueux), avait cette particularité de placer le respect des principes de justice et de soutien à l'opprimé au-delà des autres considérations d'appartenance et/ou de pouvoir. Le jeune Muhammad, de même qu'Abû Bakr qui allait devenir son ami de toujours, participait à cette rencontre en soi historique.

Bien après que la Révélation aura commencé, le prophète Muhammad se remémorera les termes de ce pacte et affirmera : « *J'étais présent dans la maison de 'Abd Allah ibn Jud'ân lorsque fut conclu un pacte si excellent que je n'échangerais pas la part que j'y ai prise contre un troupeau de chameaux rouges ; et si maintenant, en islam, on me demandait d'y participer, j'accepterais avec joie*[1]. » Non seulement le Prophète rappelle l'excellence des termes du pacte quant à la perversité des alliances claniques qui prévalaient à l'époque, mais il affirme que, même en étant porteur du message de l'islam – même en tant que musulman –, il en accepte la substance et n'hésiterait pas à y participer à nouveau. Ces propos ont une portée particulièrement importante pour les musulmans, et on peut en extraire au moins trois enseignements majeurs. Nous avions vu que le Prophète avait reçu la recommandation de faire un bon usage de son passé, mais ici, la réflexion va encore plus loin : Muhammad reconnaît le bien-fondé d'un pacte établi avant le début de la Révélation et qui stipule l'impératif engagement de

---

1. *Hadîth* rapporté par Ibn Ishâq et Ibn Hishâm, confirmé comme authentique par différentes sources, notamment par al-Hamîdî, et partiellement par l'imâm Ahmad.

celles et de ceux qui l'ont signé d'établir la justice et de s'opposer à l'oppression du pauvre et du démuni. Il s'agit ici de reconnaître que l'exposé du principe éthique transcende l'appartenance à l'islam parce que, dans les faits, l'islam et son message sont venus confirmer la substance d'un traité que la conscience humaine, de façon autonome, avait déjà formulé.

Le second enseignement est non moins fondamental. À l'heure où le message s'élabore encore au fil des révélations et des expériences du Prophète, celui-ci reconnaît la validité d'un pacte établi par des non-musulmans qui cherchaient la justice et le bien commun au sein de leur société. Les propos du Prophète sont en soi un démenti cinglant au discours que l'on a pu trouver ici et là à travers l'histoire de la pensée musulmane – et jusqu'à aujourd'hui – et qui affirme que la validité éthique d'un engagement pour les musulmans ne peut exister que si celui-ci est de nature strictement islamique ou/et qu'il est établi entre musulmans. Or le Prophète dit clairement reconnaître le bien-fondé du principe de justice et de défense de l'opprimé que stipulait un pacte de l'ère antéislamique.

Le troisième enseignement est une conséquence directe de cette réflexion : le message de l'islam ne se présente pas comme un système clos qui serait différent ou en opposition avec tous les autres systèmes de valeurs. Le Prophète, dès l'origine, ne comprenait pas le contenu de son message comme l'expression de la pure altérité à ce que les Arabes ou les sociétés de son époque produisaient. L'islam n'établit pas un univers de référence fermé, mais se fonde plutôt sur un corps de principes de nature universelle, qui peuvent rejoindre les fondements et les valeurs d'autres croyances et d'autres traditions religieuses (jusqu'à celles enfantées par une société polythéiste, comme c'était le cas de La Mecque à cette époque). L'islam est un message de justice qui impose la résistance à l'oppression et la protection de la dignité de l'opprimé ou du pauvre. Les musulmans doivent reconnaître la valeur morale d'une loi ou d'un contrat qui stipule cette exigence, quels qu'en soient les auteurs et quelles que soient les sociétés – majoritairement musulmanes ou non – où ceux-ci sont stipulés. Loin de construire une appartenance à l'islam qui produirait une reconnaissance et une loyauté exclusive à « la communauté de foi », le Prophète s'attache à développer la conscience croyante par l'adhésion à des principes qui transcendent les appartenances fermées, au nom d'une loyauté première aux principes universels eux-mêmes. Le dernier des messages n'innove en rien quant à l'affirmation des principes de la dignité humaine, de la justice et de l'égalité, et il ne fait que les rappeler et les confirmer. Sur le plan des valeurs morales, on trouve cette même intuition quand le Prophète parle des qualités des individus avant et dans l'islam : « *Les meilleurs d'entre vous* [quant à leurs qualités humaines et morales] *durant l'époque qui a précédé l'islam* (al-jâhiliyya) *sont les meilleurs dans l'islam, à la condition qu'ils le* [l'islam] *comprennent*[1]. » La valeur morale d'un être humain dépasse de loin l'appartenance à un univers de référence singulier et elle exige, à l'intérieur de l'islam, un supplément de connaissance et de compréhension afin d'appréhender comme il se doit ce que

1. *Hadîth* rapporté par al-Bukhârî et Muslim.

l'islam confirme (le principe de justice) et ce dont il exige une réforme (toute forme d'idolâtrie).

Le « véridique » et le mariage

La vie même du Prophète, avant et après le début de la Révélation, illustre la pertinence de notre précédente analyse : la reconnaissance de ses qualités morales précéda sa mission prophétique, laquelle, *a posteriori*, confirma la nécessité desdites qualités. En effet, le jeune Muhammad, après avoir été berger, s'engagea dans le commerce et se construisit, au fil des premières expériences et transactions, une réputation d'honnêteté et d'efficacité reconnue dans toute la région. On commença à le surnommer *as-Sâdiq al-Amîn*, « le véridique, digne de confiance », alors qu'il allait tout juste sur ses vingt ans.

L'un des commerçants les plus fortunés de La Mecque était une femme du nom de Khadîdja bint Khuwaylid. Mariée deux fois, puis finalement veuve, elle était la cousine du chrétien Waraqah Ibn Nawfal. Depuis quelques années déjà, elle entendait parler de ce jeune homme, *« honnête, droit et efficace »*, et elle se décida enfin à le mettre à l'épreuve en lui demandant d'acheminer des marchandises lui appartenant et d'aller les vendre en Syrie. Elle mettait à sa disposition un jeune serviteur de sa maison nommé Maysara et lui promettait de doubler son salaire en cas de succès. Muhammad accepta et se mit en route avec Maysara : en Syrie, il réussit une opération commerciale qui avait plus que doublé les expectations de Khadîdja.

Ils s'en revinrent faire leur rapport à Khadîdja, qui écouta silencieusement les explications de Muhammad et n'eut de cesse d'observer l'allure et le comportement de ce jeune homme âgé d'environ vingt-cinq ans. Une lumière semblait émaner de ce visage. Elle le laissa aller, et Maysara, de son côté, lui raconta plus tard qu'il avait perçu tout au long de leur expédition une série de signes – quant à l'attitude et au comportement de Muhammad – qui attestaient qu'il ne ressemblait à aucun autre homme[1]. Khadîdja chargea alors une de ses amies, Nufaysa, de s'enquérir auprès de Muhammad si celui-ci pouvait être intéressé par le mariage. Il lui répondit qu'il n'en avait pas les moyens, et lorsqu'elle lui mentionna le nom de Khadîdja, avec qui il trouverait *« beauté, patrimoine, noblesse et aisance »*, il rétorqua qu'il était intéressé mais que, compte tenu de son statut, il ne pouvait prétendre à une telle union. Nufaysa ne mentionna pas qu'elle agissait à la requête de Khadîdja et lui proposa de la laisser faire, ajoutant qu'elle pouvait arranger les choses et rendre possible ce mariage. Elle informa son amie Khadîdja des bonnes dispositions de Muhammad : cette dernière l'invita et lui fit une proposition qu'il accepta. Il restait à en parler aux différents parents des clans afin de finaliser le projet mais aucun obstacle – quant au statut respectif, à l'appartenance et aux intérêts des tribus – ne semblait pouvoir empêcher la réalisation de ce projet.

La tradition rapporte que Khadîdja avait quarante ans au moment du mariage, mais, selon d'autres sources, elle était plus jeune : 'Abd Allah ibn Mas'ûd,

---

1. Ibn Hishâm raconte qu'un moine, ayant vu Muhammad assis au pied d'un arbre, aurait dit à Maysara que ce jeune homme *« ne pouvait être qu'un Prophète »*. Voir Ibn Hishâm, *op. cit.*, vol. 2, p. 6.

par exemple, mentionne l'âge de vingt-huit ans, ce qui paraît effectivement plus probable lorsque l'on sait que Khadîdja donna naissance à six enfants dans les années qui suivirent[1]. Le premier-né, un garçon du nom de Qâsim[2], ne vécut que deux ans, puis vinrent Zaynab, Ruqayya, Um Kulthûm, Fâtima, et enfin 'Abd Allah qui, lui aussi, décéda avant d'avoir atteint sa deuxième année. Au cours de ces années, le Prophète décida d'affranchir et de prendre pour fils adoptif son esclave Zayd Ibn Hâritha, qui lui avait été offert par son épouse quelques années auparavant. Plus tard, au moment où son propre fils 'Abd Allah décéda, il voulut aider son oncle Abû Talib – en grande difficulté financière avec une très grande famille – en accueillant dans sa maison son jeune cousin 'Alî ibn Abî Talib. Ainsi se constitua peu à peu la famille du Prophète, dont les deux fils étaient morts quelques mois après la naissance et dont le cousin 'Alî, qu'il prit en charge comme un père, allait plus tard épouser sa plus jeune fille Fâtima.

Zayd

L'histoire de Zayd, le fils adoptif, est intéressante à plusieurs égards. Enlevé lors d'une expédition, celui-ci fut plusieurs fois vendu avant de devenir l'esclave de Khadîdja, puis de Muhammad. Il resta plusieurs années à son service tout en sachant que ses parents étaient encore vivants. Les informations circulaient de

1. Voir Ibn Hishâm, *op. cit.*, vol. 2, p. 6-8. Voir également Ibn Sayyid an-Nâs, *'Uyûn al-Athar*, dâr al-Turâth, Madîna, 1996, p. 80-81.
2. Muhammad fut ensuite très souvent appelé *Abû al-Qâsim* (père de Qâsim), et certaines traditions prophétiques (*ahâdîth*) se réfèrent au Prophète en mentionnant ce surnom.

tribu en tribu par la récitation de vers et de poèmes que les marchands et les visiteurs apprenaient par cœur lors des foires, puis s'en allaient répéter de village en village. Zayd composa quelques vers et s'arrangea pour que des membres de sa tribu, de passage à La Mecque, en aient connaissance et les rapportent à sa famille. Son père et son oncle, apprenant cela, décidèrent de se rendre immédiatement à La Mecque pour retrouver et ramener Zayd dans sa tribu. Ils apprirent qu'il se trouvait chez Muhammad et vinrent le voir en lui proposant de le racheter. Muhammad leur fit la contre-proposition de laisser Zayd choisir lui-même : si celui-ci décidait de s'en retourner avec son père et son oncle, il le laisserait partir sans exiger la moindre compensation, mais si, au contraire, Zayd voulait rester avec son maître, ses parents devaient accepter son choix. Le marché fut conclu, et ils allèrent ensemble demander à Zayd quel était son souhait. Celui-ci prit la décision de rester avec son maître Muhammad, expliquant à ses parents qu'il préférait l'esclavage avec Muhammad que la liberté loin de lui, tant les qualités qu'il avait trouvées chez ce dernier surpassaient ce qu'il pouvait espérer des hommes. Il resta donc avec son maître qui, immédiatement, l'affranchit et annonça sur la place publique que, désormais, Zayd serait considéré comme son fils, qu'il s'appellerait « Zayd ibn Muhammad » (« Zayd fils de Muhammad ») et qu'il hériterait de lui[1].

---

1. Il sera appelé ainsi jusqu'à ce que la Révélation commande que les enfants adoptifs préservent le nom de leur famille quand celui-ci est connu (Coran, 33, 4-5) afin d'établir une distinction claire entre la filiation de sang et le statut de l'enfant adopté.

Cette histoire de Zayd, encore esclave, préférant son maître à son père, ajoute une dimension au portrait qui, peu à peu, se dessine et nous révèle quelle était la personnalité de Muhammad avant la Révélation. Simple, méditatif, courtois, mais aussi honnête et efficace en affaires, il manifestait un constant respect à l'égard des femmes, des hommes et des enfants qui, à leur tour, lui témoignaient de la reconnaissance et un profond amour. Il était « *as-Sâdiq* », un être de vérité et de parole ; il était « *al-Amîn* », un homme de confiance et de dignité. Il avait été entouré de signes qui annonçaient son destin ; il était riche d'extraordinaires qualités humaines qui, déjà, disaient sa singularité.

Reconstruction de la Ka'ba

Un autre événement nous montre qu'il faut ajouter à ses qualités de cœur et à sa distinction morale une vive intelligence, mise à la disposition du respect et de la paix entre les hommes et les clans. Après de longues tergiversations et la crainte de transgresser un interdit, les Quraysh avaient finalement décidé de reconstruire la Ka'ba. Ils détruisirent les quatre murs jusqu'aux fondations (qui étaient celles de la première construction d'Abraham et d'Ismaël et qu'ils préservèrent). Ils rebâtirent l'édifice jusqu'à ce qu'ils atteignent l'espace dans lequel devait être enchâssée la Pierre noire, dans un des angles de la Ka'ba. Une discussion puis de vives disputes opposèrent les membres des différents clans sur la question de savoir qui devait avoir l'honneur de remettre la Pierre noire à sa place. D'aucuns n'étaient pas loin de vouloir en découdre et de déclencher, comme ils en avaient l'habitude, des hostilités armées afin de déterminer quel clan devait obtenir ce privilège. Un vieil homme proposa que l'on s'en remette à la décision du premier homme qui franchirait le seuil de l'espace sacré : un consensus s'établit autour de cette idée. Ce premier homme fut Muhammad, et les chefs de clans étaient heureux que ce fût lui que la chance ait choisi pour trancher le litige. Il les écouta et demanda qu'on lui apporte un manteau : il y plaça la Pierre et proposa aux chefs de chaque clan de prendre un bord du manteau et de lever ensemble la Pierre noire. Une fois atteinte la hauteur désirée, il déposa lui-même la Pierre noire à l'emplacement voulu, à la satisfaction générale puisque personne n'avait été lésé.

Cette intelligence intuitive avait permis de respecter la fierté de chaque clan tout en répondant à son besoin d'union. Plus tard, au cours de sa mission, ce trait caractéristique de son esprit sera maintes fois illustré par sa capacité à maintenir l'unité de la première communauté malgré la présence de personnalités très fortes et aux tempéraments très opposés. En quête de paix, il n'aura de cesse de réaliser l'exact pendant de ce qu'il fit lors de cette situation difficile entre les clans de Quraysh : apprendre au cœur à ne pas se laisser aller aux émotions fières et aux logiques arrogantes ; enseigner à l'esprit les solutions qui apaisent les cœurs et permettent de se maîtriser avec douceur et sagesse. Des années avant la Révélation, l'Éducateur de l'Envoyé lui avait octroyé cette qualité singulière qui allie profondeur du cœur et pénétration de l'esprit : en toute circonstance, avec soi-même et au milieu des hommes, savoir être raisonnable.

Muhammad avait trente-cinq ans, et il s'était forgé une telle réputation que beaucoup parmi les Banû

Hâshim imaginaient qu'il reprendrait bientôt le flambeau de ses pères et rétablirait la grandeur du clan en en prenant la tête. Avec son mariage, ses propres activités et ses qualités personnelles, il devenait politiquement et financièrement intéressant. Il commençait déjà à recevoir des demandes en mariage pour l'une ou l'autre de ses filles, à l'instar de celle qu'il reçut de son oncle Abû Lahab, désireux de marier ses deux fils, 'Utbah et 'Utayba, à Ruqaya et Um Kulthûm. Des liens claniques se constituaient avec l'espoir d'une ascension sociale qui devait naturellement accompagner le destin de chef que l'on prédisait à Muhammad.

La quête de vérité

Celui-ci était pourtant très loin de ces préoccupations et ne manifestait guère d'intérêt pour la chose publique. C'est à cette même époque qu'il commença à pratiquer des retraites, comme le faisaient déjà les *hunafâ'* et les chrétiens de La Mecque, dans l'une des cavernes proches de La Mecque. Quand venait le mois du Ramadân, il partait avec quelques vivres et s'installait seul dans la caverne de Hirâ' pendant plusieurs jours. Quand il n'avait plus rien à manger, il revenait à la maison et s'en retournait à la caverne pour accomplir une retraite d'environ un mois au total. Pour parvenir à cette caverne, il devait grimper le long d'une petite montagne et passer de l'autre côté d'un petit mont en suivant un sentier étroit qui menait à l'entrée d'une grotte totalement isolée, dans laquelle il aurait été difficile de se tenir à deux. Depuis le seuil de la caverne, il était possible de voir la Ka'ba en contrebas et, plus loin, la plaine aride s'étendant à perte de vue.

Loin des hommes, face à la Nature, Muhammad était en quête de paix et de sens. Il n'avait jamais participé aux cultes des idoles, il n'avait pas partagé les croyances et les rites des tribus de la région, et il était resté à l'écart des superstitions et des préjugés. Il avait été protégé des faux dieux, des statuettes que l'on vénère, des pouvoirs et de la richesse que l'on adore. Depuis quelque temps, il avait fait part à son épouse Khadîdja de certains rêves qui s'avéraient être véridiques et qui le troublaient par la force des impressions qu'ils laissaient à son réveil. Il s'agissait bien d'une quête de vérité : insatisfait des réponses offertes par son entourage, mû par l'intime conviction qu'il devait chercher au-delà, il décida de s'isoler dans la contemplation. Il approchait des quarante ans et trouvait ainsi le moyen de vivre une introspection profonde. Seul avec lui-même, dans la caverne de Hirâ', il méditait sur le sens de son existence, de sa présence et des signes qui l'avaient accompagné tout au long de sa vie. Et ces espaces qui l'entouraient devaient bien sûr lui rappeler les horizons de son enfance dans le désert, avec cette différence que la maturité y avait ajouté une myriade de questions existentielles désormais fondamentales.

Il cherchait. Au demeurant, cette quête spirituelle le menait naturellement vers ce à quoi les signes lui donnaient l'impression profonde et inévitable d'être appelé. Les signes qui protègent et apaisent, les visions rêvées et néanmoins véridiques, les questions posées par l'intelligence et le cœur mariées aux horizons offerts par la nature, tout cela menait insensiblement Muhammad vers l'initiation suprême au sens, à la rencontre avec son Éducateur, avec le Dieu unique.

À quarante ans, le premier cycle de sa vie venait de s'achever, et c'est en s'approchant de la caverne de Hirâ', durant le mois de Ramadân de l'année 610, qu'il entendit une première voix l'apostropher et le saluer : « *As-salamu 'alayka, ya rasûl Allah ! Que la Paix soit sur toi, ô Envoyé de Dieu !*[1] »

---

1. Ibn Hishâm, *op. cit.*, vol. 2, p. 66-67.

4

LA RÉVÉLATION, LA CONNAISSANCE

L'ange Gabriel

Seul dans la caverne de Hirâ', Muhammad poursuivait sa quête de vérité et de sens. C'est alors que l'ange Gabriel lui apparut soudain et lui ordonna : *« Lis ! »* Muhammad répondit : *« Je ne suis pas de ceux qui lisent. »* L'ange Gabriel le serra très fort, jusqu'à la limite de ce qu'il pouvait supporter, et ordonna une seconde fois : *« Lis ! »* Et Muhammad de répéter : *« Je ne suis pas de ceux qui lisent ! »* L'ange le serra à nouveau au point de l'étouffer, puis répéta une troisième fois : *« Lis ! »* La même réponse fut réitérée : *« Je ne suis pas de ceux qui lisent ! »* L'ange le serra une troisième fois, puis récita :

> *Lis au nom de ton Seigneur* [*Rabb*-Éducateur] *qui a créé ! Il a créé l'Homme d'une adhérence. Lis, et* [car] *ton Seigneur est le Plus Généreux. Il a instruit l'Homme au moyen du calame* [la plume] ; *Il lui a enseigné ce qu'il ne savait pas*[1].

---

1. Coran, 96, 1-5.

Ces mots étaient les premiers versets du Coran révélés au Prophète par l'intermédiaire de l'ange Gabriel. Muhammad lui-même, et bien plus tard son épouse 'Aïsha, certains compagnons puis des traditionnistes, jusqu'à Ibn Ishâq et Ibn Hishâm, ont rapporté cet événement comme ceux qui suivirent de façon généralement similaire avec, néanmoins, quelques différences (souvent mineures) quant à certains faits ou à leur chronologie. L'ange Gabriel s'en alla et laissa le Prophète dans un état de trouble profond. Il avait peur et ne savait pas s'il s'agissait d'une vision démoniaque ou s'il était tout simplement possédé.

Il décida de s'en retourner auprès de son épouse. Il y parvint en plein désarroi et lança : « *Couvrez-moi ! Couvrez-moi !* » Son épouse Khadîdja l'enveloppa d'un manteau et s'enquit de son état. Muhammad lui expliqua ce qui venait de se passer et lui fit part de sa peur : « *Que m'arrive-t-il ? J'ai peur pour moi*[1]. » Khadîdja le réconforta et lui murmura : « *Tu n'as rien à craindre. Repose-toi et calme-toi. Dieu ne te laissera pas souffrir une humiliation parce que tu es bon avec les tiens, tu dis la vérité, tu assistes quiconque est dans le besoin, tu accueilles de la meilleure façon ton hôte et tu soutiens toutes les causes justes*[2]. »

Waraqa ibn Nawfal

Khadîdja eut l'idée de demander son avis à son cousin, le chrétien Waraqa ibn Nawfal. Elle se rendit

1. *Hadîth* rapporté par 'Aïsha et authentifié par al-Bukhârî et Muslim.
2. *Ibid.*

chez lui (seule ou directement accompagnée du Prophète[1]) et lui raconta l'expérience de Muhammad : Waraqa y reconnut les signes qu'il attendait et répondit sans hésitation : « *Saint ! Saint ! Par celui qui tient l'âme de Waraqa, c'est le sublime Namûs* [l'Ami des secrets de la Royauté suprême, l'Ange qui apporte la Révélation sacrée] *qui est venu à Muhammad ; le même que celui qui était venu à Moïse. Certes, Muhammad est le Prophète de ce peuple*[2]. »

Plus tard, lors d'une rencontre avec Muhammad à proximité de la Ka'ba, Waraqa ajoutera : « *Il est certain qu'on te traitera de menteur, que tu seras maltraité, que l'on te bannira et que l'on te fera la guerre. Si je vis encore ce jour-là, Dieu sait que je m'engagerai à tes côtés pour la victoire de Sa cause !*[3] » 'Aïsha rapporte que Waraqa précisa encore : « *Ton peuple te bannira !* » ce qui interpella le Prophète : « *Ils me banniront ?* » et Waraqa de l'avertir : « *Certes oui ! Jamais un homme n'est venu avec ce avec quoi tu es venu sans avoir été combattu !*[4] »

La mission du Prophète venait tout juste de commencer et, à l'aube de cette ère nouvelle, il lui était déjà donné d'appréhender certains des fondements de la dernière Révélation, ainsi que quelques-unes des vérités qui avaient traversé l'histoire des prophéties parmi les peuples et les hommes.

---

1. 'Aïsha, dans le *hadîth* précité, rapporte qu'ils s'y sont rendus ensemble, alors que Ibn Hishâm (*op. cit.*, vol. 2, p. 73) précise qu'elle s'y rendit d'abord seule et que Waraqa ibn Nawfal rencontra plus tard le Prophète.
2. Ibn Hishâm, *op. cit.*, vol. 2, p. 73-74.
3. *Ibid.*, p. 74.
4. *Hadîth* de 'Aïsha rapporté et authentifié par al-Bukhârî et Muslim.

Foi, connaissance et humilité

Les premiers versets révélés au Prophète, qui ne savait ni lire ni écrire, dirigent directement son attention vers la connaissance. Incapable de lire ni de réciter alors qu'il est livré à ses seules facultés, Dieu l'appelle à lire *« au nom de ton Seigneur* [*Rabb*-Éducateur] » et établit immédiatement un lien entre la foi en Dieu et la connaissance : les versets suivants confirment cette relation : *« Il a instruit l'Homme au moyen du calame ; Il lui a enseigné ce qu'il ne savait pas. »* Entre le Créateur et l'Homme, il y a la foi qui se fonde et se nourrit de la connaissance que le Très-Généreux (*al-Akram*) a mise à la disposition des êtres humains pour répondre à Son appel et venir à Sa rencontre. Ces premiers versets établissent une correspondance immédiate avec ce que la Révélation rapportera plus tard à propos de la création du genre humain : *« Il* [Dieu] *apprit à Adam le nom de toutes choses*[1]. » La raison, l'intelligence, le langage et l'écriture octroieront à l'Homme les qualités nécessaires pour lui permettre d'être le *khalîfa* (le vice-gérant[2]) de Dieu sur la terre et la Révélation coranique, dès l'origine, marie la reconnaissance du Créateur avec la connaissance et le savoir, en écho à l'origine de la Création elle-même.

De nombreuses traditions rapportent que la deuxième Révélation correspondait au début de la sourate *Al-Qalam* (le calame, la plume) : ces versets

1. Coran, 2, 31.

2. *« Dieu dit aux anges : je vais certainement établir un vice-gérant* (khalîfa) *sur la terre »* (Coran, 2, 30).

confirmaient la source divine de cette inspiration de même que l'impératif de la connaissance. Ils mentionnaient en sus la singularité morale de l'Envoyé, dont les quarante premières années de sa vie avaient témoigné :

> *Nûn. Par le calame et par ce qu'ils écrivent. Tu* [Muhammad] *n'es pas, par la grâce de ton Seigneur* [*Rabb*-Éducateur], *un possédé. Il y aura pour toi, certes, une récompense ininterrompue. Car tu es en vérité d'une noble moralité. Tu verras et ils verront, qui d'entre vous a perdu la raison*[1].

La première lettre « *nûn* » est une des lettres de l'alphabet arabe, et de nombreuses autres lettres introduiront ainsi certaines sourates (chapitres) du Coran, sans qu'aucun commentateur – ni le Prophète lui-même – puisse expliquer leur sens exact ou la symbolique de leur présence en tête de chapitre. Ainsi, à l'instant même où le Créateur prête serment « par le calame, la plume » et confirme l'impératif de la connaissance transmise aux êtres humains, Il place au début des versets une lettre mystérieuse, *nûn*, qui exprime la limite du savoir des Hommes. La dignité des Hommes octroyée par la connaissance ne saurait être sans l'humilité de la raison qui connaît ses limites et qui, en cela, a reconnu l'impératif de la foi. Accepter, et accepter de ne pas comprendre, la présence mystérieuse de la lettre *nûn* nécessite la foi ; comprendre et accepter l'exposé sans mystère des versets qui suivent

1. Coran, 68, 1-6. Cette sourate est en effet souvent classée comme la seconde dans l'ordre chronologique de la révélation.

impose l'usage d'une raison active, mais rendue nécessairement – et, au fond, naturellement – humble.

Foi, moralité et persécution

Nous sommes déjà au cœur des enseignements fondamentaux de l'islam : à la double dimension du savoir, qui ne saurait être sans la conscience humaine des limites, la Révélation va en ajouter une troisième en se référant à la « noble moralité » du Prophète. Ce verset, qui rappelle ce que nous savions du Prophète en termes de singularité quant à la noblesse de son comportement depuis sa naissance, établit un lien spécifique entre la connaissance, la foi et l'action. À la lumière de la foi, la connaissance doit établir et s'établir sur la dignité morale de l'individu, et c'est d'ailleurs la noblesse reconnue de son comportement qui confirme au Prophète, *a posteriori*, qu'il n'est point un possédé, qu'il est dans le bien, et que sa récompense ne connaîtra point d'interruption. La foi en Dieu et le savoir, à la lumière du divin, doivent avoir comme conséquence immédiate un comportement, un agir, qui respecte une éthique et promeut le bien.

Un autre enseignement sourd de ces versets, que Waraqa ibn Nawfal comme, avant lui, le moine Bahîrâ, avait prédit : il y aura des insultes, de l'adversité, de la haine, et même le bannissement par son propre peuple. Le Prophète était prévenu du rejet qu'il n'allait pas manquer de subir, mais, pour l'heure, après les premières Révélations, il devait faire face à ses propres doutes. Il avait certes reçu le réconfort de son épouse puis la confirmation de Waraqa ibn Nawfal, mais rien ne lui était parvenu de l'ange Gabriel lui-même qui puisse le rassurer définitivement. Parfois, marchant sur les chemins, il apercevait son image bouchant l'horizon, et s'il se détournait, celui-ci lui faisait encore face. Il n'existe pas de données précises sur le nombre de Révélations que le Prophète reçut durant cette première phase, mais 'Aïsha rapporte que le Prophète affirma qu'un jour, il entendit un bruit : soudain, « *l'Ange qui était venu à moi dans la caverne de Hirâ' m'apparut, assis entre le ciel et la terre ; j'en ai été effrayé et je me suis précipité vers ma demeure et j'ai dit : "Couvrez-moi ! Couvrez-moi !" Ce qui fut fait*[1]. » C'est alors que furent révélés les versets :

> *Ô toi* [Muhammad] *! Revêtu d'un manteau ! Lève-toi et avertis. Et de ton Seigneur* [*Rabb*-Éducateur], *célèbre la grandeur. Et tes vêtements, purifie-les. Et de tout péché, écarte-toi*[2] *!*

Dans chacune de ces premières Révélations, Dieu se présente à Son envoyé sous la forme « ton *Rabb* » (*Rabbuk*), son Éducateur qui l'a choisi, formé puis appelé afin de porter la dernière Révélation du Dieu unique. L'orphelin, le pauvre, le contemplatif ne l'était point sans but même si, à cet instant précis, le trouble et le désarroi l'emportaient sur la conscience de son élection et de sa mission.

Le silence, le doute

La situation allait s'aggraver encore car, durant les mois qui suivirent, la Révélation cessa. Cette période de

---

1. *Hadîth* rapporté par Aïsha, authentifié par al-Bukhârî et Muslim.
2. Coran, 74, 1-5.

silence *(al-fatra)* – d'une durée de six mois à deux ans et demi selon les différentes traditions – va beaucoup faire douter et souffrir le Prophète. Il pensait ne plus être digne de recevoir la Révélation, qu'il avait été abandonné ou bien qu'il avait été tout simplement ensorcelé. 'Aïsha rapporte l'intensité de cette souffrance :

> *« La Révélation s'arrêta pendant un certain temps au point que le Prophète en fut peiné ; sa douleur fut telle qu'à plusieurs reprises, il partit de chez lui pour aller se précipiter du haut d'une montagne escarpée. Mais chaque fois qu'il parvenait au sommet de la montagne pour se précipiter dans l'abîme, l'ange Gabriel lui apparaissait en lui disant : "Ô Muhammad, tu es vraiment l'Envoyé de Dieu." Ces mots calmaient son cœur et apaisaient son âme*[1]. »

Ces apparitions, ces signes autour de lui aidaient le Prophète à résister au sentiment de doute et de solitude. Il vivait, somme toute, la même expérience qu'Abraham : dans l'épreuve de ce silence, il doutait de lui-même, de ses capacités, de son pouvoir, mais Dieu ne cessait de jalonner sa route de signes et de visions qui l'empêchaient de douter de Dieu. Cette épreuve du silence était une initiation façonnant la quête spirituelle de l'Envoyé. La Révélation lui avait dit verbalement l'impérative humilité, Son silence la lui enseignait pratiquement. Dieu lui avait révélé Sa présence et faisait naître dans le cœur de Son Envoyé, au

---

1. Bukhârî, 91, 1. Pour la traduction française, voir : El Bokhârî, *Les Traditions islamiques*, Librairie d'Amérique et d'Orient, Maisonneuve, Paris, 1977, vol. IV, p. 451.

détour de ses longues semaines vides de Son verbe, le besoin de Lui. Il lui reparla enfin en convoquant le jour qui se lève, comme la nuit qui s'étend, et ce autant pour leur réalité physique, signe du pouvoir du Créateur, que pour leur symbolisme, qui dit la fragilité de l'être et du cœur entre la Lumière naissante de la Révélation et le vide obscur du silence :

> *Par la clarté du jour ! Par la nuit lorsqu'elle s'étend ! Ton Seigneur* [*Rabb*-Éducateur] *ne t'a ni abandonné ni détesté. La vie future est certes meilleure pour toi que la vie d'ici-bas. Ton Seigneur* [*Rabb*-Éducateur] *t'accordera bientôt Ses faveurs et tu seras satisfait*[1].

C'était une bonne nouvelle, et la Révélation plus jamais ne s'arrêta pendant plus de vingt ans.

Khadîdja

Il est important de relever ici le rôle de Khadîdja tout au long de ces années traversées d'événements extraordinaires et d'autres profondément douloureux. C'est elle qui, à l'origine, avait remarqué puis choisi Muhammad pour sa droiture, sa personnalité et la noblesse de son caractère. Grandement courtisée à La Mecque pour sa richesse, elle avait pu mesurer l'attitude désintéressée et réservée de ce jeune homme pourtant si entreprenant et si efficace. À contre-courant des usages, elle avait eu le courage de lui proposer le mariage par l'intermédiaire de son amie Nufaysa. Leur union allait leur apporter leur lot de joies, de peines et de douleurs : ils

---

1. Coran, 93, 1-5.

perdirent leurs deux garçons, Qâsim et 'Abdallah, en bas âge, et seules leurs quatre filles survécurent[1]. Ce destin familial, parmi les Arabes qui considéraient la naissance d'une fille comme un déshonneur, était en soi difficile. La tradition rapporte *a contrario* combien Muhammad et son épouse entourèrent leurs filles d'un profond amour et d'une permanente attention qu'ils n'hésitaient jamais à exprimer publiquement.

Lorsque, à quarante ans, le Prophète reçoit la première Révélation, c'est vers son épouse qu'il se tourne immédiatement et c'est elle qui, la première, l'accueille et le réconforte. Pendant toutes les années précédentes, elle avait vécu auprès d'un homme dont la noblesse de caractère était un signe distinctif. Quand il revient à elle de la caverne d'Hirâ', troublé et en proie à un doute profond quant à ce qu'il est et ce qui lui arrive, elle l'enveloppe de son amour, lui rappelle les qualités qui sont les siennes et lui redonne confiance en lui. Les premières révélations furent à la fois un don extraordinaire et une épreuve terrible pour un homme qui ne savait plus s'il était possédé ou en proie à un délire démoniaque. Seul, désarçonné, il se tourna vers son épouse qui, immédiatement, l'accompagna. Ils furent désormais deux à faire face, à essayer de comprendre le sens de cette épreuve puis, au-delà du silence de la Révélation, à répondre à l'appel de Dieu et à suivre la chemin de l'initiation spirituelle.

En cela, Khadîdja est un signe de la présence de Dieu au cœur de l'épreuve de Muhammad. Elle est à l'expérience spirituelle du Prophète Muhammad ce

1. Toutes moururent du vivant de Muhammad, à l'exception de Fâtima, qui décéda six mois après lui.

que Hagar et Ismaël furent à l'épreuve du Prophète Abraham. Les deux femmes comme le fils furent les signes envoyés par l'Unique pour manifester Sa présence et Son soutien dans l'épreuve pour que jamais ils ne doutent de Lui. Khadîdja sera la première à accepter l'islam et, durant les dix premières années de la mission de Muhammad, elle sera à ses côtés et ne fléchira jamais dans son fidèle accompagnement. On n'insistera jamais assez sur le rôle de cette femme dans la vie du Prophète : elle fut, pendant vingt-cinq ans, son unique épouse[1], dont la seule présence protégea le Prophète mais qui connut aussi avec lui le rejet des siens, la persécution et l'isolement. Il l'aimait tant que, bien des années après son décès, 'Aïsha – future épouse du Prophète – affirmera que ce fut la seule femme dont elle avait été jalouse. Khadîdja reçut la bonne nouvelle de son élection auprès de Dieu : elle fut la femme indépendante, digne et respectée, puis l'épouse forte, attentive, fidèle et confiante ; elle fut la musulmane pieuse, sincère, déterminée et résistante. Dernier Prophète de l'Unique, Muhammad ne fut pas seul, et l'un des signes les plus manifestes du don et de l'amour divins à son égard fut une femme dans sa vie, sa femme.

Une Révélation, des vérités, un Livre

Dieu S'était manifesté. Les premières Révélations orientaient la conscience du Prophète vers Sa présence suprême et éducatrice puisqu'Il lui parle en

---

1. Et la mère de tous ses enfants, à l'exception d'Ibrahîm, que Muhammad eut avec l'esclave copte Mârya et qui mourut également en bas âge.

permanence en tant que *Rabbuk*, ton Éducateur, ton Seigneur. L'ange Gabriel avait transmis les premiers fondements de l'adhésion et de la reconnaissance de Dieu, l'essence de la foi, en exprimant la centralité de la connaissance (de la lecture et de l'écriture) associée au bon comportement. Le cadre était fixé, et l'annonce de la bonne nouvelle était accompagnée d'un avertissement singulier : la future adversité des hommes, car jamais un homme de vérité n'est apparu sur la terre sans que se déchaînent contre lui les foudres de la haine, du mensonge et de la calomnie. Certains membres de son propre peuple qui, hier, l'aimaient, le haïront au point de vouloir le tuer.

L'ange Gabriel était venu à lui et lui était apparu à plusieurs reprises. Le Prophète racontera plus tard que celui-ci lui apparaissait parfois en personne, parfois sous la forme d'un homme. D'autres fois, il entendait comme le son des clochettes, et la Révélation survenait en l'obligeant à une concentration extrême, à la limite de la suffocation. Ce dernier mode était particulièrement pénible, et le Prophète exprima souvent la tension qui en résultait, même si, au terme du processus, il était à même de répéter très exactement, mot à mot, le contenu de la Révélation qui lui était parvenue[1]. Pendant vingt ans, l'ange Gabriel l'accompagnera et

1. Dans un *hadîth* rapporté par al-Bukhârî (voir al-Bukhârî, I, 1, *op. cit.*, vol. I, p. 5), Ibn 'Abbas rend compte du caractère pénible du moment de la Révélation. « *L'Envoyé de Dieu essayait de calmer la souffrance que lui inspirait la Révélation* », et c'est pour cela qu'il remuait les lèvres et que furent révélés les versets : « *N'agite pas ta langue afin de hâter ainsi la Révélation. C'est à Nous qu'incombe l'assemblage de ces textes et leur récitation. Lorsque Nous le récitons, suis la récitation* » (Coran, 75, 16-18).

révélera, au gré des situations et de façon irrégulière, les versets et les sourates qui, à terme, constitueront le Coran. Les Révélations n'étaient pas placées dans le Livre de manière chronologique, mais répondaient à un ordre que l'ange Gabriel indiquait, à chaque fois, au Prophète et que celui-ci respectait scrupuleusement. Chaque année, pendant le mois du Ramadân, le Prophète récitait à l'ange Gabriel l'ensemble de ce qu'il avait déjà reçu du Coran dans l'ordre prescrit. Il était ainsi procédé à une vérification régulière du contenu et de la forme du Livre qui s'élabora, lentement, sur une période de vingt-trois ans.

5

LE MESSAGE ET L'ADVERSITÉ

Le Prophète avait accueilli les premières Révélations et il commençait, avec prudence, à en parler à son entourage. Il n'avait encore reçu aucune consigne sur la façon dont il devait agir avec son peuple, mais il pressentait une farouche opposition dont il avait d'ailleurs été averti par Waraqa Ibn Nawfal.

Les premières conversions

Après Khadîdja, son épouse et première convertie à l'islam, le cercle de ceux qui acceptèrent le message allait s'agrandir parmi les membres de son noyau familial puis de ses amis. Ainsi Alî ibn Abî Tâlib, son cousin dont il avait la charge, puis Zayd, son fils adoptif, puis Um Ayman, sa nourrice, et enfin Abû Bakr, son ami d'enfance, furent les premiers à reconnaître la véracité du message et à prononcer l'attestation de foi qui signifiait leur adhésion à l'islam : « *J'atteste qu'il n'est de dieu que Dieu et que Muhammad est Son Envoyé.* » Le nombre augmentait lentement, au gré de la prédication discrète du Prophète ou de l'engagement très volontaire d'Abû Bakr, qui n'avait de cesse de parler de sa nouvelle foi et de s'engager en son nom. Se référant aux principes de l'islam qui affirmait l'égalité de tous les êtres humains, il multipliait le rachat d'esclaves à leur maître et leur redonnait leur liberté et leur autonomie. Au cours de ces années, sa présence à La Mecque, son action et son exemple attireront un grand nombre de femmes et d'hommes qui, peu à peu, adhéreront à la nouvelle religion.

Durant les premiers mois, cependant, l'augmentation des conversions demeura modeste. La tradition rapporte que, pendant les trois premières années, seuls trente à quarante Qurayshites devinrent musulmans. Ceux-ci se réunissaient avec le Prophète chez l'un des convertis, al-Arqam ibn Abî al-Arqam, et apprenaient les fondements de leur religion au fil des nouvelles Révélations. L'atmosphère environnante était de plus en plus hostile à mesure que les habitants de La Mecque apprenaient en quoi consistaient les grandes lignes de ce nouveau message et qu'ils mesuraient sa force d'attraction auprès des pauvres et des jeunes. Le Prophète, conscient de ces bouleversements et des dangers encourus, décida de se concentrer sur l'éducation solide et discrète d'un petit nombre dont il savait qu'ils auraient à subir la critique, le rejet, et sans doute l'exclusion. Ce sont eux qui, plus tard, grâce à la qualité de leur éducation spirituelle et à la sincérité de leur engagement, resteront fermes face aux difficultés et à la persécution : dès l'origine le Prophète avait privilégié la qualité à la quantité et préféré choisir la nature des cœurs et des intelligences à interpeller plutôt que leur nombre. Pendant trois ans, il bâtira dans la discrétion la première communauté des croyants qui avait cette particularité, même si elle était majoritairement constituée de jeunes et de pauvres, de regrouper indifféremment des femmes et des hommes de tous les clans et de toutes les classes sociales.

L'appel public

Après ces années, Muhammad reçut une Révélation lui enjoignant de rendre son appel public : « *Avertis ceux de ta famille qui te sont le plus proches*[1]. » Le Prophète comprit qu'il s'agissait désormais de transmettre le message aux membres des clans qui lui étaient liés par le sang. Il commença à les appeler à l'islam. Un jour, il grimpa sur le mont as-Safâ' et convia les chefs de tribus un à un. Ceux-là, pensant qu'il s'agissait d'une annonce urgente ou importante, se réunirent au pied du mont pour l'écouter. De là où ils se trouvaient, il leur était impossible d'observer la vallée, contrairement à Muhammad qui lui faisait face. Il les apostropha en ces termes : « *Si je vous annonçais qu'il y a dans la vallée une horde de cavaliers dont l'intention est de vous attaquer, me croiriez-vous ?* » Ils répondirent quasiment à l'unisson : « *Certainement, tu es digne de confiance et nous ne t'avons point connu proférer des mensonges !* » Et le Prophète d'ajouter : « *Or donc je suis pour vous l'annonceur de violents tourments ! Dieu m'a demandé d'avertir ma parenté la plus proche. Je n'ai pas le pouvoir de vous protéger de quoi que ce soit dans cette vie, ni de vous assurer la bénédiction dans l'au-delà à moins que vous ne croyiez à*

1. Coran, 26, 214.

l'unicité de Dieu. » Puis il ajouta : « *Ma position est identique à celle de celui qui voit l'ennemi, qui court avertir son peuple avant que celui-ci ne soit pris par surprise et qui, dans sa course, lui crie : "Attention ! Attention !"*[1] »

La réaction de son oncle Abû Lahab fut immédiate et cinglante : « *Malheur à toi !* (Taban Laka) *Est-ce pour cela que tu nous as réunis !* » Il se détourna aussitôt, entraînant avec lui l'assemblée des chefs : il allait ainsi devenir l'exemple de celui qui rejette le message de Muhammad et qui va farouchement s'opposer à lui[2]. Le Prophète organisera encore deux repas afin de transmettre ce même message : le premier se soldera par un autre échec à cause d'une nouvelle intervention d'Abû Lahab, qui empêchera son neveu de s'exprimer. Lors du second repas, Muhammad transmettra la substance de son message qui sera entendu et secrètement accepté par certains membres des clans invités.

La réaction de sa parenté comme des chefs de tribu avait plutôt été distante et froide. Ceux-ci comprenaient que la nature du message de Muhammad mettait en péril les anciens équilibres de leur société : leurs dieux comme leur pouvoir pouvaient être remis en cause, et le danger était réel. Muhammad continua à s'adresser à son entourage jusqu'à ce qu'il reçoive une nouvelle Révélation lui ordonnant d'adopter une

---

1. Ibn Hishâm, *op. cit.*, p. 98-99.
2. C'est en vertu de ce statut que le Coran lui répond dans une Révélation postérieure en utilisant la même formule et en y ajoutant la puissance esthétique de l'allitération : « *Tabat yadâ Abî Lahabin watab* » (Que périssent les mains d'Abû Lahab et qu'il périsse de même !) (Coran 111, 1).

attitude franche et déterminée : *« Annonce donc ouvertement ce qu'on t'a ordonné et détourne-toi de ceux qui associent des divinités à Dieu*[1]. »

La mission prophétique entrait dans une phase nouvelle : désormais le message était destiné à tous et imposait une distinction franche entre le *tawhîd*, la foi en un Dieu unique, et le polythéisme des gens de Quraysh. Le Prophète avait rassemblé autour de lui un noyau solide de femmes et de d'hommes de confiance, issus de sa parenté mais également de toutes les couches sociales et de toutes les tribus, dont il avait, trois années durant, assuré l'éducation spirituelle et religieuse. Avec fermeté et endurance, ils allaient faire face au rejet, à la persécution et à l'exclusion au sein d'une société mecquoise qui commençait à se fracturer.

Le message

Durant les premières années de la Révélation, le message coranique s'était peu à peu constitué autour de quatre axes essentiels : l'unicité de Dieu, le statut du Coran, la prière, et enfin la vie après la mort. Les premiers musulmans étaient appelés à une conversion spirituelle profonde et radicale, et c'est d'ailleurs ce qu'avaient bien compris les adversaires de leurs propres clans, craignant les bouleversements importants que n'allait pas manquer de provoquer la nouvelle religion dans les croyances et l'organisation de leur société.

---

1. Coran, 15, 94.

L'unicité de Dieu (at-Tawhîd)

L'essentiel du message coranique était d'abord l'affirmation de l'unicité de Dieu (*at-Tawhîd*). Avec la notion de *« Rabb »*, que nous avons vue apparaître dans les premières Révélations, vont bien sûr apparaître le nom divin *« Allah »* et des formules qui associent Son être à la paix et à la miséricorde. Ainsi, l'ange Gabriel interpelle le Prophète avec la formule : *« Que la Paix soit sur toi, ô Envoyé de Dieu »*, ou encore : *« Que la Paix et la Miséricorde de Dieu soient sur toi. »* Ces formules seront celles qu'utiliseront les musulmans dès l'origine, et jusqu'à aujourd'hui, pour se saluer et invoquer Dieu au moyen de deux de Ses noms : la Paix (*as-Salâm*) et le Très Miséricordieux [le Très Clément, l'Infiniment Bon] (*ar-Rahmân*). Par ailleurs, chaque chapitre du Coran commence par une phrase de sanctification rappelant la Présence de l'Unique et Ses qualités suprêmes : *« Au nom de Dieu* [Je commence par Dieu], *le Très Clément, le Miséricordieux. »* Le Coran fera très tôt du nom *ar-Rahmân* [le Très Miséricordieux, le Très Clément, l'Infiniment Bon] un équivalent du nom *Allah* : *« Invoquez Dieu* (Allah) *ou invoquez l'Infiniment Bon, le Très Miséricordieux, le Très Clément* (ar-Rahmân), *quel que soit celui que vous invoquez, c'est à Lui qu'appartiennent les plus beaux Noms*[1]*. »*

Cette omniprésence de la référence à l'Unique et à Ses différents noms et qualités est essentielle et va façonner le mode de relation que les premiers croyants établiront avec Dieu. Une reconnaissance de

1. Coran, 17, 110.

Sa Présence et une assurance que Sa bonté est un don en même temps qu'une promesse de paix. C'est ce qu'illustrera à merveille la sourate (chapitre) qui s'intitule justement *ar-Rahmân* et qui, s'adressant aux êtres humains comme aux djinns[1], leur demande d'observer la nature et de reconnaître Son Être et Sa Bonté[2] :

> *L'Infiniment Bon. Il a enseigné le Coran. Il a créé l'Homme. Il lui a enseigné à s'exprimer clairement. Le soleil et la lune obéissent à des lois prédéterminées. Les étoiles et les arbres se prosternent. Il a élevé le Ciel et Il a établi l'équité afin que vous ne fraudiez pas dans les pesées et que vous ne faussiez pas la balance. Quant à la terre, Il l'a aménagée pour tous les êtres vivants, en la pourvoyant d'arbres fruitiers, de palmiers aux régimes bien protégés, de grains enrobés et de plantes odoriférantes. Lequel des bienfaits de Dieu allez-vous* [vous, les hommes et les djinns] *donc nier*[3] *?! »*

Le statut du Coran

De la nature à l'exigence de l'éthique et de l'équité dans le comportement humain, tout renvoie au souvenir du Créateur, dont la manifestation première est la bonté et la clémence. C'est d'ailleurs au nom de Sa

---

1. Les djinns sont, dans la tradition islamique, des esprits qui peuvent s'incarner ou pas, et qui peuvent être vertueux ou malins. Ils ont, comme l'être humain, la liberté de croire ou non.
2. La révélation de cette sourate est postérieure (pendant la période médinoise), mais elle synthétise la substance du rapport du croyant à l'Unique qui est Miséricordieux et Infiniment Bon. Le Prophète appréciait particulièrement la beauté de cette sourate qu'il appela une fois *« 'arûsa al-Qur'ân »* (la fiancée – au sens de belle – du Coran).
3. Coran, 55, 1-13.

bienveillance à l'égard des Hommes qu'Il a révélé le Texte : la Révélation est à la fois un don et un poids, et c'est ainsi que se présente d'emblée ce qui constitue le second axe des premiers enseignements islamiques. Le statut du Coran – lequel, dans les trois premiers versets ci-dessus, établit le lien entre Dieu et l'Homme – est un des fondements du credo musulman (*al-'aqîda*) : il s'agit de la parole divine révélée en l'état à l'humanité – dans *« une langue arabe claire*[1] » – et elle est à la fois rappel, lumière et miracle. « Rappel » des messages monothéistes du passé, « lumière » de l'orientation divine pour l'avenir et « miracle » de la parole éternelle et inimitable transmise à la conscience des hommes au cœur de leur Histoire.

Le Coran, dès l'origine, se présente comme le miroir de l'Univers. Ce qui fut traduit par « verset » par les premiers traducteurs occidentaux – se référant au vocabulaire biblique – signifie littéralement, en arabe, « signe » (*âya*). Ainsi, le Livre révélé, le Texte écrit, est constitué de signes (*âyât*), de la même façon que l'Univers, à l'image d'un texte devant nos yeux déployé, est foisonnant de ces mêmes signes. Lorsque c'est l'intelligence du cœur qui lit le Coran et le monde, et non seulement l'intelligence analytique, alors les deux Livres se font écho, et chacun d'eux parle de l'autre et de l'Unique. Les signes rappellent le sens de naître, de vivre, de penser, de sentir et de mourir.

Par sa forme et son contenu très évocateurs de même que par sa puissance spirituelle, le Coran est le miracle de l'islam. Il représente également une immense et double responsabilité pour les musulmans :

1. Coran, 16, 103.

d'une part, l'exigence éthique que l'enseignement coranique leur impose et, d'autre part, leur rôle de témoins de ces mêmes enseignements devant l'humanité. Cette dimension est présente dès les premières Révélations puisque, dans la sourate *al-Muzzammil* (Celui qui est enveloppé d'un manteau), une des premières révélées, on trouve l'avertissement : « *En vérité, Nous allons te charger* [te faire parvenir] *d'une parole de grand poids*[1]. » Un autre verset exprime de façon imagée et forte le statut spirituel du Coran : « *Si Nous avions fait descendre ce Coran sur une montagne, tu aurais vu celle-ci se prosterner d'humilité et se fendre sous l'effet de la crainte révérencielle de Dieu*[2]. » Le Texte révélé, Parole de Dieu (*kalâm Allah*), se présente tout à la fois comme un rappel bienveillant et une injonction morale particulièrement exigeante qui répand autant le souffle spirituel qu'il structure la forme précise du rituel religieux.

La prière

Alors qu'il marchait dans les environs de La Mecque, le Prophète reçut la visite de l'ange Gabriel, qui lui enseigna comment il devait faire les ablutions et pratiquer la prière rituelle[3]. Cet enseignement intervint très tôt et associa immédiatement l'acte de la purification par l'eau et la prescription de la prière, fondée sur la récitation des sourates du Coran et établie sur une gestuelle précise et cyclique (*rak'a*). Le Prophète suivit

1. Coran, 73, 5.
2. Coran, 59, 21.
3. Ibn Hishâm, *op. cit.*, vol. 2, p. 83.

une à une les instructions de l'ange Gabriel, s'en retourna chez lui, et enseigna la prière à son épouse Khadîdja. Pendant ces premières années, la prière rituelle ne s'accomplissait que deux fois par jour, le matin et le soir.

La sourate *al-Muzzammil*, citée ci-dessus, fait référence à la prière de la nuit, qui sera également établie comme une obligation pour tous les musulmans au début de la période mecquoise, et ce jusqu'à l'imposition des cinq prières qui fixeront la pratique définitive. Le rituel et la formation spirituelle sont particulièrement exigeants :

> *Ô toi qui es enveloppé d'un manteau ! Lève-toi pour prier la plus grande partie de la nuit, ou la moitié, ou un peu moins ou un peu plus et psalmodie le Coran de la plus belle psalmodie. Nous allons te charger* [faire parvenir] *d'une parole de grand poids. En vérité la prière de la nuit laisse une profonde empreinte et permet une plus grande concentration alors que durant le jour tu as à vaquer à de multiples occupations. Invoque sans cesse le Nom de ton* Rabb-*Éducateur – et fais don de ton être* [communie avec Lui] *intensément*[1].

Au cœur de La Mecque, dans un milieu de plus en plus hostile, les femmes et les hommes qui ont accepté l'islam se forment avec rigueur, et en silence. Ils se lèvent longuement pendant la nuit pour prier Dieu en récitant par cœur les « signes » du Coran que l'Unique a établi comme le lien privilégié entre Son infinie Bonté et le cœur de chaque être. Cette intense

1. Coran, 73, 1-8

et profonde formation spirituelle va de fait établir le caractère tout à fait particulier des premiers croyants : pieux, discrets et déterminés, ils prient le Dieu de la Miséricorde et de la Paix, psalmodient sans discontinuer Sa Révélation qui est Rappel (*Dhikr*) et Lumière (*Nûr*) et suivent les enseignements et l'exemple de Son dernier Prophète. L'essence du message islamique est tout entière exprimée dans cet intime rapport de confiance et d'amour avec le Très-Haut, qui établit une relation directe entre l'individu et son Créateur, de même que Celui-ci a choisi de déterminer l'exemplarité du comportement à travers un Envoyé, un être humain, qu'Il a désigné comme modèle. Trois versets synthétiseront plus tard l'exacte teneur de cet enseignement :

> *Si Mon serviteur te questionne à Mon sujet : Certes, Je suis proche. Je réponds à l'appel de qui M'appelle lorsqu'il/elle M'appelle*[1].

Le Prophète, au cœur de cette relation d'intimité, ouvre la voie :

> *Dis : Si vous aimez Dieu, suivez-moi* [l'Envoyé], *Dieu vous aimera et Il vous pardonnera vos péchés*[2].

Il est le modèle de l'humain aspirant au divin au-delà de la finitude de la vie :

> *Il y a certes pour vous, dans le Messager de Dieu, le meilleur des modèles pour qui désire* [aspire

1. Coran, 2, 186.
2. Coran, 3, 31.

à s'approcher de] *Dieu et l'Au-delà et se souvient de Dieu intensément*[1].

Le premier groupe de croyants vivait de cet enseignement : dans leurs prières, ils faisaient face à Jérusalem, manifestant ainsi la claire filiation de ce message avec les monothéismes juif et chrétien et cette même aspiration vers l'Éternel et la Vie au-delà de la vie.

L'Au-delà et le Jugement dernier

Les premiers versets reviennent de façon cyclique sur le thème de la vie après la mort. Face à l'incrédulité des hommes, le Coran s'appuie, nous l'avons vu dans les chapitres précédents, sur des exemples tirés de la nature, du désert et des terres apparemment mortes et qui renaissent sous l'effet de la pluie. Très tôt, l'attention du Prophète est orientée vers la priorité de cette autre vie : « *Et l'Au-delà est certes meilleur pour toi que la vie d'ici-bas*[2]. »

Dans les faits, ce message n'est pas destiné à apaiser les doutes et les craintes vis-à-vis de la mort inéluctable, mais, très clairement, à imprimer dans la conscience et le cœur des croyants la conviction que cette vie a un sens et que le retour se fera vers Dieu. Ce qui sourd de cette omniprésence du rappel de l'Au-delà est bien l'idée du Jugement dernier, pour lequel Dieu établira la balance entre le bien et le mal dont chaque être aura été responsable durant son existence. Ainsi, par la conscience du Jugement,

1. Coran, 33, 21.
2. Coran, 93, 4.

s'établit la relation entre la foi et la morale, entre la contemplation et l'action : la « Voie de la droiture » qui plaît au Très-Haut est celle de ceux qui *« portent la foi et font le bien »* (*al-ladhina âmanû wa 'amilû al-salihât*[1]).

Être avec Dieu, être pour Dieu, faire don de soi, c'est donc *« commander le bien et résister au mal*[2] *»*, c'est faire le choix de l'exigence éthique. Être avec Dieu, c'est changer son comportement et décider de faire partie d'une *« communauté qui appelle au bien*[3] *»*. L'islam, comme les autres traditions monothéistes, insiste sur le retour à Dieu, Son jugement, le Paradis et l'Enfer, et de nombreux versets lient le sens de la vie à cette dimension de l'Au-delà. Dans l'expérience spirituelle qui détermine le sens de la vie et y associe l'injonction de l'éthique du comportement, cette étape initiatique est essentielle, même si elle n'est pas l'ultime enseignement de la relation avec Dieu. Au-delà de l'espoir de Son Paradis et de la crainte de l'Enfer, le paroxysme de la relation au Très Rapproché est avant tout de L'aimer et de désirer observer Sa face pour l'éternité, comme l'enseignera plus tard le Prophète à ses compagnons avec cette invocation : *« Ô Dieu, offre-nous la grâce et le plaisir de pouvoir observer Ta face infiniment généreuse. »* L'exigence morale se présente comme le passage obligé de la proximité intime et amoureuse de Dieu.

---

1. Coran, 95, 6.
2. Coran, 3, 104.
3. Coran, 3, 104.

L'adversité

L'appel était désormais public, et même si les nouveaux convertis se formaient discrètement dans la demeure d'al-Arqam, ils n'hésitaient pas à en parler à leur parenté et plus largement autour d'eux. Les chefs de clans percevaient chaque jour davantage la nature du danger qui les guettait : c'était une claire rébellion contre leurs dieux et leurs coutumes qui, à terme, ne manquerait pas de mettre en péril leur pouvoir. Ils décidèrent d'abord d'envoyer une délégation chez l'oncle du Prophète, Abû Tâlib, qui, jusque-là, protégeait son neveu. Ils lui demandèrent de parler à Muhammad et de faire cesser la diffusion d'un message pour eux dangereux et inacceptable parce qu'il s'en prenait directement à leurs dieux et à leurs ancêtres. Abû Tâlib ne réagit point après leur première visite, et ils revinrent donc le voir en insistant sur l'urgence de l'affaire. Abû Tâlib fit alors appeler son neveu et chercha à le convaincre à son tour de mettre un terme à ses activités afin de ne point le mettre dans l'embarras. La réponse de Muhammad fut ferme : « *Ô mon oncle, je jure par Dieu que, quand bien même ils mettraient le soleil dans ma main droite et la lune dans ma main gauche afin que j'abandonne cette cause, je ne l'abandonnerais pas avant qu'Il* [Dieu] *l'ait fait triompher ou que je sois mort pour elle !* [1] » Devant cette détermination, Abû Tâlib n'insista pas, mais assura malgré tout son neveu de son soutien permanent.

Une nouvelle délégation vint voir le Prophète et lui proposa des biens, de l'argent et le pouvoir. Il refusa

---

1. Ibn Hishâm, *op. cit.*, vol. 2, p. 101.

une à une leurs offres et confirma que seule l'intéressait sa mission : appeler à la reconnaissance et à la foi en Dieu, l'Unique, quel qu'en soit le prix :

> *Je ne suis pas un possédé, et je ne cherche parmi vous ni des honneurs ni le pouvoir. Dieu m'a envoyé auprès de vous comme messager, Il m'a révélé un Livre et m'a ordonné de vous porter de bonnes nouvelles et de vous avertir. Je vous ai transmis le message de mon* Rabb [Éducateur] *et j'ai été pour vous de bon conseil. Si vous acceptez de moi ce que je vous ai apporté, ce sera une bonne fortune pour vous dans ce monde et dans l'autre ; mais si vous rejetez ce que j'ai apporté, alors j'attendrai patiemment que Dieu juge entre nous*[1].

Avec ces paroles, Muhammad marquait les limites du compromis possible : il ne cesserait pas de transmettre son message, il ferait confiance à Dieu et s'armerait de patience parmi les hommes quant aux conséquences de cette décision. Dans les faits, les hostilités étaient désormais déclenchées : les chefs de clans n'eurent de cesse d'insulter le Prophète et de le traiter de fou, de magicien et de possédé. Abû Lahab, son oncle, fit divorcer ses deux fils (qui étaient mariés aux filles du Prophète), et sa femme prenait plaisir à déverser le contenu de ses poubelles lors de son passage.

On faisait courir le bruit que Muhammad était en fait démoniaque, qu'il brisait les familles, séparait les parents des enfants, les maris de leurs épouses, et qu'il était un propagateur de désordre. À l'approche de la

1. *Ibid.*, p. 132-133.

foire, les chefs de clans, craignant que Muhammad diffuse son message parmi les visiteurs, firent poster des hommes aux différentes entrées de La Mecque, et ceux-ci étaient chargés de prévenir les visiteurs des méfaits de Muhammad et de ses compagnons. La stratégie d'isolement fonctionnait relativement bien, même si certains, à l'exemple du bandit de grand chemin Abû Dharr, des Banû Ghifâr, ne se laissaient pas influencer. Celui-ci, ayant entendu parler de ce nouveau message appelant à la foi en un Dieu unique, vint voir le Prophète malgré les avertissements des gens de Quraysh. Il trouva Muhammad allongé près de la Ka'ba. Il l'interpella et voulut en savoir davantage sur son message : il écouta puis, sur-le-champ, prononça l'attestation de foi, à la surprise du Prophète qui affirma en l'observant : « *Dieu guide qui Il veut !* » Abû Dharr al-Ghifârî allait devenir l'un des plus célèbres compagnons du Prophète, connu pour son dévouement, sa rigueur et sa critique du luxe et de la paresse.

Le Prophète affrontait l'humiliation et la moquerie. On lui demandait des miracles et des preuves, et il répondait inlassablement en citant le Coran et en affirmant : « *Je ne suis qu'un messager !* » La pression allait grandissant, et des manifestations d'opposition de plus en plus violentes commençaient à se faire jour : les chefs de clans s'en prenaient surtout aux musulmans qui n'étaient pas protégés par un clan, ou directement aux pauvres. Ainsi, l'esclave Bilâl avait été attaché par son maître dans le désert en plein soleil. Son maître lui frappait le ventre avec une pierre en le forçant à renier son Dieu, mais Bilâl n'avait de cesse de répéter : « *Il est Unique, Il est Unique…* » Plus tard, Abû Bakr racheta Bilâl (comme il le fit avec tant d'autres esclaves) et lui rendit sa liberté : celui-ci deviendra plus tard le muezzin – celui qui appelle à la prière – de Médine, unanimement respecté pour la sincérité de sa foi, son dévouement et la beauté de sa voix[1].

Un homme de la tribu des Makhzûm du nom de 'Amr allait manifester son opposition à l'islam de la façon la plus cruelle. Son surnom, parmi les siens, était « *Abû al-Hakam* » (père du sage jugement) et les musulmans, à l'épreuve de son adversité mêlant l'aveuglement et la grossièreté, le surnommèrent « *Abû Jahl* » (père de l'ignorance). Il alla un jour à la rencontre du Prophète et l'insulta avec une telle haine que ceux qui l'entendirent, même s'ils n'étaient point musulmans, considérèrent qu'il avait enfreint le code de l'honneur en humiliant ainsi Muhammad. Entendant cela, Hamza, l'oncle du Prophète, s'interposa, alla trouver Abû Jahl, et le menaça de représailles si un tel comportement devait se renouveler : il annonça dans le même temps son entrée en islam et également qu'il se chargerait désormais personnellement de la protection de son neveu[2]. Abû Jahl cessa donc de s'en prendre à Muhammad, et se tourna vers ses compagnons les plus vulnérables et pauvres qu'il commença à maltraiter. Le jeune 'Ammar, d'origine yéménite, avait très tôt adhéré au message de l'islam, et il s'instruisait avec le Prophète dans la demeure d'al-Arqam. Son père, Yasser, puis sa mère, Sumayya, se convertirent peu après et se formèrent assidûment à la nouvelle religion. C'est sur eux que se déversa la haine vengeresse d'Abû Jahl : il se mit à les frapper, à les

---

1. *Ibid.*, p. 159.
2. *Ibid.*, p. 128.

attacher au soleil et à les torturer. Le Prophète, à cause du jeu des alliances, était impuissant et assistait à ce traitement dégradant sans avoir les moyens de s'interposer. Passant un jour à côté de Yasser et de son épouse qui subissaient les mauvais traitements, le Prophète leur lança : *« Soyez persévérants, ô famille de Yasser, votre rendez-vous est au Paradis. »* Malgré les tortures, qui duraient depuis plusieurs semaines, Sumayya et Yasser refusaient de renier leur foi : maltraitée, Sumayya apostropha Abû Jahl et lui dit en face ce qu'elle pensait de lui et de son lâche comportement. Hors de lui, il la poignarda à mort puis, emporté par la même furie, il s'en prit à son mari qu'il frappa jusqu'à le tuer également. Sumayya et Yasser furent les premiers martyrs de l'islam (*shuhadâ'*) : persécutés, torturés puis tués pour avoir refusé de renier Dieu, Son Unicité, et la véracité de la dernière des Révélations[1].

La situation devenait de plus en plus difficile pour les musulmans et notamment, bien sûr, pour les plus vulnérables sur le plan du statut social et de l'appartenance clanique. La protection du Prophète était assurée par ses oncles, Abû Tâlib et Hamza, mais celle-ci était loin de s'étendre à la première communauté spirituelle des musulmans. Les insultes, les rejets et les mauvais traitements devenaient la règle, et Muhammad cherchait une solution pour alléger les épreuves et les souffrances endurées par les premiers musulmans. Il eut l'idée d'approcher Walîd, le chef du clan de Makhzûm, dont était issu Abû Jahl, et qui jouissait d'un pouvoir conséquent sur l'ensemble de la société

1. *Ibid.*, p. 162.

mecquoise. S'il réussissait à le convaincre de la véracité du message ou, au moins, à le faire intervenir pour que cessent les persécutions, ce serait un acquis de taille pour lui et ses compagnons. Mais alors qu'il discutait et essayait de trouver un appui auprès de Walîd, le Prophète se fit apostropher par un aveugle, pauvre et âgé, qui s'était déjà converti à l'islam et qui lui demandait de lui réciter du Coran. Muhammad se détourna d'abord calmement puis fut excédé par l'insistance de ce vieil homme qui perturbait ses plans et l'empêchait d'exposer son propos et ses doléances à Walîd. Ce dernier, dédaigneux, refusa finalement d'entrer en matière. Une sourate sera révélée à la suite de cet incident et imposera aux musulmans d'en tirer un enseignement pour l'éternité :

> *Au nom de Dieu, l'Infiniment Bon, le Miséricordieux. Il* [le Prophète] *s'est renfrogné et s'est détourné lorsque l'aveugle vint à lui. Que sais-tu de lui ? Peut-être cherchait-il à se purifier ou à écouter tes exhortations pour en tirer profit ? Comment donc ! À celui qui est plein de suffisance, tu portes un intérêt tout particulier alors qu'il t'importe peu de savoir s'il va se purifier. Quant à celui qui vient à toi, avec empressement, mû par la crainte révérencielle de Dieu, tu ne t'en soucies même pas ! Certes non, le Coran est un Rappel qui s'adresse à tout homme qui veut en méditer le sens !*[1]

Le Prophète, mû par son désir de protéger sa communauté, se voit ici rappelé à l'ordre par son *Rabb*-Éducateur qui lui enseigne de ne jamais se détourner

1. Coran, 80, 1-12.

d'un être humain, fût-il pauvre, âgé et aveugle, et ce quelles que soient les circonstances difficiles dans lesquelles il peut se trouver. Recherchant la protection d'un notable, socialement et politiquement utile, Muhammad avait négligé un pauvre, apparemment inutile à sa cause, qui lui demandait d'être spirituellement apaisé : cette méprise, cet écart moral, est relevée dans le Coran qui, à travers l'exposé de cette histoire, enseigne aux musulmans de ne jamais négliger une conscience humaine, de ne jamais s'éloigner des pauvres et des démunis, de les servir et de les aimer. Le Prophète n'oubliera jamais cet enseignement et, à plusieurs reprises, il se tournera vers Dieu pour L'invoquer en ces termes : « *Ô Dieu, nous Te demandons de nous offrir la piété, la dignité, la richesse* [spirituelle] *ainsi que l'amour des pauvres*[1]. »

Ainsi le Prophète est-il un modèle pour les musulmans, non seulement par l'excellence de son comportement, mais aussi par les faiblesses de son humanité que le Coran révèle et mentionne pour que les consciences musulmanes n'oublient jamais ce message à travers les âges. Que les pouvoirs, vos intérêts sociaux, économiques ou politiques, ne vous détournent jamais des êtres humains, de l'attention à laquelle ils ont droit et du respect qui leur est dû. Rien, jamais, ne doit vous mener à compromettre ce principe de la foi au nom d'une soi-disant stratégie politique destinée à vous sauver ou à protéger une communauté d'un quelconque péril. La proximité spirituelle du

1. Le Prophète affirmera en ce sens : « *La richesse n'est pas dans la possession des biens ; la richesse tient dans la richesse de l'âme* » (*hadîth* authentique rapporté par al-Bukhârî et Muslim).

cœur sincère du pauvre sans pouvoir a mille fois plus de valeur aux yeux de Dieu que l'accompagnement intéressé du cœur courtisé du riche avec ses apparents pouvoirs.

Le Prophète n'eut de cesse d'être l'exemple et le témoin de ce message, mais les musulmans, souvent, au cours de leur histoire, ont oublié et négligé cette injonction de respect et de dignité vis-à-vis des nécessiteux. Très tôt d'ailleurs, pendant la vie du Prophète et après sa mort, le compagnon Abû Dharr al-Ghifârî, dont nous avons parlé plus haut, s'exprimera avec force et détermination contre les dérives de certains musulmans de plus en plus attirés par le pouvoir, le confort et le luxe. Il y percevait le début d'une inversion de l'ordre spirituel, les signes d'une aliénation profonde, et les prémices de catastrophes annoncées. L'Histoire nous a depuis appris combien cette intuition était juste, qui associait les compromissions possibles à la proximité des pouvoirs, presque naturellement liées à la soif des possessions et des gains. Alors résonne dans nos esprits cet autre avertissement du Prophète s'adressant à sa communauté spirituelle, au-delà de sa présence, pour les siècles à venir : *« Pour chaque communauté* [spirituelle] *il est un objet de discorde, de tension et de désordre* (fitna) *et cet objet, pour ma communauté, est l'argent*[1]. »

---

1. *Hadîth* rapporté par Muslim.

6

LA RÉSISTANCE, L'HUMILITÉ ET L'EXIL

Les chefs des clans ne cessaient de se moquer de Muhammad et d'encourager les critiques et les humiliations. À celui qui se prenait pour un Prophète, on demandait des miracles, des preuves tangibles, on questionnait le choix de Dieu qui aurait élu un homme qui n'avait aucun pouvoir particulier, qui se promenait dans les marchés sans qu'aucun signe ne le distinguât des autres hommes. Ainsi, on moquait autant l'homme et ses prétentions que le message et son contenu.

Le Prophète, on l'a vu, restait malgré tout ferme sur ses positions. Quand l'un des chefs des Quraysh, 'Utba Ibn Rabî'a, vint le voir pour lui proposer de l'argent et le pouvoir, la réponse du Prophète fut d'abord de citer longuement le Coran :

> *Au nom de Dieu, l'Infiniment Bon, le Miséricordieux. Hâ, Mîm. Voici une Révélation de l'Infiniment Bon, du Miséricordieux. Un Livre aux versets détaillés, un Coran en langue arabe pour les êtres doués d'entendement ; qui à la fois annonce une bonne nouvelle et met en garde contre le châtiment.*

Mais la plupart des hommes s'en détournent et refusent de l'entendre en disant : « Nos cœurs sont inaccessibles à ce à quoi tu nous appelles et nos oreilles sont frappées de surdité ! Entre toi et nous se dresse un obstacle. Agis donc comme tu l'entends et nous agirons, de notre côté, à notre manière. » Dis-leur : « Je ne suis qu'un homme comme vous, à qui il a été révélé que votre Dieu est un Dieu unique. Servez-Le avec droiture et implorez Son pardon. » Malheur à ceux qui Lui donnent des égaux, qui ne s'acquittent pas de la taxe sociale purificatrice (zakât) *et qui s'obstinent à renier la vie future ! Ceux, au contraire, qui ont la foi et qui font le bien recevront une récompense qui ne sera jamais interrompue. Dis : « Comment donc ! Renierez-vous Celui qui a créé la Terre en deux jours* [cycles[1]], *et Lui donnerez-vous des égaux, à Lui, Maître de l'Univers, qui a établi sur la Terre des montagnes comme des piliers et qui l'a bénie ; qui y a réparti, en quatre jours* [cycles] *d'égale durée, les ressources répondant aux besoins exacts des vivants ? »*[2]

Le Prophète continuera sa récitation jusqu'au verset 38, à la lecture duquel il se prosternera en signe de révérence au Dieu Unique. 'Utbah était venu à lui afin de lui proposer les richesses et le pouvoir de ce monde, et voilà qu'il se retrouvait en face d'un homme prosterné au nom de sa foi en l'Éternel, exprimant ainsi son clair refus de la proposition qui venait de lui être faite. 'Utbah sera très fortement impressionné par la forme et le contenu du texte coranique et s'en retournera auprès des siens en leur proposant de ne

1. « *Yaum* » en arabe veut dit « jour », mais également « une période de temps » ou « un cycle » pas toujours déterminé.
2. Coran, 41, 1-10.

pas s'opposer à ce message. Ces derniers, persuadés qu'il avait été ensorcelé par la magie de ces mots, ne tiendront pas compte de ce conseil et poursuivront leurs persécutions.

Jihâd

Le Prophète de l'islam, de son côté, persévérera dans cette attitude : chaque fois que ses opposants s'attaqueront à lui, c'est par le Coran qu'il répondra, se protégera et résistera. C'est d'ailleurs ce que la Révélation lui enseigne clairement avec ce verset qui consacre la première apparition du mot *jihâd* dans le Coran :

> *N'obéis point* [ne cède point] *aux négateurs et résiste-leur* (jâhidhum) *au moyen du Coran avec la plus grande des résistances* [par la plus grande des luttes] (jihâdan kabîra) [1].

Face aux pressions de toutes sortes, des plus douces aux plus violentes, Muhammad reçoit un verset qui lui indique la voie et le moyen de la résistance – du *jihâd* – qu'il doit entreprendre. Nous sommes ici en présence du sens premier et fondamental du concept de *jihâd*, dont la racine, *ja-ha-da*, veut dire « faire un effort » mais surtout, ici, « résister » à l'oppression et à la persécution. Dieu commande à Son Envoyé de résister aux mauvais traitements des Quraysh en s'appuyant sur le Coran. Le Texte est sa véritable arme spirituelle et intellectuelle contre leurs agressions et leur violence.

1. Coran, 25, 52.

À ceux qui raillent, insultent et humilient, à ceux qui agressent, qui torturent et qui tuent, à ceux qui veulent des miracles et des preuves ; le Prophète répond invariablement avec l'arme et le bouclier du Coran qui, en soi, se présente, nous l'avons vu, comme le miracle et la preuve. Du Texte se libère en l'homme la vraie force, celle qui a le pouvoir de résister et de dépasser toutes les répressions ici-bas, parce qu'elle appelle à la Vie au-delà des illusions de cette vie :

> *La vie de ce monde n'est que divertissement et jeu ; en vérité la Demeure dernière, c'est elle qui est la Vie ; si seulement ils savaient*[1].

L'essence de la notion du *« jihâd fî sabîliLLah »* (la résistance dans la voie de Dieu) est tout entière circonscrite dans cette première occurrence du mot au cœur de la sourate du « Discernement ». Il s'agit bien de cela, en effet : reconnaître par le miracle des deux Révélations (l'Univers et le Texte) la présence de l'Unique, et résister aux mensonges et à la terreur de ceux qui ne sont mus que par la protection de leurs intérêts, de leurs pouvoirs ou de leurs plaisirs. Néanmoins, la première attitude requise consiste à prendre ses distances :

> *Éloigne-toi donc de ceux qui tournent le dos à Notre rappel et qui ne cherchent que les plaisirs éphémères ! Leur savoir ne dépasse point cet horizon. En vérité, ton Seigneur connaît parfaitement celui qui s'éloigne de Sa voie et celui qui s'efforce de la suivre.*

---

1. Coran, 29, 64.

À Dieu appartient tout ce qui est dans les Cieux et sur la Terre de sorte qu'Il rétribue, selon leurs œuvres, ceux qui font le mal, et accorde la meilleure récompense à ceux qui font le bien[1].

Le discernement est également, comme nous le voyons dans ces versets, d'ordre éthique, puisque ce qui distingue le croyant, dans cette vie, est non seulement une foi, mais aussi une façon d'être et d'agir. Armés de ce savoir, le Prophète et ses compagnons ont d'abord tenté de transmettre leur message librement, tout en essayant d'éviter la confrontation. Les chefs des Quraysh ne l'entendaient point ainsi, et ils n'avaient de cesse d'accroître leurs mauvais traitements à mesure que les Révélations se succédaient. Les premiers musulmans, à l'image du Prophète, s'engageaient à la résistance – au *jihâd* – en rappelant l'existence du Dieu unique, la Vie après la vie, le Jugement dernier, la nécessité du bien et le Coran, toujours, était l'arme de leur discernement spirituel et leur armure face aux sévices corporels.

Toutefois, ce *jihâd* était parfois difficile à vivre et à supporter, tant la persécution était continue et violente. Un jour, un groupe de musulmans vint voir le Prophète alors qu'il était allongé, à l'ombre, à proximité de la Ka'ba. Ils lui demandèrent : « *Ne vas-tu pas invoquer Dieu pour nous afin qu'Il nous aide ?* » Alors le Prophète répondit avec fermeté : « *Parmi les croyants qui vous ont précédés, de nombreux furent enterrés vivants puis furent coupés en deux de la tête aux pieds. La chair d'autres était déchiquetée à l'aide*

1. Coran, 53, 29-31.

de fourches de fer qui brisaient leurs os. Cela ne les menait point à se détourner de leur foi. Par Dieu, votre Seigneur accomplira certainement Son dessein et un jour il sera possible au voyageur solitaire de se rendre de Sanaa à Hadramaout sans rien craindre si ce n'est Dieu et le loup qui pourrait s'en prendre à son bétail. Vous êtes trop impatients ![1] »

Il fallait donc patienter, endurer, persévérer, et ne point désespérer de Dieu et de Sa volonté. Le Prophète enseignait ainsi à ses compagnons ce difficile mariage de la confiance en Dieu et de la douleur. L'expérience de la souffrance physique et morale permettait d'accéder à cet état de la foi qui assume l'adversité, sait douter de soi sans douter de Dieu. L'histoire du jeune 'Ammar est à ce sujet édifiante : il avait vu sa mère puis son père être exécutés parce qu'ils refusaient de renier Dieu. Voilà qu'à son tour, il était torturé de la façon la plus vile et avec la plus extrême des cruautés. Un jour, il n'y tint plus et, sous les sévices, renia Dieu et loua les dieux des Quraysh : ces derniers le libérèrent, satisfaits d'être parvenus à leur fin. 'Ammar était vivant, certes, mais il était tourmenté et miné par un sentiment de culpabilité dont il ne savait se défaire, persuadé que son reniement était inexpiable. Il vint vers le Prophète en pleurant, et lui avoua la cause de son désarroi, ses doutes quant à sa valeur et à son destin. Le Prophète l'interrogea sur les convictions qui habitaient le fond de son cœur. 'Ammar lui confirma qu'elles étaient les mêmes, fermes et solides, et qu'aucun doute ne l'habitait quant

1. *Hadîth* rapporté par al-Bukhârî.

à sa foi en Dieu et à son amour. Muhammad l'apaisa et le rassura, car il avait fait ce qu'il avait pu et ne devait point s'en vouloir : la Révélation faisait d'ailleurs mention de « *ceux qui avaient renié leur foi sous la contrainte alors que leur cœur était apaisé par la foi*[1] ». Il lui conseilla même, s'il devait revivre la même insoutenable torture, et pour sauver sa vie, de dire avec les lèvres ce que ses tortionnaires voulaient entendre et de garder fermement en son cœur sa foi et ses prières pour Dieu.

Ainsi le Prophète a-t-il reconnu et accepté les deux attitudes : celle de ceux qui n'ont jamais renié et sont allés jusqu'à mourir pour leur foi, et celle de ceux qui, sous l'insupportable torture, ont échappé à la mort en reniant verbalement leur conviction alors que celle-ci restait inébranlable en leur conscience. Plus tard, les savants musulmans s'appuieront notamment sur cet exemple pour affirmer qu'il était possible à un musulman, dans une situation extrême où il s'agissait pour lui de sauver sa vie sous l'oppression d'un pouvoir injuste, de dire avec ses lèvres ce que leurs tortionnaires voulaient entendre. C'est la référence à la notion de « *takiyya* » (qui renvoie au fait de dissimuler), et celle-ci n'a été légitimée, comme ce fut le cas ici avec 'Ammar, que s'il s'agissait pour l'individu de sauver sa vie dans une situation extrême de tortures qu'il n'était pas à même de supporter. Dans toute autre situation, comme nous le verrons, les musulmans se devaient de dire la vérité, quel qu'en fût le prix.

---

1. Coran, 16, 106.

Enjeux

L'opposition des Qurayshites n'était pas uniquement une opposition à un homme et à un message. En effet, si tous les Messagers de Dieu ont reçu ce même accueil, cette même opposition, cette même haine de la part d'un pan entier de leur propre communauté – parmi leurs propres frères –, c'est que le contenu de ce qu'ils apportaient était, en fait, une radicale révolution quant à l'ordre des choses et des sociétés.

Le Coran rapporte les propos qu'ont eu à essuyer les Messagers, époque après époque, lorsqu'ils sont venus transmettre le message à leur peuple respectif. La première réaction est le plus souvent un refus de changement mêlé à la crainte de perdre le pouvoir, comme Moïse et Aaron l'entendront du peuple de Pharaon :

> *Es-tu venu pour nous détourner du culte que pratiquaient nos ancêtres, et pour que tous deux vous accapariez le pouvoir dans ce pays ? Nous ne croyons pas en vous !* [1]

Cette relation à la mémoire, aux ancêtres, aux habitudes est un élément fondamental pour comprendre la réaction des peuples en face des transformations que ne vont pas manquer d'apporter une nouvelle croyance et, de fait, une nouvelle présence dans le corps social. La réaction est toujours épidermique et passionnée, car ce qui est en jeu touche à l'identité et à la stabilité sur lesquelles se fonde la société en question. Le Prophète Muhammad, avec son message et

1. Coran, 10, 78.

l'établissement de plus en plus visible de sa communauté, fera naître ces mêmes réactions de la façon la plus vive, et le peuple de Quraysh, emporté par la peur de ce qui semble menacer ses repères, s'y opposera de manière violente et acharnée.

La question du pouvoir est bien sûr essentielle : tous les peuples qui ont accueilli des Prophètes ont d'abord pensé, comme ce fut le cas avec Muhammad, que ceux-ci ne cherchaient que le pouvoir et le prestige. C'est à l'évidence à partir de leur grille de lecture qu'ils lisaient et essayaient de comprendre les intentions et les objectifs des Envoyés : dans l'ordre de l'humain, on ne bouleverse pas des habitudes et, ce faisant, un ordre social et politique sans avoir une visée sur le pouvoir. La logique des rapports humains impose cette lecture, et c'est ce qui explique les doutes et la surdité des chefs devant le message d'un homme dont le contenu est en lui-même totalement décalé par rapport à ces perspectives, mais dont les conséquences de la diffusion sont – quant à leur pouvoir – non moins explicites.

En appelant à la reconnaissance du Dieu unique, au rejet des idoles anciennes, à la Vie après la vie, à l'éthique et à la justice, Muhammad mettait en branle une véritable révolution dans les mentalités autant que dans la société. Il importait peu, somme toute, qu'il veuille le pouvoir pour lui-même ou pour un autre : ce qui demeurait une évidence était que le renversement des perspectives contenu dans son message orienté vers l'Au-delà ébranlait les fondements du pouvoir ici-bas.

La reconnaissance du Dieu unique et la conscience de l'Éternité associées à l'enseignement éthique apparaissaient aux nouveaux croyants comme des éléments de leur libération spirituelle, intellectuelle et sociale. L'intuition des chefs de Quraysh était au fond juste et lucide : les enjeux qui sous-tendaient leur opposition radicale à un message de radicale libération étaient profonds et d'une portée essentielle pour leur existence comme pour leur destin. Ils pressentaient, sans toujours être capables de l'entendre et de le comprendre, le sens de l'affirmation fondamentale de la foi en l'Unique, qui exprime tout à la fois une intime conversion et une transmutation générale des ordres :

> *Dis : Dieu, Lui, est Un ; Dieu, Celui qui se suffit à Lui-même ; Il n'engendre pas et n'est pas engendré ; Nul n'est pareil à Lui*[1].

Cette affirmation marque l'existence d'une frontière :

> *Dis : Ô vous les négateurs* [au cœur voilé] *! Je n'adore pas ce que vous adorez ; et vous n'adorez pas ce que j'adore ! Je ne suis pas un adorateur de ce que vous adorez et vous n'êtes pas des adorateurs de ce que j'adore. À vous votre religion, à moi la mienne !*[2]

1. Coran, sourate 112.
2. Coran, sourate 109. Cette sourate fut révélée lorsque des chefs de Quraysh proposèrent une sorte de syncrétisme entre la religion polythéiste des ancêtres et le monothéisme apporté par le Prophète. La réponse de la Révélation est ferme et détermine le caractère irréductible de la distinction en même temps qu'elle ouvre implicitement la porte à l'ordre du respect mutuel.

Questions et oubli

Les Qurayshites étaient quelque peu désemparés et ne savaient point comment s'y prendre pour circonscrire la diffusion du message de Muhammad. Ils envoyèrent donc une délégation à Yathrib afin de s'enquérir auprès des dignitaires juifs de la nature et de la véracité de cette nouvelle Révélation. Les juifs de Yathrib étaient connus pour professer cette même idée du Dieu unique, et Muhammad faisait souvent référence à Moïse, leur Prophète : ils étaient donc les plus à même d'exposer un avis ou, mieux, d'élaborer une stratégie.

Consultés sur le nouveau Prophète, les rabbins proposèrent aux envoyés de La Mecque de lui poser trois questions clefs afin de savoir si ce qu'il disait était vraiment révélé ou s'il s'agissait d'un imposteur. La première question était relative à la connaissance d'une histoire relatant l'exil de jeunes gens loin de leur peuple, la seconde à celle d'un grand voyageur qui atteignit les confins de l'univers, et la dernière était une interpellation directe à définir *ar-rûh* (l'âme). Les Qurayshites de la délégation repartirent, persuadés qu'ils avaient désormais les moyens de piéger Muhammad. De retour à La Mecque, ils allèrent le trouver et lui posèrent les trois questions. Celui-ci répondit presque instantanément : « *Je répondrai à vos questions demain !*[1] »

Or, le lendemain, l'ange Gabriel n'apparut pas. Point de Révélation. Ni le surlendemain, ni les quatorze jours qui suivirent. Les Qurayshites jubilaient,

---

1. Ibn Hishâm, *op. cit.*, vol. 2, p. 140.

sûrs d'avoir enfin prouvé la duplicité de ce soi-disant Prophète, incapable de répondre aux questions des rabbins. Muhammad, de son côté, était triste et, chaque jour davantage, il craignait d'avoir été abandonné. Sans douter de Dieu, il revivait l'expérience du « doute quant à soi », amplifiée par les railleries de ses opposants. Deux semaines plus tard, il reçut une Révélation et une explication :

> *Ne dis jamais, à propos d'une chose : « Certes, je ferai cela demain », sans ajouter : « Si Dieu le veut. »* (in shâ' Allah) *Invoque ton Seigneur* [*Rabb*-Éducateur] *si tu oublies, et dis : « Plaise à mon Seigneur* [*Rabb*-Éducateur] *de me guider vers le chemin de la rectitude. »* [1]

Cette révélation était, une fois encore, un reproche et un enseignement : elle rappelait au Prophète que son statut, son savoir et son destin étaient dépendants de son *Rabb*, du Dieu unique et souverain, et qu'il ne devait point l'oublier. Ainsi faut-il comprendre le sens de la formule *in shâ' Allah*, « si Dieu le veut » : elle exprime la conscience des limites, le sens de l'humilité de celui qui agit mais qui sait qu'au-delà de ce qu'il peut dire ou faire, Dieu seul a le pouvoir de faire en sorte que les choses adviennent. Il ne s'agit point d'un message fataliste : il n'est point question de ne pas agir mais, au contraire, de ne jamais cesser d'agir tout en maintenant en sa conscience et en son cœur les réelles limites du pouvoir humain. Le Prophète, pour la deuxième fois dans la Révélation, était rappelé à l'ordre par le Transcendant : quelle que soit l'intensité

1. Coran, 18, 23-24.

de l'adversité des hommes, ta force et ta liberté sur la terre demeurent dans la conscience permanente de ta dépendance vis-à-vis du Créateur.

Ce n'est qu'ensuite que le Prophète recevra la réponse aux trois questions posées. L'attente allait paradoxalement renforcer la conviction des croyants et interpeller les interlocuteurs du Prophète : son silence, son incapacité de répondre puis l'exposé tardif des révélations prouvaient que Muhammad n'étaient point l'auteur du Livre qui se constituait et qu'il était bien dépendant de la volonté de son *Rabb.*

La réponse à la question d'*ar-rûh* (l'âme) renvoyait directement – dans le même sens que l'exigence d'humilité à laquelle il avait été appelé précédemment – au savoir supérieur de l'Unique :

> *Ils t'interrogent au sujet de l'âme* (ar-rûh). *Dis : L'âme relève de l'ordre* [de la connaissance] *exclusif de mon Seigneur* [*Rabb*-Éducateur] *et, en fait de science, vous n'avez reçu que bien peu de choses*[1].

Quant aux deux histoires (celle des sept Dormants d'Éphèse et celle du voyageur Dhû al-Qarnayn), elles sont relatées dans la même sourate 18, « La Caverne ». Elles fourmillent de données et de précisions auxquelles les Qurayshites, et les rabbins de Yathrib, ne pouvaient point s'attendre, et dont le Prophète, avant la Révélation, n'avait aucune connaissance. Dans cette même sourate, on trouve l'histoire de Moïse qui, dans un moment d'oubli et de négligence, avait laissé échapper l'idée que, compte tenu de son statut de Prophète,

1. Coran, 17, 85.

« il savait ». Dieu va alors le mettre à l'épreuve du plus savant que lui, le personnage d'al-Khidr dans le Coran[1], qui l'initie à la compréhension du savoir supérieur de Dieu, à la patience et à la sagesse de savoir rester humble et de ne point trop poser de questions.

De l'expérience de Moïse (qui a été si impatient) à celle de Muhammad (qui a oublié sa dépendance), en passant par l'enseignement destiné à tous les êtres humains (lesquels, en fait de savoir, n'ont reçu « que peu de choses »), tout rappelle aux musulmans la conscience de leur fragilité et de leur besoin de Dieu (quel que soit leur statut) et la sourate « La Caverne » est entièrement traversée par cet enseignement. Plus tard, le Prophète recommandera à chaque musulman de lire cette sourate en entier tous les vendredis. Pour se rappeler, semaine après semaine, qu'il ne faut pas oublier, s'oublier, L'oublier.

L'Abyssinie

Les humiliations et les persécutions augmentaient au gré de la révélation des versets du Coran. Désormais, celles-ci ne ciblaient plus uniquement les plus vulnérables parmi les musulmans mais également les hommes et les femmes dont le statut aurait normalement dû les protéger, comme c'était le cas d'Abû Bakr, mais qui commençaient à leur tour à essuyer des mauvais traitements. Muhammad, protégé par son oncle Abû Tâlib, était l'objet de quolibets et de sarcasmes, mais il n'était point maltraité physiquement. Constatant la détérioration du climat à La Mecque, le Prophète fit

1. Coran, 18, 60-82.

la suggestion suivante : *« Si vous alliez au pays des Abyssins, vous y trouveriez un roi sous la tutelle duquel personne ne subit d'injustice. C'est un pays de sincérité dans la religion. Vous y resteriez jusqu'à ce que Dieu vous délivre de ce dont vous souffrez actuellement*[1]. »

Le Prophète faisait référence au roi d'Abyssinie[2], le Négus, qui était chrétien et qui avait la réputation d'être respectueux et juste avec ses administrés. Les préparatifs commencèrent donc pour une partie de la communauté et, finalement, un certain nombre d'individus isolés et de familles quittèrent discrètement La Mecque pour vivre la première émigration (*al-hijra al-ûlâ*) : au total, on comptait une centaine de personnes, quatre-vingt-deux ou quatre-vingt-trois hommes et près de vingt femmes.

Nous étions en 615, cinq ans après le début de la Révélation et deux ans après le commencement de l'appel public. La situation était devenue particulièrement difficile, au point d'avoir à prendre le risque de s'exiler très loin, dans une région qui restait, de fait, bien étrangère aux destinations habituelles des habitants de La Mecque. Uthmân Ibn 'Affân et son épouse Ruqayya, la fille du Prophète, faisaient partie de ce groupe, de même qu'Abû Bakr, mais celui-ci s'en retourna lorsque, sur la route, il rencontra un dignitaire mecquois qui lui assura sa protection. On y trouvait également Um Salama, qui allait devenir plus tard la femme du Prophète, et par laquelle nous est parvenu le récit des différents épisodes de l'émigration en Abyssinie.

1. Ibn Hishâm, *op. cit.*, vol. 2, p. 164.
2. Qui correspond à l'Éthiopie aujourd'hui.

Les chefs qurayshites découvrirent rapidement que des musulmans, et, paradoxalement, pas les plus vulnérables, avaient quitté La Mecque. Ils ne mirent pas longtemps non plus à connaître leur destination. Ils avaient quelques raisons de s'inquiéter : si ce petit groupe de musulmans réussissait à s'installer ailleurs, ils n'allaient pas manquer de ternir la réputation des habitants de La Mecque et, le cas échéant, d'attiser l'adversité à leur encontre, voire de tenter d'établir une alliance contre eux avec un roi dont ils savaient qu'il partageait cette foi en un Dieu unique. Alors que les musulmans étaient partis depuis quelque temps déjà, les chefs de Quraysh décidèrent d'envoyer deux émissaires auprès du Négus, 'Amr ibn al-'Ass et 'Abd Allah ibn Rabî'a, afin de le dissuader d'offrir sa protection à ces immigrés et de l'inciter à les renvoyer à La Mecque. Les deux émissaires se rendirent donc à la Cour du Négus avec de nombreux cadeaux qu'ils savaient très appréciés par les dignitaires abyssins : ils rencontrèrent ces derniers un à un, leur remirent leurs présents, et s'assurèrent de leur précieux soutien au moment d'exposer leur requête auprès du roi.

Devant le Négus

'Amr ibn al-'Ass et 'Abd Allah ibn Rabî'a auraient aimé que le roi les écoutât et qu'il acceptât de renvoyer les musulmans sans même entendre ces derniers. Le Négus refusa, en affirmant que ceux qui l'avaient choisi pour les protéger avaient le droit d'exposer leurs arguments. Il les fit appeler pour une audience qui devait réunir les émissaires de La Mecque et une délégation des immigrés musulmans. Ceux-ci choisirent Ja'far ibn Abî Tâlib, sage et bon orateur, pour les représenter et répondre aux questions du roi. Celui-ci les interrogea sur les causes de leur exil, et en particulier sur le contenu de ce nouveau message apporté par leur Prophète. Ja'far exposa au roi les principes fondamentaux contenus dans la Révélation et matérialisés par l'enseignement de Muhammad : la foi en un Dieu unique, le refus de l'idolâtrie, l'impératif de respecter les liens de parenté, de dire la vérité, de s'opposer à l'injustice, etc. Ja'far ajouta que c'était à cause de ce message que les gens de Quraysh les persécutaient, et qu'ils avaient donc décidé de se réfugier en Abyssinie auprès du Négus qui avait la réputation d'être juste et tolérant.

Ce dernier demanda à Ja'far s'il avait une copie ou s'il pouvait réciter un passage du texte de la Révélation apportée par leur Prophète. Ja'far répondit par l'affirmative et se mit à psalmodier quelques versets de la sourate « Marie » (*Maryam*) :

> *Et mentionne Marie dans le Livre lorsqu'elle se retira en un endroit situé à l'est, loin de sa famille, et étendit un voile entre elle et les siens. C'est alors que Nous lui envoyâmes Notre Esprit qui se présenta à elle sous la forme d'un homme accompli. Elle lui dit : « Je cherche refuge contre toi auprès du Tout Miséricordieux, si tant est que tu Le craignes. — Je ne suis, dit-il, qu'un Envoyé de ton Seigneur, chargé de te faire présent d'un garçon immaculé. — Comment, s'étonna-t-elle, pourrais-je avoir un enfant alors qu'aucun être humain ne m'a jamais touchée et que je n'ai jamais été une femme aux mœurs légères ? » Il lui fut répondu : « Ainsi en a décidé ton Seigneur qui a dit : "Rien n'est plus facile pour Moi. Nous ferons de*

cet enfant un signe pour les hommes et une miséricorde émanant de Nous." Et c'est là un décret irrévocable[1]. »

Le roi et ses dignitaires furent émus par la beauté du texte psalmodié en arabe, et ils le furent encore davantage quand le texte leur fut traduit et qu'ils comprirent qu'il s'agissait de l'annonce de la naissance miraculeuse de Jésus. Le Négus s'exclama : « *En vérité, cela vient de la même source que ce qu'a apporté Jésus*[2]. » Et il se tourna vers les deux émissaires mecquois pour les éconduire et leur signifier qu'il ne leur livrerait point les immigrés musulmans, auxquels il continuerait à offrir un refuge.

'Amr et 'Abd Allah se retirèrent dépités mais, très vite, 'Amr décida qu'il irait à nouveau voir le Négus pour l'informer de ce que ce nouveau message dit vraiment de Jésus, et qui ne correspond en rien à ce que les chrétiens croient. Il s'exécuta le lendemain et le roi, après l'avoir écouté, convoqua à nouveau Ja'far et sa délégation en exigeant d'en savoir plus sur ce que disait le Prophète à propos de Jésus. Ceux-ci avaient pris conscience du danger de cette rencontre : l'exposé des différences entre les deux messages pouvait amener le Négus à les renvoyer. Ils décidèrent néanmoins de s'en tenir au contenu du message et de dire ce qu'il en était en toute vérité. À la question directe du Négus : « *Que professez-vous au sujet de Jésus, le fils de Marie ?* », Ja'far répondit de façon non moins directe et claire : « *Nous en disons ce que nous a appris notre Prophète : il est le serviteur de Dieu, Son*

1. Coran, 19, 16-21.
2. Ibn Hishâm, *op. cit.*, vol. 2, p. 180.

Messager, Son Esprit, Son Verbe qu'Il a insufflé en Marie, la Sainte Vierge. » Il n'y avait ici nulle mention de son statut de « fils de Dieu », et pourtant, le Négus réagit en saisissant un bâton et en s'exclamant : « *Jésus, le fils de Marie, ne dépasse pas ce que tu viens de dire de la longueur de ce bâton*[1]. » Les dignitaires religieux furent surpris de cette réponse, se manifestèrent en toussotant, mais le Négus les ignora et exigea que les deux émissaires mecquois soient renvoyés et qu'ils remportent avec eux la totalité de leurs cadeaux. Aux musulmans, il renouvela son accueil et les assura qu'ils trouveraient chez lui protection et sécurité.

Le revers était de taille pour les Mecquois, dont la vengeance allait s'exprimer par l'augmentation des représailles après le retour des deux émissaires. De leur côté, Ja'far et sa communauté avaient trouvé un pays majoritairement chrétien où, bien qu'ils soient exilés et ne partagent pas la foi de la population, ils étaient reçus, protégés et tolérés. Ils avaient décidé de dire la vérité : au moment le plus risqué de la rencontre avec le Négus, ils n'avaient pas cherché à esquiver la question ou à mentir au sujet de ce que le Prophète Muhammad disait de Jésus, le fils de Marie. Ils risquaient certes d'être renvoyés et extradés, mais ils n'étaient point dans la situation de 'Ammar qui, sous la torture, avait verbalement renié pour sauver sa vie. Ici donc, malgré les périls, point d'échappatoire : les musulmans s'en étaient tenus à leurs convictions, qu'ils avaient exprimées avec sincérité et honnêteté. Ils n'avaient pas d'autre choix que de dire la vérité, ils l'ont dite.

1. *Ibid.*, p. 181.

Il est à noter, au demeurant, que Ja'far avait commencé par mettre en avant les similitudes des deux révélations. Les premiers versets qu'il récita signifiaient clairement que la source du message était la même et que les musulmans, adhérant à la nouvelle Révélation, adoraient le même Dieu que les chrétiens et reconnaissaient leur Prophète. Ce sont les émissaires de La Mecque qui cherchèrent à mettre en évidence les différences pour semer la discorde, mais Ja'far a assumé avec la même promptitude d'exposer le message de sa foi avec ses distinctions et ses différences. La seule présence des musulmans en Abyssinie envoyait au fond un autre message aux chrétiens : ils reconnaissaient dans le Négus un homme de principes et de justice, et c'est pourquoi ils avaient décidé de se réfugier chez lui. Le Négus n'était pas musulman, mais il avait parfaitement entendu la double portée, explicite et implicite, du message apporté par les musulmans : notre Dieu est le même, le Dieu unique, quelles que soient les différences entre nos textes et nos croyances ; nos valeurs, de respect et de justice, sont les mêmes quelles que soient les divergences de nos textes. Le roi entendit et accueillit ces fidèles d'une autre foi.

Plus tard, le Négus se convertit à l'islam et ne cessa d'être en contact avec le Prophète Muhammad. Il représenta ce dernier lors d'une cérémonie de mariage et le Prophète fit « la prière sur le mort absent » (*salât al-ghâ'ib*) lorsqu'il apprit que le Négus était décédé. La majorité des musulmans exilés en Abyssinie y demeurèrent une quinzaine d'années, jusqu'à l'expédition de Khaybar (en 630) où ils rejoignirent le Prophète à Yathrib, devenue entre-temps Médine. D'autres étaient repartis (et parfois revenus) au gré des informations positives reçues en provenance de La Mecque, mais ils ne furent jamais inquiétés en Abyssinie.

7

ÉPREUVES, ÉLÉVATION ET ESPOIRS

À La Mecque, la situation s'aggravait. Parmi les farouches opposants à l'islam, on trouvait, à côté d'Abû Lahab et du dénommé Abû Jahl, le fougueux 'Umar ibn al-Khattâb. Celui-ci s'était déjà manifesté en frappant violemment, et jusqu'à épuisement, une femme nouvellement convertie à l'islam.

'Umar ibn al-Khattâb

'Umar était excédé par la tournure des événements, et il décida qu'il n'y avait rien d'autre à faire que de tuer le Prophète. C'était là le plus sûr moyen de mettre un terme au désordre et à la sédition qui sourdaient et mettaient en péril l'ensemble de la société mecquoise.

Il sortit donc de chez lui, l'épée à la main, à la recherche de Muhammad. Sur sa route, il rencontra Nu'aym ibn 'Abd Allah, qui s'était secrètement converti à l'islam. Celui-ci lui demanda l'objet de son apparente colère, et 'Umar lui fit part de ses intentions de tuer le Prophète. Nu'aym, prompt d'esprit, chercha un moyen de faire diversion et conseilla à 'Umar de mettre de l'ordre dans sa propre famille avant de s'en prendre à

Muhammad. Il l'informa que sa sœur Fâtima et son beau-frère Sa'îd s'étaient en effet déjà convertis à l'islam : stupéfait et furieux, 'Umar changea ses plans immédiats et décida d'aller trouver sa sœur.

Le couple était en train de lire et d'étudier le Coran avec le jeune compagnon Khabbâb lorsqu'ils entendirent que quelqu'un s'approchait de leur demeure. Khabbâb cessa sa lecture et se cacha. 'Umar avait entendu qu'on récitait quelque chose à l'intérieur, et il apostropha sa sœur et son mari de façon froide et agressive en leur demandant de quoi il s'agissait. Tous deux nièrent les faits, mais 'Umar insista en affirmant qu'il avait bien entendu qu'ils récitaient un texte. Ils refusèrent de répondre, ce qui attisa la colère de 'Umar. Il se jeta sur son beau-frère pour le frapper, et lorsque sa sœur chercha à s'interposer, il la frappa violemment et elle se mit à saigner. La vue du sang sur le visage de sa sœur eut un effet immédiat, et 'Umar s'arrêta tout net. À ce moment précis, sa sœur lui lança avec fougue : « *Oui, nous sommes musulmans et nous croyons en Dieu et en Son Envoyé. Quant à toi, fais maintenant ce que tu veux !*[1] » 'Umar resta interdit, partagé entre le regret d'avoir blessé sa sœur et la stupeur de l'annonce qui venait de lui être faite. Il demanda à sa sœur de lui remettre le texte qu'ils récitaient au moment de sa venue. Sa sœur exigea de lui qu'il fît d'abord des ablutions pour se purifier. Calmé, mais encore ébranlé, 'Umar accepta, fit ses ablutions, puis se mit à lire :

> *Tâ-Hâ. Nous ne t'avons pas envoyé le Coran pour te rendre malheureux, mais comme un Rappel pour*

1. *Ibid.*, p. 189.

celui qui craint le Seigneur. Et comme une Révélation émanant de Celui qui a créé la Terre et les Cieux sublimes. L'Infiniment Bon qui s'est établi sur le Trône. Le Souverain des Cieux, de la Terre, des espaces interstellaires et de tout ce qui se trouve dans les profondeurs du sol. Que tu élèves ta voix ou non, Il connaît tous les secrets et les pensées les plus intimes. Il est Dieu ! Il n'y a de divinité que Lui ! Et Il porte les plus beaux Noms[1].

C'étaient les premiers versets, et 'Umar continua à lire la suite du texte qui relatait l'appel de Dieu à Moïse sur le mont Sinaï, jusqu'à ce qu'il parvienne au verset :

En vérité, Je suis Dieu. Il n'y a pas d'autre Dieu que Moi ! Adore-Moi et accomplis la prière afin de te souvenir de Moi[2].

'Umar cessa alors sa lecture et manifesta son engouement pour la beauté et la noblesse de ces paroles. Khabbâb, encouragé par l'apparente bonne disposition de 'Umar, sortit alors de sa cachette. Il lui révéla qu'il avait entendu une invocation du Prophète dans laquelle celui-ci demandait à Dieu de soutenir sa communauté par la conversion d'Abû al-Hakam[3] ou de 'Umar ibn al-Khattâb. 'Umar lui demanda où se trouvait Muhammad, et il lui indiqua qu'il était dans la

---

1. Coran, 20, 1-8.
2. Coran, 20, 14.
3. C'est, comme nous l'avions déjà mentionné, le nom de l'homme que les musulmans avaient fini par surnommer Abû Jahl, tant sa cruauté était sans limite à l'égard des musulmans.

demeure d'al-Arqam. 'Umar s'y rendit. Devant la porte, les habitants eurent peur car 'Umar portait encore son épée à la ceinture. Le Prophète accepta qu'il entre et 'Umar, instantanément, annonça son intention de se convertir. Le Prophète s'exclama : *« Allahu Akbar ! »* (Dieu est le plus grand), et il reçut cette conversion comme une réponse à son invocation.

Le Prophète savait son impuissance sur les cœurs. Face à la persécution, en grande difficulté, il s'était tourné vers Dieu en espérant qu'Il guide l'un ou l'autre de ces deux hommes, dont il connaissait les qualités humaines autant que le pouvoir de renverser l'ordre des choses. Le Prophète savait bien sûr que c'est Dieu seul qui guide les cœurs. Pour certains, la conversion fut un long processus qui prit des années de questionnements, de doutes, d'avancées, de retours en arrière. Pour d'autres, la conversion fut instantanée, suivant immédiatement la lecture d'un texte ou en présence d'un geste ou d'un comportement particulier. Un secret. Les conversions qui ont pris le plus de temps n'étaient pas forcément les plus solides, et l'inverse n'était pas vrai non plus : dans l'ordre de la conversion, des dispositions du cœur, de la foi et de l'amour, il n'est point de logique et seul demeure l'extraordinaire pouvoir du Divin. 'Umar était sorti de chez lui avec la volonté de tuer le Prophète, aveuglé par son absolue négation du Dieu unique ; puis le voilà, quelques heures plus tard, changé, transformé, au terme d'une conversion dont la source fut un texte et le sens de Dieu. Il deviendra l'un des plus fidèles compagnons de celui dont il avait espéré la mort. Personne, parmi les musulmans, n'aurait pu imaginer que 'Umar reconnaisse le message de l'islam, tant il avait manifesté de haine à son encontre. Cette révolution du cœur était un signe et portait un double enseignement : rien n'est impossible à Dieu, et il ne faut juger définitivement de rien ni de personne. Il s'agissait d'un nouveau rappel à l'humilité en toutes circonstances : pour l'être humain, se souvenir du pouvoir infini du Divin, cela devrait vouloir dire apprendre, vis-à-vis de sa propre personne, à sainement douter de soi et, vis-à-vis d'autrui, à suspendre son jugement. Ainsi, à mesure qu'il avançait avec Dieu – et devenait chaque jour davantage un modèle pour ses compagnons et pour l'éternité –, le Prophète accédait à l'humilité et à la pudeur dans leur triple dimension de l'être, du savoir et du jugement.

'Umâr, avec sa fougue et son courage, avait décidé de rendre publique sa conversion. Il alla sur-le-champ voir Abû Jahl pour lui annoncer la nouvelle et proposa au Prophète de faire une prière au grand jour dans l'enceinte de la Ka'ba[1]. Il y avait certes des risques, mais il s'agissait en même temps de montrer aux chefs de clans des Quraysh que les musulmans étaient présents et déterminés. 'Umar et Hamza, connus pour leur forte personnalité, entrèrent en tête du groupe dans l'enceinte de la Ka'ba, et les musulmans y prièrent en congrégation sans que personne n'osât intervenir.

Le bannissement

C'en était trop néanmoins. La tension ne cessait de monter, et les chefs se réunirent enfin pour tenter

1. Depuis ce jour, le surnom de 'Umar ibn al-Khattâb fut *al-Farûq* (celui qui établit la distinction), en référence à sa volonté de distinguer la communauté musulmane (ayant accepté la vérité du message) des Quraysh (obstinés dans l'ignorance – *al-jâhiliyya*).

de mettre un terme à cette lente expansion. Il était nécessaire de prendre quelques mesures plus radicales. Les premiers convertis provenaient de toutes les tribus et rendaient donc impossible une stratégie basée sur le jeu des alliances habituelles. Au terme de longues discussions et de débats très animés – qui, dans les faits, divisaient de l'intérieur les clans et les appartenances –, il fut décidé de bannir l'ensemble des Banû Hâshim et d'établir une sorte d'ostracisme total vis-à-vis des individus et du clan.

Un accord fut signé par une quarantaine de chefs qurayshites et apposé à l'intérieur de la Ka'ba afin de rendre la décision solennelle et définitive. Abû Lahab, du clan des Hâshimites, décida, en contradiction avec le code traditionnel de l'honneur, de se désolidariser de son clan et de soutenir le bannissement. Abû Tâlib eut l'attitude inverse et continua à soutenir son neveu, ce qui obligea les Quraysh à inclure de fait le clan des Muttalib dans le boycott. La décision était radicale, et il s'agissait d'éviter tout contact avec les membres du clan, de ne plus épouser leurs filles ni leurs garçons, de ne plus faire de commerce ni d'établir un contrat de tout autre type, et tout à l'avenant. La mise au ban devait être totale et durerait aussi longtemps que les deux clans accepteraient que Muhammad continuât de prêcher son message : ce dernier devait cesser sa mission et ne plus faire référence au Dieu unique.

Craignant pour leur sécurité, les Banû Hâshim décidèrent de s'installer tous ensemble dans une même région de la vallée de La Mecque. Ils étaient isolés, et même si le boycott n'était point absolu et que des parents faisaient parvenir clandestinement des vivres et des provisions au Banû Hâshim, la situation devint grave, et ils étaient de plus en plus nombreux à souffrir de la maladie et de la faim. Le bannissement dura près de trois ans et fragilisa économiquement les deux clans qui manquaient de vivres et traversaient des périodes d'intenses disettes. Abû Bakr y avait presque perdu sa fortune, et la pression sociale et psychologique était insurmontable.

Du côté des Quraysh, beaucoup étaient d'avis que ce boycott était infondé, voire inutile. D'autres étaient bien sûr liés au clan par des liens de parenté qu'il était impossible d'oublier et de nier. Les tentatives de mettre fin au bannissement s'étaient multipliées tout au long des trois ans, mais elles n'avaient jamais abouti car un certain nombre de dignitaires, à l'instar d'Abû Lahab et Abû Jahl, refusaient d'entrer en matière. C'est finalement l'initiative de quelques individus cherchant des alliés dans chacun des clans qui réussit à inverser la tendance. Alors que le peuple était réuni à proximité de la Ka'ba, l'un d'eux prit la parole et remit en cause le boycott vis-à-vis des Banû Hâshim. Un autre dans la foule le soutint, puis un autre, puis un quatrième, donnant l'impression que l'avis était partagé par un grand nombre. Abû Jahl tenta d'intervenir mais l'assemblée, dont beaucoup partageaient cet avis mais n'osaient s'exprimer, allait très majoritairement dans le sens du refus du boycott. L'un des membres du groupe initiateur de ce petit soulèvement entra dans la Ka'ba, s'empara du texte stipulant la décision du boycott et le déchira. Les partisans de la ligne la plus dure jugèrent inutile de résister, et le bannissement fut levé. Le soulagement, dans les rangs des deux clans exclus, était réel, tant la situation était devenue intenable.

L'année de la tristesse

Cela faisait quelques mois que les choses allaient mieux du côté de la petite communauté musulmane. Ses membres n'étaient plus astreints au boycott et pouvaient à nouveau tisser des liens de fraternité et de travail avec les gens de Quraysh. Le Prophète continuait à transmettre son message, et la visibilité voulue par 'Umar ibn al-Khattâb était devenue une réalité dans la vie quotidienne à La Mecque. Mais les insultes et les persécutions n'avaient point cessé pour autant.

Les choses allaient dramatiquement changer. Khadîdja, la femme du Prophète, décéda peu de temps après la levée du bannissement. Elle avait été la femme, la compagne de foi et le soutien le plus solide de Muhammad pendant plus de vingt-cinq ans, et Dieu la rappela à Lui neuf ans après le début de la prédication, en 619 de l'ère chrétienne. La tristesse du Prophète était très profonde : il avait reçu de l'ange Gabriel, très tôt, la bonne nouvelle de l'élection de son épouse, et il savait que la présence de Khadîdja à ses côtés était l'un des signes de la protection et de l'amour divins. À la lumière de sa présence et de son rôle dans sa vie, il est possible d'appréhender la multitude de sens possibles contenue dans l'idée de « vêtement » qui se trouve dans un verset qui sera révélé bien plus tard à propos de la relation entre les époux : « *Elles sont un vêtement pour vous et vous êtes un vêtement pour elles*[1]. » Khadîdja fut ce vêtement qui protège (sentimentalement autant que physiquement),

---

1. Coran, 2, 187.

cache (les faiblesses, les doutes autant que les richesses) et offre la chaleur, la force, le prestige, la dignité et la pudeur.

Il ne se passa pas longtemps avant que l'oncle du Prophète, Abû Tâlib, grâce auquel il avait jusqu'alors bénéficié de l'immunité parmi les Quraysh, ne tombe gravement malade à son tour. Muhammad se rendit à son chevet alors qu'il était près de rendre son dernier souffle. Abû Tâlib confirma qu'il avait été heureux de protéger son neveu qui avait toujours été mesuré et juste. Muhammad l'invita à prononcer l'attestation de foi avant de s'en aller, et ce pour qu'il puisse intercéder pour lui auprès de Dieu. Abû Tâlib, animé par le code de l'honneur de son clan, affirma qu'il craignait que les Quraysh pensent qu'il avait prononcé l'attestation de foi par crainte de la mort. Ils n'eurent point le temps de poursuivre leur discussion : Abû Tâlib décéda alors que le Prophète était à son chevet. Cet homme qui, avec dignité et courage, lui avait assuré sa protection – avec son amour et son respect – n'avait point accepté l'islam. Muhammad l'aimait et le respectait, et sa tristesse n'en était que plus intense. De cette tristesse et de cette impuissance, un verset, révélé en relation avec cet événement, offrit un enseignement éternel quant à la disposition et aux secrets des cœurs :

> *Tu ne peux certes guider* [vers la foi] *qui tu aimes mais seul Dieu guide qui Il veut. Il est le plus Savant quant à connaître ceux qui sont bien guidés*[1].

---

1. Coran, 28, 56.

En l'espace de quelques mois, le Prophète semblait être devenu doublement vulnérable : il avait perdu l'être qui lui offrait l'amour, et celui qui lui assurait la protection. Malgré la peine, la souffrance et le trouble, il fallait réagir au plus vite et trouver les moyens de protéger la communauté des musulmans qui étaient restés à La Mecque. Muhammad décida de solliciter un soutien à l'extérieur de la cité.

À Ta'if, un esclave

Le Prophète se rendit dans la ville de Ta'if et s'adressa aux dignitaires de la tribu de Thaqîf afin qu'ils entendent le message de l'islam et qu'ils acceptent de protéger les musulmans contre leurs ennemis. Il fut reçu très froidement, et les chefs se moquèrent de sa prétention à être un Prophète. Si tel était le cas, comment Dieu pouvait-Il ainsi laisser Son Envoyé, obligé d'aller quémander un soutien auprès de tribus étrangères ? Non seulement ils n'entrèrent point en matière, mais ils mobilisèrent contre lui la population : alors qu'il s'en retournait, des insultes saluaient son passage et des enfants lui jetaient des pierres. Ils étaient de plus en plus nombreux à se rassembler sur son passage et à l'accompagner de leurs railleries : il dut finalement chercher refuge dans un verger afin d'échapper à ses poursuivants.

Il se cacha et s'isola. Il était seul et n'avait trouvé aucune protection parmi les hommes. Il se tourna alors vers l'Unique et L'invoqua : *« Ô Dieu, à Toi je me plains de ma faiblesse, de mon impuissance et de ma misérable condition devant les hommes. Ô le plus Miséricordieux des Miséricordieux, Tu es le Seigneur des faibles et Tu es mon Seigneur [Rabb-Éducateur]. Entre les mains de qui donc veux-Tu donc me livrer ? À quelque étranger lointain qui me maltraitera ? Ou à un ennemi à qui Tu auras donné le pouvoir contre moi ? Je ne me fais aucun souci si tant est que Tu ne sois pas courroucé contre moi. Ton gracieux soutien m'ouvrirait néanmoins un chemin plus vaste et un horizon plus large ! Je prends refuge dans la Lumière de Ta face par laquelle toutes les ténèbres sont illuminées et les choses de ce monde et de l'autre sont justement ordonnées, afin que Tu ne fasses pas descendre sur moi Ta colère et que Ton courroux ne m'atteigne pas. Pourtant, il T'appartient de blâmer tant que Tu n'es pas satisfait. Il n'y a de puissance ni de force qu'en Toi*[1]. »

C'est vers l'Unique, son Protecteur et son Confident, qu'il se tourna au moment où toutes les voies semblaient sans issue : ses questions n'exprimaient point des doutes quant à sa mission, mais traduisaient clairement son impuissance d'être humain ajoutée à son ignorance des desseins divins. À cet instant précis, loin des hommes, dans la solitude de sa foi et de sa confiance en l'Infiniment Bon, il s'en remit littéralement et totalement à Dieu. En cela, cette prière révèle toute la confiance et la sérénité que Muhammad puise de sa relation au Très Rapproché. Cette invocation, devenue célèbre, dit l'impuissance de l'homme et l'extraordinaire force spirituelle de l'Envoyé. Apparemment seul et sans alliés, il sait qu'il n'est point seul.

1. Ibn Hishâm, *op. cit.*, vol. 2, p. 268.

Les deux propriétaires du verger avaient, de loin, vu entrer Muhammad et l'avait observé s'isoler et lever les mains pour invoquer Dieu. Ils envoyèrent leur esclave 'Addâs, un jeune homme chrétien, lui porter une grappe de raisin. Lorsque celui-ci lui tendit la grappe, il entendit le Prophète prononcer la formule : *« BismiL-Lah ! »* (« Au nom de Dieu », « Je commence par Dieu »). Il en fut surpris et s'enquit de l'identité de cet homme qui prononçait des formules que lui, chrétien, n'avait jamais entendues dans la bouche des polythéistes. Muhammad lui demanda d'où il venait, et 'Addâs lui répondit qu'il était originaire de Ninive. Le Prophète ajouta : *« Le pays de Jonas le Juste, fils de Mattâ' »* Le jeune homme s'étonna et se demanda comment cet homme avait pu avoir connaissance de cela. Après l'avoir informé du fait qu'il était chrétien, 'Addâs questionna à son tour Muhammad sur son identité et sur l'origine de son savoir. Ce dernier lui confia : *« Jonas est mon frère. Il était prophète et je suis prophète*[1]*. »*

'Addâs l'observa un instant puis lui baisa la tête, les mains et les pieds : ses maîtres en furent choqués et, à son retour auprès d'eux, il les informa que seul un Prophète pouvait savoir ce que cet homme savait. 'Addâs accepta l'islam au terme d'une discussion de quelques minutes. Le roi chrétien d'Abyssinie avait tout de suite reconnu la filiation des deux messages et c'était maintenant un jeune esclave, lui aussi chrétien, qui partageait la même intuition. Deux fois déjà, sur la route de Muhammad, dans la peine et l'isolement, s'étaient trouvés des croyants chrétiens qui lui avaient

1. *Ibid.*, p. 269.

accordé la confiance, le respect et le refuge : un roi accueillit des musulmans en leur assurant la sécurité ; un esclave servit leur Prophète alors que tous les hommes l'avaient rejeté, lui et son message.

Le Prophète reprit alors la direction de La Mecque. Sur la route, il rencontra un cavalier à qui il demanda de s'enquérir auprès d'un dignitaire mecquois de sa parenté s'il acceptait de lui assurer sa protection. Le cavalier s'exécuta, mais le dignitaire refusa, comme ce fut également le cas d'un second chef sollicité. Le Prophète ne désirait pas rentrer à La Mecque dans ces conditions, et il alla donc se réfugier dans la caverne de Hirâ', où il avait reçu la première révélation. C'est finalement la troisième personne sollicitée, Mut'im, le chef des clans de Nawfal, qui accepta d'assurer sa protection, et il le fit savoir en accueillant publiquement Muhammad dans l'enceinte de la Ka'ba.

Le voyage nocturne[1]

Le Prophète aimait se rendre dans l'enceinte de la Ka'ba pendant la nuit. Il y veillait et y priait pendant de longues heures. Un soir, il ressentit soudain une lourde fatigue et un profond besoin de dormir. Il se coucha donc à proximité de la Ka'ba et s'endormit.

Muhammad raconta que l'ange Gabriel vint alors à lui, le secoua par deux fois, puis l'emmena la troisième fois aux portes de la mosquée où les attendait un animal blanc (qui semblait être un mélange entre la mule et l'âne et portait des ailes sur le flanc). Il

1. Il existe des divergences, dans les sources classiques relatant la vie du Prophète, quant à la chronologie des événements : le voyage nocturne est parfois narré avant l'année de la tristesse.

enfourcha l'animal, nommé al-Burâq, et ils s'en allèrent en compagnie de l'ange Gabriel vers Jérusalem. Là, Muhammad rencontra un groupe de Prophètes qui l'avaient précédé dans sa mission (Abraham, Moïse et d'autres), et il dirigea une prière en commun avec eux sur le site du Temple. La prière terminée, le Prophète fut élevé en compagnie de l'ange Gabriel au-delà de l'espace et du temps : sur sa route, dans l'ascension des sept cieux, il rencontra les Prophètes qu'il reconnaissait tout de suite et sa vision des cieux et de la beauté de ces horizons imprégnait son être. Il parvint enfin au « Lotus de la Limite » (*sidrat al-muntahâ'*) : c'est là que le Prophète reçut l'injonction des cinq prières par jour[1] et la révélation du verset qui fixait les éléments du credo (*al-'aqîda*) des musulmans :

> *L'Envoyé a cru* [croit], *ainsi que les croyants, en ce qui lui a été révélé de la part de son Seigneur* [Rabb-Éducateur]. *Tous ont cru* [croient] *en Dieu, en Ses anges, en Ses livres et en Ses envoyés. – Nous ne faisons aucune distinction entre Ses envoyés. Ils disent : Nous avons entendu et nous avons obéi ; accorde-nous Ton pardon, Toi notre Seigneur ; c'est vers Toi que s'accomplit le grand retour*[2].

1. Qui furent d'abord au nombre de cinquante, puis réduites à cinq, au gré des requêtes du Prophète Muhammad, conseillé par Moïse.
2. Coran, 2, 285. Le retour vers Dieu renvoie à l'idée de l'Au-delà et du Jugement dernier. Dans une tradition prophétique (*hadîth*) rapportée par 'Umar ibn al-Khattâb, et authentifiée par al-Bukhârî et Muslim, on trouve le sixième des piliers de la foi (*arkân al-imân*) qui constituent le credo (*al-'aqîda*) : la croyance au destin (*al qadr wal qadâ'*) dans le bien comme dans le mal.

Muhammad fut ramené à nouveau à Jérusalem par l'ange Gabriel et al-Burâq, puis de là à La Mecque. Sur la route du retour, il aperçut des caravanes qui faisaient également route vers La Mecque. Il faisait encore nuit quand ils parvinrent dans l'enceinte de la Ka'ba. L'ange et la monture s'en allèrent, et Muhammad se rendit chez Um Hânî. Il lui raconta ce qui lui était arrivé, et celle-ci lui conseilla de n'en rien dire à personne, ce que Muhammad refusa. Plus tard, le Coran allait rapporter cette expérience dans deux passages différents. Dans la sourate dont le titre, *Al-Isrâ'* (« Le voyage nocturne »), se réfère directement à l'événement :

> *Gloire à Celui qui fit voyager de nuit Son serviteur de la Mosquée sacrée à la Mosquée la plus éloignée dont Nous avons béni les alentours, afin de lui faire découvrir certains de Nos signes ! Dieu est, en vérité, l'Audient et le Clairvoyant*[1].

Et également dans la sourate *An-Najm* (« L'étoile ») :

> *C'est en vérité une révélation inspirée, que lui a enseignée un être d'une force prodigieuse, doué d'une sagacité inouïe, qui se manifesta devant lui sous forme angélique, alors qu'il se trouvait à l'horizon suprême. Puis l'être se laissa glisser et s'approcha jusqu'à ce qu'il ne fût qu'à une distance de deux portées d'arc ou moins encore. C'est alors que Dieu révéla à Son serviteur ce qu'Il voulait lui révéler. Et le cœur ne saurait démentir ce que les yeux ont vu. Allez-vous donc lui contester ce qu'il a de ses propres yeux vu, et alors qu'il l'avait déjà vu lors*

1. Coran, 17, 1.

d'une précédente apparition, près du Lotus de la Limite, non loin du Jardin du séjour des bienheureux, au moment où un voile indéfinissable recouvrait le Lotus ? Le regard du Prophète n'a ni dévié ni outrepassé la mesure, et c'est ainsi qu'il lui fut donné de voir certains des plus grands signes de son Seigneur [Rabb-*Éducateur*] [1].

Le voyage et l'ascension nocturnes feront l'objet de beaucoup de commentaires au moment où le Prophète exposera les faits, comme plus tard entre les savants musulmans. Muhammad se rendit à la Ka'ba et raconta son expérience : les moqueries, les rires et les critiques ne tardèrent pas. Les Quraysh avaient enfin la preuve que ce Prophète était bien fou puisqu'il osait affirmer qu'en une nuit, il avait fait un voyage vers Jérusalem (qui, à lui seul, nécessitait plusieurs semaines) et que, de surcroît, il aurait été élevé dans la proximité de son Dieu unique. La folie était patente.

L'expérience du « voyage nocturne », présentée dans les livres classiques narrant la vie du Prophète comme un don de Dieu et une consécration de l'Envoyé, de l'Élu (*al-Mustafâ*), fut, parmi les hommes, une véritable épreuve. Elle marquait une limite entre les croyants dont la foi rayonnait par la confiance qu'ils avaient en ce Prophète et en son message, et les autres qui pouvaient être ébranlés par l'invraisemblance de tels propos. Une délégation des Quraysh s'empressa d'interpeller Abû Bakr au sujet de son ami fou et insensé. Sa réponse immédiate et franche les surprit : *« S'il dit une telle chose, elle ne peut être que*

1. Coran, 53, 4-18.

vraie ! » La foi et la confiance d'Abû Bakr étaient telles qu'il ne fut pas ébranlé une seconde. Il alla ensuite questionner personnellement le Prophète qui lui confirma les faits, et Abû Bakr de répéter avec force : « *Je te crois, tu as toujours dit la vérité*[1]. » Depuis ce jour, le Prophète appela Abû Bakr « *as-Siddîq* » (« celui qui est véridique, qui confirme la vérité »). L'élection prophétique par le voyage nocturne était dans les faits, pour les musulmans, une véritable « épreuve de la confiance » au moment où ceux-ci vivaient une situation des plus difficiles. La tradition rapporte que quelques musulmans quittèrent l'islam mais la majorité des musulmans eurent confiance en Muhammad et des faits vinrent confirmer quelques semaines plus tard certains des propos qu'il avait tenus comme par exemple l'arrivée de convois dont il avait annoncé la venue (les ayant vus sur son chemin du retour) et qu'il avait exactement décrits. C'est la force de cette confiance dans la foi qui allait permettre à la communauté des musulmans de faire face aux futures adversités et l'on trouvera désormais toujours, au premier rang de cette force spirituelle, *al-Farûq*, 'Umar ibn al-Khattâb, et *as-Siddîq*, Abû Bakr.

Les savants musulmans ont, depuis l'origine et tout au long de l'Histoire, discuté la question de savoir si le voyage nocturne était purement spirituel ou également physique. La majorité d'entre eux penchent pour l'hypothèse d'un voyage à la fois physique et spirituel. Au demeurant, cette question n'est pas essentielle à la lumière des enseignements qui, dans les deux hypothèses, peuvent être tirés de cette extra-

1. Ibn Hishâm, *op. cit.*, vol. 2, p. 256.

ordinaire expérience du Messager. Il y a d'abord, bien sûr, la centralité de la ville de Jérusalem : le Prophète priait alors le visage tourné vers la ville sainte (la première *qibla*, la première direction), et c'est sur le site du Temple qu'il dirigea la prière en compagnie de tous les Prophètes. Jérusalem apparaît ainsi, au cœur de l'expérience du Prophète et de son enseignement pour l'éternité, comme le double symbole de la centralité (par la direction de la prière) et de l'universalité (par la congrégation en prière de tous les Prophètes). Plus tard, à Médine, la *qibla* (direction de la prière) changera – de Jérusalem vers la Ka'ba – pour marquer une distinction avec le judaïsme. Pourtant, cela ne signifiait point une diminution du statut de Jérusalem, et le verset susmentionné, faisant le lien entre « la Mosquée sacrée » (*al-Ka'ba*, à La Mecque) et « la Mosquée éloignée » (*al-Aqsâ*, à Jérusalem), établit une filiation spirituelle et sacrée entre les deux villes.

L'autre enseignement est d'essence purement spirituelle : toutes les Révélations sont parvenues au Prophète au cours de son expérience terrestre, à l'exception, nous venons de le voir, de la Révélation des versets qui fixent les piliers fondateurs de la foi (*al-imân*) et de l'obligation de la prière (*as-salât*). Le Prophète a été élevé pour recevoir les enseignements qui allaient devenir les fondements intangibles du culte et du rituel islamiques, *al-'aqîda* et *al-'ibâdât* (les actes rituels d'adoration), lesquels exigent des croyants une acceptation, en l'état, de leur forme autant que de leur fond. Contrairement au domaine des affaires sociales (*al-mu'âmalât*), qui exige la médiation créatrice de l'intellect et de l'intelligence des hommes, la rationalité humaine se soumet ici, au nom de la foi et en un acte d'humilité, à l'ordre imposé de la Révélation : Dieu a prescrit des exigences et des normes que la conscience doit entendre et appliquer et le cœur aimer. Élevé pour recevoir la prescription de la prière rituelle, le Prophète et son expérience révèlent ce que la prière doit être par essence : un rappel et une élévation, cinq fois par jour, vers le Très-Haut pour se détacher de soi, du monde et des illusions. Le *mi'râj* (l'élévation, lors du voyage nocturne) n'est donc point simplement un archétype de l'expérience spirituelle ; il recèle le sens profond de la prière qui, au moyen du Verbe de l'Éternel, doit permettre de libérer la conscience des contingences de l'espace et du temps, dans la proximité du sens de la vie et de la Vie.

Vers l'exil

Le pèlerinage et la foire de l'année 620 approchaient et Muhammad, une année après la mort de son épouse Khadîdja et de son oncle Abû Tâlib, continuait à dispenser ses enseignements dans un contexte de rejet, d'exclusion et de persécution permanent. Une centaine de musulmans vivaient désormais protégés en Abyssinie, mais aucune autre solution ne semblait se présenter pour les fidèles vivant à La Mecque. Les pèlerins, venus de toutes les régions de la péninsule, commencèrent à s'installer dans la région de Mina pour y rester pendant toute la durée des célébrations. Muhammad s'y rendait souvent et transmettait son message à des femmes et à des hommes qui, de leurs villes lointaines, en avaient entendu parler mais n'en connaissaient pas le véritable contenu. L'accueil était loin d'être toujours favorable.

À al-'Aqaba, non loin de Mina, le Prophète rencontra un groupe d'habitants de Yathrib, originaire des Khazraj, l'une des deux grandes tribus rivales de Yathrib (l'autre étant celle des Aws), et il commença à leur transmettre son message. Ceux-ci en avaient déjà eu vent par l'intermédiaire des tribus juives installées dans leur cité, et ils désiraient en savoir davantage. Ils écoutèrent le Prophète et finirent par accepter le message de l'islam : ils promirent d'en faire connaître la substance aux membres de leur tribu et de maintenir un contact permanent avec le Prophète[1]. Ils s'en retournèrent et commencèrent leur prédication à Yathrib.

À La Mecque, les conversions ne cessaient d'augmenter, et Muhammad continuait son engagement public. Sur le plan privé, beaucoup lui conseillaient de songer à se remarier. Des propositions lui étaient faites, mais le Prophète n'était jamais entré en matière. Il fit deux songes dans lesquels la très jeune 'Aïsha, la fille d'Abû Bakr, alors âgée de six ans, lui était offerte en mariage. Khawlah, qui s'était occupée des besoins du Prophète depuis la mort de Khadîdja, lui proposa deux noms : Sawdah, une veuve d'une trentaine d'années qui était revenue très récemment d'Abyssinie, et 'Aïsha, la fille d'Abû Bakr. Muhammad vit dans cette curieuse coïncidence un signe de la véracité de ses songes et demanda à Khawlah de faire le nécessaire afin de savoir si ces deux mariages étaient envisageables. La pratique de la polygamie était alors la règle en Arabie, et la situation du Prophète, monogame pendant vingt-cinq ans, était l'exception. L'union avec Sawdah fut particulièrement aisée à concrétiser :

1. *Ibid.*, p. 281.

Sawdah répondit immédiatement, et très favorablement, à la proposition qui lui était faite, et ils se marièrent quelques mois plus tard. ‘Aïsha, selon les coutumes arabes, avait déjà été promise par Abû Bakr au fils de Mut’im, et son père dut négocier avec ce dernier le renoncement à cette promesse, ce qu’il accepta. ‘Aïsha devint donc officiellement la seconde femme de Muhammad, et le mariage allait être consommé quelques années plus tard.

Une année était passée déjà, et La Mecque accueillait à nouveau les pèlerins et les marchands pour les festivités de l’année 621. Une rencontre fut organisée entre le Prophète et une délégation de Yathrib venue rendre compte de l’évolution des choses dans la ville. Douze habitants de Yathrib, dont deux de la tribu des Aws, participaient à cette rencontre. Ils y firent un serment d’allégeance au Prophète stipulant qu’ils n’associeraient rien à Dieu et qu’ils respecteraient les obligations et les interdits de l’islam. Ils allaient donc former la première communauté musulmane de Yathrib. Muhammad envoya avec eux un compagnon, Mus’ab ibn ‘Umayr, qui revenait tout juste d’Abyssinie et était connu pour son calme, sa sagesse et la beauté de sa récitation du Coran.

De retour à Yathrib, la délégation ne cessa de diffuser le message, et Mus’ab enseignait l’islam, récitait le Coran et répondait aux questions. Malgré des divisions ancestrales et toujours très vives, des membres des Aws et des Khazraj se convertissaient à la nouvelle religion et voyaient disparaître les motifs de leurs anciennes rivalités : le message de fraternité de l’islam les unissait. Les chefs de clans étaient néanmoins très réticents, et la réponse de Mus’ab, qui ne réagissait jamais à leurs attaques ou à leur agressivité, était chaque fois identique : *« Assieds-toi et écoute le message : s'il te plaît, accepte-le, sinon ne t'en soucie pas !*[1] *»* Le nombre de conversions, et ce même parmi les dignitaires, fut important.

Lors du pèlerinage de l'année suivante, le Prophète rencontra une importante délégation de musulmans de Yathrib composée de soixante-treize personnes, dont deux femmes. Ils appartenaient aux deux clans des Aws et des Khazraj et venaient annoncer au Prophète la bonne nouvelle de leur engagement pour l'islam. Après quelques discussions sur la nature de leur future relation, ils conclurent alors un second pacte qui stipulait que les musulmans de Yathrib s'engageaient à protéger le Prophète, de même que les femmes et les enfants musulmans de La Mecque, contre toute agression. Ce second pacte, qui assurait un refuge, une protection et un engagement des musulmans de Yathrib aux côtés de leurs frères mecquois, ouvrait au Prophète les horizons d'un avenir prometteur. Muhammad encouragea désormais les musulmans à émigrer discrètement à Yathrib, alors que ses compagnons les plus proches demeuraient encore autour de lui.

Avec les non-musulmans

Muhammad avait toujours gardé des liens très forts avec les membres des différents clans ou de sa parenté qui n'avaient pas accepté l'islam. Son oncle Abû Tâlib, qu'il aimait tant et qu'il accompagna jusqu'à son dernier

1. *Ibid.*, p. 281-282.

souffle, en était un exemple. Un autre oncle, 'Abbâs, restait en permanence au côté du Prophète alors qu'il ne s'était point converti. La confiance que Muhammad lui portait était immense, et il n'hésitait point à se confier à lui ou à le faire participer à des réunions secrètes où se jouait l'avenir de la communauté. Ainsi, 'Abbâs était présent lors du second pacte d'al-'Aqaba, de même que le Prophète le tiendra au courant de chacune des étapes et des préparatifs, hautement confidentiels, de son émigration vers Yathrib. Il ne deviendra musulman que plus tard, mais cela n'empêcha jamais le Prophète de lui témoigner, alors qu'il était encore polythéiste, son plus grand respect et sa profonde confiance dans des situations où sa vie était en danger.

C'était cette même attitude qui avait permis l'émigration des musulmans vers l'Abyssinie auprès d'un roi chrétien auquel le Prophète accordait sa confiance, même si ce roi n'était pas musulman. Cette attitude sera une constante dans la vie du Prophète, qui établira ses relations au nom du respect des principes et de la confiance, et non exclusivement sur la base de l'appartenance à la même religion. Ces compagnons l'avaient également compris ainsi, et ils n'hésitaient pas à établir des relations solides avec des non-musulmans au nom de la parenté ou de l'amitié, dans le respect mutuel et la confiance, et ce jusque dans des situations périlleuses. Ainsi, Um Salama, que l'on avait séparée de son mari, se retrouva seule avec son fils sur sa route vers Médine. 'Uthmân ibn Talha, qui n'était pas musulman, lui proposa de l'escorter et de la protéger jusqu'au lieu où se trouvait son mari. Elle n'hésita guère à lui faire confiance : il la mena à bon port, la salua de la façon la plus respectueuse, et s'en retourna. Um Salama contera souvent cette histoire et ne cessera de vanter la noblesse de caractère de 'Uthmân ibn Talha.

Les exemples de cette nature sont légion, et jamais le Prophète ni les musulmans n'ont réduit leurs relations sociales et humaines à leurs seuls coreligionnaires. Ils avaient de multiples contacts, établissaient des relations d'amitié et de travail fondées sur un respect mutuel. Plus tard, le Coran déterminera le bien-fondé et le principe de ces relations :

> *Dieu ne vous défend pas d'être bons* [d'éprouver de l'affection] *et d'être équitables envers ceux qui ne vous attaquent pas à cause de votre religion et qui ne vous expulsent point de vos foyers. Dieu aime ceux qui sont équitables. Mais il vous interdit toutes liaisons avec ceux qui vous combattent à cause de votre religion, qui vous chassent de vos foyers, ou qui contribuent à le faire. Ceux qui établiraient une telle alliance seraient injustes*[1].

Le Prophète lui-même sera un exemple d'équité vis-à-vis des hommes qui ne partageaient point sa foi. Pendant toutes ces années de prédication, il n'avait cessé de recevoir d'importants dépôts de la part de commerçants non musulmans qui continuaient à traiter avec lui et lui faisaient entièrement confiance. À la veille de son départ à Médine, Muhammad demanda à 'Alî de restituer un à un à leurs propriétaires respectifs les dépôts qu'il possédait encore : il appliquait scrupuleusement les principes d'honnêteté et de justice que

1. Coran, 60, 8-9.

lui avait enseignés l'islam, et ce envers tous, musulmans ou non.

Au cours de cette même période, le Prophète fera également preuve d'une attitude fondamentalement compréhensive vis-à-vis de ceux qui, sous la persécution ou la pression de leurs proches, avaient finalement renoncé à l'islam. Ce fut le cas de deux jeunes musulmans, Hishâm et 'Ayyâsh, qui, après une longue résistance, renièrent l'islam. Aucune décision ou sanction particulière ne fut prise contre eux. Plus tard, 'Ayyâsh reviendra à nouveau à l'islam, empli de remords et de tristesse. La Révélation viendra apaiser le regard et le jugement trop sévères qu'il portait sur lui-même :

> *Dis : Ô Mes serviteurs qui avez commis des excès contre vous-mêmes, ne désespérez point de la Miséricorde de Dieu. Dieu, en vérité, pardonne tous les péchés. Il est certes Celui qui pardonne, l'Infiniment Bon. Revenez vers votre Seigneur et soumettez-vous à Lui avant que ne vous arrive le châtiment, car alors vous ne seriez point secourus*[1].

Hishâm, entendant à son tour ces versets, reviendra lui aussi à l'islam. Ce ne fut pourtant pas le cas de 'Ubaydallah ibn Jahsh, qui s'était rendu avec le premier groupe d'émigrants en Abyssinie, et qui se convertit au christianisme puis abandonna son épouse Um Habîba bint Abû Sufyân[2]. Ni le Prophète, depuis La Mecque, ni aucun des musulmans vivant

1. Coran, 39, 53-54.
2. Um Habîba épousera plus tard le Prophète.

en Abyssinie, ne prirent de mesures contre lui : il pratiquera le culte chrétien jusqu'à sa mort sans jamais être inquiété ou maltraité. Cette attitude de respect de la liberté de chacun sera une constante dans la vie du Prophète, et il n'existe aucune mention, dans les sources de référence qui relatent sa vie, d'une attitude qui aurait été différente. Plus tard, à Médine, il aura des propos tranchés et prendra des dispositions fermes contre ceux qui se convertissaient à l'islam à seule fin d'obtenir des informations (en situation de conflit), puis le reniaient pour revenir à leur tribu et transmettre ce qu'ils avaient pu apprendre. Il s'agissait en fait de traîtres de guerre qui étaient passibles de mort, car leurs actions pouvaient avoir comme conséquence la destruction de la communauté musulmane avec son lot, ô combien plus important, d'exécutions et de morts.

Autorisation d'émigrer

Le protecteur du Prophète, Mut'im, venait de décéder. La situation se faisait particulièrement difficile et les Quraysh, ayant remarqué que les musulmans commençaient à quitter La Mecque, devenaient à leur tour de plus en plus durs dans leur opposition. Les chefs de clans décidèrent de se réunir et, ensemble, à l'instigation d'Abû Lahab et Abû Jahl, ils décidèrent qu'il fallait éliminer le Prophète. Le stratagème consistait à mandater un exécutant de chaque clan afin d'empêcher les Hâshimites de pouvoir se venger en exigeant le prix du sang. Ils décidèrent qu'il fallait ne point perdre de temps et se débarrasser du Prophète au plus vite.

L'ange Gabriel était venu confirmer au Prophète le sens d'un songe qu'il avait eu quelques jours auparavant quand, dans une vision, il vit que se dessinaient les contours d'une cité florissante qui l'accueillait. L'ange lui annonça qu'il devait s'apprêter à émigrer à Yathrib et que son compagnon serait Abû Bakr. Muhammad alla annoncer cette nouvelle à Abû Bakr qui en pleura de joie. Il leur fallait encore organiser les derniers détails de leur départ. Ils avaient su que les Quraysh avaient ourdi un plan pour éliminer le Prophète ; celui-ci demanda à 'Alî de prendre sa place dans sa couche la nuit suivante et de ne point quitter La Mecque jusqu'à ce qu'il lui en donnât l'ordre.

Les membres du groupe qui voulaient éliminer le Prophète se cachèrent devant chez lui et attendirent qu'il sorte comme il en avait l'habitude pour se rendre à la prière avant le lever du soleil. Ils entendirent du bruit et ils se préparaient à l'assaut, quand ils s'aperçurent qu'ils avaient été trompés et que c'était son cousin 'Alî qui était à l'intérieur de la demeure. Leur plan avait échoué. Pendant ce temps, le Prophète s'était rendu chez Abû Bakr et avait déjà réglé les derniers détails de son départ vers Yathrib.

8

L'HÉGIRE

Le Prophète Muhammad n'était ni fataliste ni inconscient. Sa confiance en Dieu était totale, mais cela n'avait jamais signifié qu'il se laissât mener au gré des événements et des difficultés. La Révélation lui avait rappelé de ne jamais oublier de dire « *in shâ Allah* » quand il prévoyait d'agir, et il convenait d'associer le souvenir de Dieu avec l'humilité (quant à son pouvoir d'être humain). Il n'était point question toutefois de croire qu'il s'agissait d'oublier d'être responsable et prévoyant dans ses choix parmi les hommes. Muhammad avait ainsi planifié l'émigration vers Médine (l'Hégire) depuis près de deux ans, et rien n'avait été laissé au hasard. Ce n'est qu'au terme de l'usage intelligent et rigoureux de ses pouvoirs humains qu'il s'en est remis à la volonté du Divin, explicitant ainsi pour nous le sens du « *at-tawakkul 'alâ Allah* » (la confiance en Dieu, s'en remettre à Dieu) : assumer de façon responsable toutes les qualités (intellectuelles, spirituelles, psychologiques, sentimentales, etc.) dont chacun est pourvu, et se souvenir, humblement, qu'au-delà de ce qui est humainement possible, Lui seul est le vrai garant des possibles. Au demeurant, cet enseignement est l'exacte antithèse de la tentation fataliste : Dieu n'agira qu'au-delà et après que l'être humain aura, à son niveau, cherché et épuisé toutes les potentialités de l'agir. C'est le sens profond du verset coranique :

> *Certes Dieu ne change pas ce qui est en un peuple, avant que ceux-ci ne changent ce qui est en eux-mêmes*[1].

Avec Abû Bakr

Muhammad et Abû Bakr décidèrent donc de quitter La Mecque pendant la nuit et de prendre la direction du Yémen, pour ne pas attirer l'attention ni être rattrapés sur la route. Abû Bakr mit à la disposition de Muhammad une chamelle, Qaswâ', que celui-ci voulut absolument payer : il tenait à ce que cette émigration lui appartienne totalement et à être sans dette depuis son départ jusqu'à son installation à Yathrib. Il refusera, de la même façon, le pan de terre que deux orphelins voulaient lui donner à son arrivée dans la ville qui, désormais, allait s'appeler « *al-Madîna* », Médine, « la Cité », ou encore « *Madîna ar-Rasûl* » (la Cité de l'Envoyé), « *al-Madîna al-munawwara* » (la Cité illuminée).

Ils partirent donc vers le sud et allèrent se cacher quelques jours dans la caverne de Thawr (*ghâr Thawr*). Le fils d'Abû Bakr, 'Abd Allah, était chargé de glaner des informations sur les plans des Quraysh et de venir les transmettre à son père et à Muhammad.

---

1. Coran, 13, 11.

Quant à ses deux filles, Asmâ' et 'Aïsha, elles préparaient les vivres et les amenaient discrètement à la caverne pendant la nuit. Ainsi Abû Bakr avait-il mobilisé ses enfants, filles et garçon indifféremment, pour protéger sa fuite et celle du Prophète. Il agit ainsi dans une situation qui exposait ses filles à de grands dangers, et il est bon de rappeler ici que cette attitude sera une constante dans sa façon de traiter équitablement ses filles et ses garçons, ceci d'ailleurs à la lumière des enseignements du Prophète.

Malgré toutes ces dispositions, un groupe de Quraysh, flairant la ruse, se rendit dans le sud à la recherche du Prophète. Ils parvinrent devant la caverne et s'apprêtèrent à y entrer. De là où il se trouvait, Abû Bakr les voyait et, alarmé, il fit remarquer au Prophète que, si ceux-ci se penchaient, ils ne manqueraient pas de les découvrir. Muhammad le rassura et lui murmura, comme le rapporte le Coran : *« N'aie pas peur, Dieu est certes avec nous*[1]. » Puis il ajouta : *« Que penses-tu de deux* [individus] *dont le troisième est Dieu*[2] *? »* Ces mots apaisèrent Abû Bakr. Devant la caverne, le groupe observa qu'une toile d'araignée couvrait l'entrée et qu'une colombe y avait installé son nid : il paraissait clair qu'il était impossible que les fugitifs soient cachés à l'intérieur, et ils décidèrent donc de poursuivre ailleurs leur recherche.

Une fois encore, malgré une stratégie pensée et réfléchie de longue date, voilà que le Prophète et son compagnon revivaient l'épreuve de la vulnérabilité. Leur vie n'avait au fond tenu qu'à la présence de cette fragile toile d'araignée : la confiance en Dieu (*at-tawakkul 'alâ Allah*), que le Prophète rappela à Abû Bakr à cet instant précis, prenait tout son sens et toute sa force. Dieu Seul avait le pouvoir de sauver Son Envoyé. Celui-ci émigra en veillant à ne jamais rien devoir aux hommes (il refusa les dons, régla les dettes et fit restituer les dépôts en sa possession), mais en sachant qu'il devait tout à l'Unique, que sa dette et sa dépendance à Son égard étaient somme toute infinies. L'Hégire, c'est d'abord cet enseignement essentiel au cœur de l'expérience prophétique : une confiance en Dieu qui exige, sans arrogance, une absolue indépendance vis-à-vis des hommes et la reconnaissance, avec humilité, d'une infinie dépendance vis-à-vis de Dieu.

Abû Bakr avait recouru aux services d'un Bédouin non musulman, 'Abd Allah ibn Uraïqat, pour les guider et les mener à Yathrib par des chemins peu connus et discrets. Au moment prévu de leur départ, Ibn Uraïqat vint les retrouver à la caverne avec les deux chamelles et ils firent route vers l'ouest puis vers le sud, avant de prendre le chemin du nord vers Yathrib. Le voyage était très périlleux et il était certain que si les Quraysh rattrapaient ou découvraient les trois voyageurs, ils n'hésiteraient pas à les tuer et à mettre ainsi un terme aux activités subversives de Muhammad. Ce dernier et son compagnon s'en étaient remis à Dieu. Ils avaient néanmoins fait appel aux services d'un Bédouin qui partageait pourtant les croyances polythéistes de leurs ennemis, mais dont ils connaissaient tant les qualités de confiance (il respectait fièrement la parole donnée) que les compétences de pisteur (il connaissait mieux que personne les chemins escarpés et protégés). Cette attitude, encore une fois, parcourt la vie du Prophète : il s'entourait de femmes et d'hommes qui pouvaient ne pas partager sa foi, mais dont il connaissait les qualités morales et/ou les compétences humaines (sur lesquelles il n'hésitait point, lui comme les successeurs, à s'appuyer).

Mosquées

Le voyage dura vingt jours. Ils arrivèrent enfin dans un petit village, Qubâ', situé à l'extérieur de Yathrib. La population les attendait et les reçut chaleureusement. Ils restèrent trois jours dans le village où ils construisirent une mosquée[1], la première de l'émigration, et le Prophète agira de la sorte à chacune des étapes le menant à son installation définitive à Yathrib. En effet, quand il quitta Qubâ', le Prophète prit la route de Yathrib et s'arrêta à midi, à l'heure de la prière, dans la vallée de Rânûnâ' : il y effectua avec ses compagnons la première prière du vendredi et, ici encore, une mosquée allait être établie. Il se dirigea ensuite vers le centre de la cité. Nombreux furent ceux qui l'arrêtaient et l'invitaient à demeurer chez eux. Il leur demanda de laisser aller Qaswâ', sa chamelle, qui lui indiquerait le lieu exact où il s'installerait. Celle-ci se fraya un chemin, puis revint, puis s'arrêta enfin près des terres appartenant à deux orphelins, et le Prophète paya le prix qui leur était dû. Sa demeure allait donc être construite en ce lieu, de même qu'une mosquée.

Le Prophète, par ce geste trois fois répété, marquait ainsi l'importance et la centralité de la mosquée dans le rapport à Dieu, à l'espace et aux collectivités humaines. La construction du *masjid* (le lieu où l'on se prosterne) institue un espace particulier, sacralisé, au sein de la sacralité première et essentielle de l'univers

1. Coran, 9, 40.

entier puisque, selon les propos du Prophète, *« la terre entière est un* masjid, *une mosquée*[1]. » La mosquée ainsi construite devient l'espace axial de la communauté spirituelle musulmane où qu'elle se trouve, mais elle signifie également la réalité de l'installation, de l'acceptation de l'espace d'accueil et de sa transformation en espace pour soi, chez soi. La présence de la mosquée, de fait, révèle qu'un lieu, une ville ou un village, a été adopté, et que la conscience croyante est « à la maison », parce que le lieu d'adoration qui, par essence, rappelle le sens, y a été institué. L'acte répété du Prophète est en soi un enseignement : quel que soit l'exil ou le voyage, quels que soient le mouvement et les départs, il ne faut jamais perdre, nulle part sur la terre, le sens et la direction. Les mosquées disent le sens, la direction et l'installation. Yathrib est devenue Médine.

L'exil : sens et enseignements

Le Prophète et l'ensemble de ses compagnons avaient dû quitter La Mecque à cause des persécutions et de l'adversité de leurs propres frères et sœurs au sein de leurs clans respectifs. La situation était devenue intenable, des femmes et des hommes étaient morts, d'autres avaient été torturés, et les Quraysh avaient finalement décidé de s'en prendre à Muhammad lui-même et de l'éliminer. L'émigration, l'Hégire (*al-Hijra*), c'est d'abord clairement la réalité objective de femmes et d'hommes croyants, à qui l'on ne laissait pas la liberté de pratiquer et de s'exprimer, et qui ont décidé de tout quitter au nom de leur conscience.

1. *Hadîth* rapporté par al-Bukhârî.

Parce que *« la terre de Dieu est vaste*[1] *»*, comme le rappellera le Coran, ils ont décidé de s'arracher à leurs racines, de rompre avec leur univers et leurs habitudes, et de vivre l'exil au nom de la foi. La Révélation louera le courage et la détermination de ces croyants qui, par leur geste si difficile et humainement si coûteux, ont exprimé leur confiance en Dieu :

> *Ceux qui ont émigré pour Dieu après avoir subi des injustices, Nous leur affecterons un séjour agréable en ce monde, et leur rétribution dans la vie future sera encore plus belle, si seulement ils savaient. Ceux qui ont patienté et qui ont placé leur confiance en leur Seigneur*[2].

L'exil est donc une épreuve de la confiance, une fois encore. Tous les Prophètes ont vécu cette épreuve du cœur, de façon toujours très intense, et tous les croyants à leur suite. Jusqu'où sont-ils prêts à aller, que sont-ils prêts à donner, d'eux-mêmes et de leur vie, pour l'Unique, Sa vérité et Son amour ? Telles sont les questions éternelles de la foi qui accompagnent chacune des expériences temporelles et historiques de la conscience croyante. L'Hégire fut une des réponses de la communauté musulmane à l'origine de son existence.

Dans les faits, l'exil va aussi exiger des premiers musulmans d'apprendre à rester fidèles au sens des enseignements malgré le changement de lieu, de culture et de mémoire. Médine impliquait d'autres habitudes, d'autres types de relations sociales, un rôle

---

1. Coran, 39, 10.
2. Coran, 16, 41-42.

tout à fait différent pour les femmes (socialement bien plus présentes qu'à La Mecque), et des relations entre tribus plus complexes, auxquelles il fallait ajouter la présence influente – et nouvelle pour les musulmans – des communautés juives et chrétiennes. Très tôt, après moins de treize ans, la communauté de foi va devoir, en suivant l'exemple du Prophète, faire la part des choses entre ce qui relevait des principes islamiques et ce qui tenait davantage de la culture mecquoise. Les musulmans devaient rester fidèles aux premiers, tout en apprenant à être flexibles et critiques vis-à-vis de leur culture d'origine. Ils devaient même s'efforcer de réformer certaines de leurs attitudes plus culturelles qu'islamiques. 'Umar ibn al-Khattâb l'apprit à ses dépens quand, après avoir réagi très sévèrement à la manière dont sa femme lui avait répondu (et qui était impensable à La Mecque), il s'entendit rétorquer qu'il devait le supporter et l'accepter de la même manière que le Prophète l'acceptait. Expérience difficile pour lui comme pour d'autres, qui auraient pu être tentés de croire que leurs habitudes et leurs coutumes étaient en soi islamiques.

L'Hégire, l'exil, va révéler qu'il n'en est rien, et qu'il convient de questionner chacune de ses pratiques culturelles, d'abord au nom de la fidélité aux principes, mais également afin de s'ouvrir aux autres cultures et de s'enrichir de leurs richesses. Ainsi le Prophète, apprenant qu'un mariage allait avoir lieu parmi les *Ansâr*[1], demanda à ce que deux chanteuses leur

1. C'était le nom donné aux musulmans de Médine (les Auxiliaires) alors que les musulmans de La Mecque allaient désormais être appelés les *Muhâjirûn* (les Exilés).

soient envoyées car, fit-il remarquer, ceux-ci aimaient le chant. Non seulement il reconnaissait ainsi un trait, un goût culturel, qui, en soi, n'était pas en contradiction avec les principes islamiques, mais il l'intégrait comme un apport positif, une richesse, à sa propre expérience humaine. L'Hégire fut donc également une épreuve de l'intelligence, invitée à distinguer entre les principes et leur manifestation culturelle avec, de surcroît, un appel à l'ouverture et à l'accueil confiant de nouvelles coutumes, de nouvelles façons d'être et de penser, de nouveaux goûts. Ainsi l'universalité des principes se mariait-elle avec l'impératif de la reconnaissance de la diversité des modes de vie et des cultures. L'exil en était l'expérience la plus immédiate et la plus profonde, puisqu'il s'agissait de s'arracher de ses racines tout en restant fidèles au même Dieu, au même sens, dans différents milieux.

À mi-chemin entre les enseignements historiques et les méditations spirituelles, l'Hégire est également l'expérience de la libération. Moïse avait libéré son peuple de l'oppression de Pharaon, il l'avait mené vers la foi et vers la liberté. L'essence de l'Hégire est exactement de même nature : persécutés à cause de leurs convictions, les croyants décident de fuir la tutelle de leurs tortionnaires et d'entamer leur marche vers la liberté. Ils affirment ainsi qu'il ne peut être question d'accepter l'oppression ni d'accepter un statut de victime, et que, au fond, l'équation est simple : dire Dieu impose d'être libre ou de se libérer. C'était déjà le message que le Prophète puis Abû Bakr avaient transmis à tous les esclaves de La Mecque : leur entrée en islam signifiait leur libération et tous les enseignements de l'islam étaient tournés vers la fin de l'esclavage. C'était désormais un appel plus large adressé à l'ensemble de la communauté spirituelle des musulmans : la foi exige la liberté et la justice et il faut être prêt, comme ce fut le cas avec l'Hégire, à en payer personnellement et collectivement le prix.

La dimension spirituelle de ces enseignements n'est point éloignée ; au demeurant elle les fonde et leur donne sens. Dès les premières Révélations, Muhammad avait été invité à s'exiler[1] de ses persécuteurs autant que du mal :

> *Reste patient quant à ce qu'ils disent et éloigne-toi d'eux* [exile-toi d'eux] *d'un bel exil*[2],

puis :

> *Et de l'abomination* [le péché, le mal, le détestable], *exile-toi donc*[3].

Telle fut également l'attitude d'Abraham, que son neveu Loth fut l'un des seuls à croire et à reconnaître, lorsqu'il s'adressa à son peuple en ces termes :

> *Et Abraham leur dit : « Vous n'avez adopté des idoles en dehors de Dieu que pour consolider, entre vous, l'amour qui vous attache à ce bas monde ; mais, le jour de la Résurrection, vous vous renierez et vous vous maudirez les uns les autres. Et, sans pouvoir bénéficier d'aucun secours, vous aurez l'Enfer pour*

1. Le Coran utilise le même mot *ha-ja-ra* : *« uhjurhum »* (exile-toi d'eux) ou *« fahjur »* (exile-toi donc).
2. Coran, 73, 10.
3. Coran, 74, 5.

dernière demeure. » Loth crut en lui et Abraham dit : « Je m'exile auprès de mon Seigneur (innî muhâjirun ilâ Rabbî), *car Il est Lui, le Tout-Puissant, le Sage*[1]. »

L'Hégire, c'est l'exil de la conscience et du cœur loin des faux dieux, des aliénations de toutes sortes, du mal et des péchés. S'éloigner des idoles de son temps – du pouvoir, de l'argent, du culte des apparences, etc. – ; émigrer loin des mensonges et des modes de vie sans éthique ; se libérer, par l'expérience de la rupture, de toutes les apparences de liberté paradoxalement confortées par nos habitudes : telle est l'exigence spirituelle de la *hijra*. Plus tard, interrogé par un compagnon sur la meilleure des *hijra*, le Prophète répondra : « *C'est de t'exiler* [t'éloigner] *loin du mal* [abominations, mensonges, péchés][2]. » Il répétera sous différentes formes cette exigence de l'exil spirituel.

Ainsi, les musulmans qui ont accompli l'Hégire – de La Mecque à Médine – ont dans les faits expérimenté la dimension cyclique des enseignements de l'islam, puisqu'il s'est agi pour eux d'effectuer un nouveau retour à soi, une émigration du cœur. Leur voyage physique vers Médine fut un exil spirituel vers l'intériorité de leur être. En quittant leur ville et leurs racines, ils revenaient à eux-mêmes, à leur intimité, au sens de leur vie au-delà de ses contingences historiques.

L'Hégire physique, acte fondateur et axial de l'ex périence de la première communauté islamique, a e lieu et ne se renouvellera pas, comme l'exposera av force 'Aïsha à tous ceux qui voulaient, à Médi

1. Coran, 29, 25-26.
2. *Hadîth* rapporté par Ahmad.

revivre cette expérience. 'Umar ibn al-Khattâb décidera plus tard que cet événement unique marquerait le début de l'ère islamique, qui commence ainsi en 622, selon un décompte se fondant sur les cycles lunaires. Ce qui donc reste et demeure offert à chacun à travers les âges et pour l'éternité est l'expérience de l'exil spirituel qui ramène l'individu à soi et le libère des illusions du soi et du monde. L'exil au nom de Dieu est au fond une série de questions que Dieu pose à chaque conscience : qui es-tu ? quel est le sens de ta vie ? où vas-tu ? Accepter le risque de cet exil, faire confiance à l'Unique, c'est répondre : par Toi, je reviens à moi et je suis libre.

Installation et pactes

Les premières paroles du Prophète, dès son arrivée à Qubâ', informaient les musulmans de leurs responsabilités fondamentales. Prononcés dans cette circonstance singulière, ces propos avaient une résonance particulière :

> *Répandez la paix* (salâm), *donnez à manger à ceux qui ont faim, honorez les liens de parenté, priez alors que les gens dorment, vous entrerez au paradis* *…n toute paix* (bisalâm)[1].

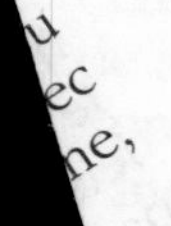

…e double référence à la paix, au début puis à la …n adresse, détermine l'état d'esprit avec lequel …e voulait que ses compagnons comprennent …ion dans leur nouvelle ville. Le souci des …s liens de parenté apparaît comme un

…vol. 3, p. 20.

rappel des fondements éthiques de la présence musulmane que chaque conscience croyante doit s'engager à respecter en permanence. La prière de la nuit – « quand les gens dorment » – est forte de cette double dimension : elle permet l'exil spirituel dont nous parlions plus haut (l'exil dans l'exil) et, ce faisant, elle offre au cœur la force et l'apaisement dans la foi qui permettent de répondre aux exigences tant de l'éthique à respecter que de la paix à répandre. Cette quête de la paix intérieure (seul mais dans la lumière chaleureuse de l'amour des siens) est le chemin obligé permettant au croyant de répandre la paix parmi les hommes et de servir les plus pauvres.

Ces enseignements étaient omniprésents dans la vie du Prophète à chacune des étapes de l'installation à Médine. Il arrivait à Médine avec, déjà, un pouvoir symbolique et politique qu'aucun dignitaire de la ville ne pouvait ignorer. De nombreux habitants de Yathrib s'étaient convertis à l'islam, le reconnaissaient comme l'Envoyé de Dieu, alors qu'ils étaient issus des deux clans, des Aws et des Khazraj, en guerre perpétuelle depuis des lustres. Le message de l'islam avait eu la force, comme ce fut le cas à La Mecque, de transcender les anciens clivages et d'unir des femmes et des hommes de différents clans, de différentes conditions et de différentes origines. Cette nouvelle présence ne pouvait être perçue que comme un danger pour tous ceux qui détenaient une once de pouvoir avant son arrivée. De la même façon, les tribus juives et chrétiennes installées depuis longtemps dans la région demeuraient forcément dans l'expectative, partagées entre la reconnaissance de la similarité des messages monothéistes et leurs questionnements quant aux intentions du nouveau Prophète, qu'elles ne reconnaissaient naturellement pas en tant que tel (des dignitaires juifs s'étaient exprimés en ce sens avant même son arrivée). Muhammad avait bien sûr conscience de la complexité de la situation et de l'ampleur des enjeux religieux, sociaux et politiques relatifs à son installation à Médine.

Il établit immédiatement un pacte d'assistance mutuelle[1] entre les musulmans, qu'ils soient *Ansâr* ou *Muhâjirûn*, et les juifs qui habitaient dans l'oasis[2]. Les termes de ce pacte se fondaient d'abord sur la reconnaissance de la diversité des appartenances et n'exigeaient aucune conversion. Les principes de justice, d'égalité et d'égale dignité de tous les signataires (juifs et musulmans – qu'ils soient des *Muhâjirûn* ou des *Ansâr*, des Aws ou des Khazraj –) y étaient stipulés. Se référant aux juifs, le texte précise : *« Ils ont les mêmes droits et les mêmes devoirs »* (*lahum mâ lanâ wa 'alayhim mâ 'alaynâ*), ce qui signifiait, dans les faits, leur appartenance pleine et égalitaire à la collectivité (*oumma*) [3]. Il y était établi que les droits de chacun seraient défendus par tous et que, dans le cas d'un conflit avec les polythéistes[4], ils devraient faire front

1. Ce document détermine les règles fondamentales régulant les relations entre les individus et les tribus à Médine. Ce faisant, il a été parfois présenté par les commentateurs musulmans comme la « Constitution de Médine ».
2. Les tribus chrétiennes vivaient dans les alentours de Médine et n'étaient pas directement concernées par ce pacte.
3. Selon la terminologie contemporaine, on dirait leur appartenance « citoyenne ».
4. Ceux de La Mecque n'avaient eu de cesse d'exprimer leur hostilité et leur envie d'en découdre, puisque l'installation de Muhammad à Yathrib s'apparentait pour eux à une humiliation et une défaite.

commun et ne pas établir d'alliance ou de paix séparée[1]. Le texte stipulait qu'en cas de litiges, le Prophète serait le garant de l'application stricte et équitable de ce pacte. Les juifs et les musulmans signèrent ce document qui établissait d'emblée une relation fondée sur la base d'un contrat : cette attitude, déterminée à la lumière de la Révélation, accompagnera la vie et les enseignements du Prophète. Le « contrat » fixe un cadre, impose (si son essence est respectée) l'autonomie et la reconnaissance des parties en présence, et permet enfin de déterminer *a posteriori* des outils de régulation et des moyens d'évaluation. La référence au « contrat » (*al-'ahd*) va devenir centrale dans l'islam[2] : du contrat de mariage aux contrats sociaux et commerciaux, jusqu'à ceux établis en situation de conflits ou de guerre. La Révélation explicite l'importance des contrats et de la nécessaire fidélité à leurs conditions : « *Certes vous serez questionnés sur les contrats*[3]. » Et le Prophète affirmera en ce sens : « *Les musulmans sont tenus par les termes des contrats qu'ils ont signés*[4]. »

Avec les juifs

La Révélation, le contenu du pacte, de même que l'attitude du Prophète avec les juifs dès son arrivée à Médine vont fixer le cadre général de la relation entre les fidèles des deux religions. C'est d'abord, bien sûr, la reconnaissance d'une filiation : c'est le même Dieu

1. Ibn Hishâm, *op. cit.*, vol. 3, p. 31.
2. Notamment, bien sûr, dans les différentes sections de la première science appliquée de l'islam (*al-fiqh* : droit et jurisprudence islamiques).
3. Coran, 17, 34.
4. *Hadîth* rapporté par al-Bukhârî.

unique qui a envoyé Moïse et Muhammad. Les juifs sont, avec les chrétiens, « les gens du Livre » (*ahl al-Kitâb*), ceux qui ont effectivement reçu un message révélé de la part de Dieu. Le Coran stipule clairement cette reconnaissance :

> *Dieu, il n'y a pas d'autre divinité que Lui, le Vivant, l'Agent de l'Univers. Il t'a révélé graduellement le Livre en tant que Message de vérité, confirmant ce qui l'avait précédé ; comme Il avait révélé la Torah et l'Évangile auparavant, pour servir de direction aux hommes*[1].

Lors de son installation à Médine, le Prophète n'exige aucune conversion et va clarifier les termes d'une relation qu'il voulait égalitaire dans la nouvelle société. Par la suite, au gré des conflits et des alliances trahies, la situation s'envenimera et les relations avec l'une ou l'autre des tribus juives se détérioreront gravement. Ces développements historiques ne modifieront néanmoins en rien les principes qui fondaient la relation entre les musulmans et les juifs : reconnaissance et respect mutuels, justice devant la loi ou lors du traitement des litiges entre les individus et/ou les parties.

Ainsi, quelques années plus tard, alors même que les musulmans étaient en conflit larvé avec une tribu juive dont ils soupçonnaient le double jeu et la trahison, un musulman crut possible de s'innocenter d'un vol qu'il avait commis et d'en reporter la faute sur un juif. La Révélation, sur huit versets[2], vint dénoncer la

1. Coran, 3, 2-4.
2. Dans la sourate (4) des « Femmes » (*an-Nisâ'*), du verset 108 au verset 116.

grave manipulation du coupable musulman en révélant ainsi l'innocence du juif. Les propos à l'endroit du musulman sont explicites :

> *Celui qui commet une faute ou un péché puis en accuse un innocent, celui-là est coupable d'une infamie et d'un péché grave*[1].

Quelle que soit la situation de conflit possible avec l'une ou l'autre des tribus (voire même s'il s'était agi d'une guerre avec l'ensemble des fidèles juifs de la région), les principes inaliénables de respect et de justice demeurent et transcendent les réalités historiques en exigeant de la conscience musulmane qu'elle ne se laisse point aller aux passions et à la haine aveuglantes. Le Coran vient rappeler au-delà de l'Histoire que la haine qui peut naître circonstanciellement à la suite d'une guerre ne peut avoir raison des principes auxquels les croyants doivent rester fidèles :

> *Ô vous les porteurs de la foi ! Tenez-vous fermes devant Dieu en témoins de la justice et que l'aversion profonde vis-à-vis d'un peuple ne vous incite pas à commettre des injustices. Soyez justes, cela est certes plus près de la conscience intime de Dieu. Craignez Dieu* [portez donc cette conscience intime de Dieu]. *Dieu est bien informé de ce que vous faites*[2].

Muhammad n'aura de cesse de distinguer les situations et les hommes et de montrer le plus grand respect à l'égard des croyances et des individus. Pendant

---

1. Coran, 4, 112.
2. Coran, 5, 8.

des années, un jeune juif sera son compagnon et le suivra partout, tant il aimait être dans la compagnie du Prophète. Ce dernier ne lui demanda jamais de renoncer à sa foi. L'enfant tomba gravement malade, et c'est sur son lit de mort qu'il demanda à son père l'autorisation de pouvoir se convertir à l'islam, alors que, pendant toutes ces années au côté du Prophète, il avait pu rester ce qu'il était et témoigner et recevoir de l'amour et de l'affection de Muhammad.

Plus tard, alors qu'il se trouvait avec un groupe de musulmans, une procession funèbre passa à proximité et le Prophète se leva afin de témoigner son respect pour le défunt. Surpris, les musulmans l'informèrent qu'il s'agissait du décès d'un juif, et le Prophète leur répondit de façon claire et digne : *« Ne s'agit-il pas d'une âme humaine ? »* L'enseignement était le même et allait le rester malgré les difficultés, les trahisons et les guerres : la non-imposition de la conversion, le respect de la différence et l'égalité de traitement. Ceci est le cœur du message fondamental de la Révélation et de l'action de son Prophète.

Tous les versets postérieurs qui réfèrent aux conflits, au fait de tuer et aux affrontements sont à lire dans le contexte de leur Révélation (alors que les musulmans sont en situation de défense et de guerre), et ne sauraient remettre en cause le contenu essentiel de l'ensemble du message.

Les hypocrites

Malgré ce pacte, malgré les efforts de Muhammad pour rassurer les différentes tribus et les différents dignitaires religieux, la situation n'était point facile. Il fallait faire face aux jalousies, aux conflits de pouvoir, aux avidités de certains et aux frustrations des autres. Le Prophète eut à affronter des attitudes qu'il avait peu connues à La Mecque, où la conversion exigeait tant de sacrifices sur le plan humain, familial et clanique qu'elle ne pouvait être née que dans des cœurs sincères et profondément croyants. Il n'en était plus de même désormais. La configuration sociale et les différents pôles de pouvoir à Médine ainsi que la nature même du rôle du Prophète – dont l'influence sur les cœurs et les affaires sociales était plus qu'une évidence – changeaient la donne : certains individus pouvaient percevoir un intérêt de pouvoir, un intérêt quasi « politique » à rendre publique leur conversion à l'islam. Le Coran, dans la première sourate révélée à Médine[1], rend compte de cette apparition troublante des *munâfiqûn*, des « hypocrites », qui sont un danger majeur parce qu'ils attaquent la communauté musulmane de l'intérieur. Ainsi, comme le relève Ibn Kathîr dans son commentaire du Coran[2], quatre versets parlent des croyants sincères au début de la sourate de « La Vache » (*al-Baqara*), deux seulement mentionnent les négateurs de Dieu, puis on trouve treize longs versets qui décrivent l'attitude et les propos des hypocrites nourris par la duplicité et la perfidie :

> *D'aucuns parmi les hommes affirment : « Nous croyons en Dieu et au Jour dernier », alors qu'ils ne*

1. *Al-Baqara* (« La Vache »), qui est également la sourate la plus longue du Coran

2. Ibn Kathîr, *Tafsîr al-Qur'ân* (*mukhtasar*), Dâr as-sabûnî, Le Caire, en arabe, vol. 1, p. 27-37.

sont pas croyants. Ils cherchent à tromper Dieu et les croyants [sincères] *mais en vérité ils ne trompent qu'eux-mêmes, sans en avoir conscience*[1].

Et, plus loin :

Quand ils rencontrent les croyants ils disent : « Nous croyons », mais dès qu'ils se trouvent avec leurs démons, ils leur disent : « Nous sommes des vôtres, nous ne faisions que plaisanter [en feignant d'avoir la foi][2]. »

Le danger était réel et allait devenir permanent. D'aucuns attisaient les anciennes rivalités entre les Aws et les Khazraj, et l'une de ces tentatives n'aurait pas été loin d'aboutir si l'un d'entre eux n'avait pas rappelé à temps aux uns et aux autres la nature supérieure de leur fraternité dans l'islam. L'un des membres du clan des Khazraj, 'Abd Allah ibn Ubayy, s'était converti à l'islam, mais il apparaissait aux yeux de nombreux croyants comme un fauteur de troubles, la figure exemplaire de l'hypocrite telle que décrite dans la Révélation. Abû 'Amir, du clan des Aws, était perçu de la même façon, tant il répandait le venin de la discorde. Aucune mesure particulière n'avait été prise contre eux, mais la méfiance était de mise, et l'on prenait garde à ne pas tomber dans les pièges qui pouvaient mener à la division dans les rangs des musulmans.

1. Coran, 2, 8-9.
2. Coran 2, 14.

Le pacte de fraternité (al-mu'âkhâ)

Afin de resserrer les liens entre les musulmans, et notamment entre les *Ansâr* et les *Muhâjirûn*, le Prophète décida d'établir formellement un pacte de fraternité (*al-mu'âkhâ*) entre eux. Ainsi, chaque *Muhâjir* était lié par un pacte à un *Ansâr*, et ce dernier devait l'aider à s'installer, partager ses biens et lui permettre de vivre à Médine dans les conditions les plus favorables. Leurs relations, sur un plan plus large, étaient fondées sur la fraternité, le partage et l'accompagnement spirituel mutuel (les musulmans exilés de La Mecque enseignaient leurs connaissances à leurs sœurs et frères de Médine). Ce pacte allait donner une force et une unité particulières à la nouvelle communauté musulmane installée à Médine. Des relations extrêmement profondes vont s'établir entre ceux qui ne cesseront par la suite de témoigner et de dire l'intensité de leur mutuel amour en Dieu. Dans un *hadîth qudsî*[1], le Prophète avait présenté cet amour comme l'idéal de la fraternité dans la foi, et ses compagnons aspiraient à le réaliser dans leur quotidien et leurs engagements :

> *Le Jour de la résurrection, Dieu dira : Où sont ceux qui se sont aimés dans Ma Grâce* [Ma Majesté]. [En] *Ce jour, Je les couvre de Mon ombre,* [en] *ce jour où il n'y a d'ombre que Mon ombre*[2].

---

1. Tradition prophétique dans laquelle Dieu s'exprime, mais avec les mots du Prophète. À la différence du Coran, il s'agit ici d'une inspiration que le Prophète verbalise.
2. *Hadîth* rapporté par Ahmad et Muslim.

De nombreuses situations douloureuses, pénibles et dangereuses, auxquelles les musulmans ont eu à faire face, prouvent qu'ils étaient parvenus à un degré de fraternité et de confiance qu'aucune adversité n'allait réussir à briser. Ce sont ces liens qui constituèrent la force spirituelle et sociale de la communauté musulmane, et c'est en cela que résidait le secret de leur réussite devant Dieu et parmi les hommes. Une foi en Dieu, l'amour pour les parents, la fraternité parmi les hommes et l'éthique au service de l'univers et de tous les êtres.

Appel à la prière

Au fil des mois, les pratiques rituelles s'étaient peu à peu établies : le jeûne du mois de Ramadân, l'imposition plus précise de la *zakât* (la taxe sociale purificatrice) s'ajoutaient à l'attestation de foi et à la prière. Les musulmans se réunissaient à la mosquée à des heures déterminées et priaient ensemble.

Le Prophète cherchait un moyen d'appeler les fidèles à la prière. Il étudiait les possibilités de s'inspirer des pratiques juives ou chrétiennes avec des clochettes ou au moyen d'une corne. Un jour, 'Abd Allah ibn Zayd, un *Ansâr* qui avait participé au deuxième pacte d'al-'Aqaba, vint le voir et lui fit part d'un rêve dans lequel un homme lui enseignait la façon dont il devait appeler à la prière. Le Prophète l'écouta et reconnut immédiatement l'authenticité de cette vision. Il demanda que l'on aille chercher l'ancien esclave Bilâl, dont la voix était d'une extraordinaire beauté, afin qu'il fasse le premier appel à la prière. Celui-ci se jucha sur la plus haute maison à proximité de la mosquée et appela à la prière.

C'est cet appel, toujours le même, fondé sur la répétition de l'affirmation de la grandeur de Dieu (*Allahu Akbar*), de la double dimension de l'attestation de foi (« J'atteste qu'il n'est de dieu que Dieu et j'atteste que Muhammad est Son Envoyé ») et de l'appel à la prière et au succès (ici-bas et dans l'Au-delà) qui emplit et réveille de ses intonations et aux rythmes de sa prenante musicalité les cités et les villes musulmanes depuis près de quinze siècles. Au gré des sonorités et des voix, cet appel exprime et rappelle, exactement comme l'avait désiré le Prophète en choisissant Bilâl comme muezzin, le mariage de la foi et de la beauté, de la spiritualité et de l'esthétique. Du Dieu unique qui est Beau et qui aime la Beauté et qui accueille, cinq fois par jour, celles et ceux qui répondent au bel appel les invitant à rencontrer l'« Infiniment Beau » (*al-Jamîl*[1]).

1. Qui est l'un des noms de Dieu.

9

MÉDINE, LA VIE ET LA GUERRE

Le Prophète et ses compagnons venus de La Mecque s'installaient peu à peu à Médine et commençaient à s'adapter à ce nouvel environnement. Pendant les sept premiers mois, Muhammad vécut chez Abû Ayyûb, qui l'accueillit dans sa demeure jusqu'à ce que la construction de la mosquée et des deux habitations attenantes soit terminée. Le Prophète s'y établit enfin et y fit venir son épouse Sawdah puis, quelques mois plus tard, 'Aïsha, dont le mariage fut célébré à Médine. Les filles de Muhammad les rejoignirent au cours des semaines qui suivirent.

Une société était en train de se constituer dans des circonstances particulièrement difficiles. Les conflits de tribus et de pouvoir rendaient souvent complexes les relations entre les musulmans et les membres non musulmans des autres clans, et ceci malgré les pactes et les alliances. Il arrivait qu'entre les fidèles eux-mêmes d'anciens réflexes acquis dans la société païenne refassent surface et créent des tensions. L'éducation religieuse et spirituelle se poursuivait néanmoins, et le Prophète était toujours très présent pour rappeler les principes auxquels les croyants devaient désormais rester fidèles.

À La Mecque, le ressentiment était immense, et le succès de l'émigration était perçu non seulement comme une humiliation, mais également comme un danger quant à l'équilibre des pouvoirs dans l'ensemble de la péninsule Arabique. Depuis des décennies, les Quraysh étaient naturellement reconnus comme les maîtres incontestés, par leur histoire et aussi parce qu'ils géraient la ville de La Mecque, le sanctuaire des idoles et la foire où l'ensemble des tribus convergeaient une fois l'an. La présence de Muhammad à Médine et sa sécession, dont la nouvelle s'était partout répandue, ne pouvaient que porter un lourd préjudice à la réputation et au pouvoir effectif des Quraysh. Muhammad et ses compagnons le savaient, et ils s'attendaient à quelque réaction imminente de la part de clans et de parents qu'ils connaissaient si bien.

Contentieux avec les Quraysh

Tous les musulmans n'avaient pas émigré, et ceux qui étaient restés étaient d'autant plus maltraités par les chefs de Quraysh que ceux-ci supportaient évidemment très mal les succès de Muhammad. D'aucuns étaient d'ailleurs restés à La Mecque sans avoir rendu publique leur conversion à l'islam : ils craignaient désormais la férocité des représailles qui n'allaient pas manquer de s'abattre sur eux si cela venait à se savoir.

Certains Quraysh allèrent plus loin et décidèrent même, contrairement au code de l'honneur que respectait l'ensemble des clans de la péninsule, de s'emparer des propriétés et des biens que les émigrants avaient laissés à La Mecque. La nouvelle de cette attitude, considérée comme indigne et lâche, fâcha le Prophète et les musulmans installés à Médine. Il fut décidé – six mois après leur exil – qu'ils s'en prendraient à leur tour aux caravanes mecquoises qui transitaient à proximité de Médine afin de reprendre l'équivalent de leurs biens expropriés à La Mecque.

Le Prophète organisa dans les mois suivants pas moins de sept expéditions (auxquelles il ne participait pas toujours[1]), exclusivement constituées de *Muhâjirûn*, qui étaient les seuls touchés par les usurpations des Quraysh. Les *Ansâr* furent tenus à l'écart d'un règlement de compte qui ne les concernait pas. Il s'agissait d'expéditions où il n'y avait point de combats ni de morts, mais uniquement une reddition de biens, et les marchands étaient ensuite libres de poursuivre leur route. Les *Muhâjirûn* arrivaient parfois trop tard au lieu où les caravanes mecquoises étaient censées bivouaquer : ces dernières étaient déjà passées, et l'opération se soldait donc par un échec. Dans l'ensemble, cependant, le succès était au rendez-vous, et les émigrés purent ainsi mettre la main sur un butin compensatoire relativement important.

En même temps que ces expéditions, le Prophète envoyait des missions dont le but principal était de réunir des informations sur les mouvements et les activités des Quraysh, leurs intentions (ou éventuels

1. Les commentateurs ont souvent différencié deux types d'expéditions : *as-sariyya* (plur. *sarâyâ*) désignait celles où le Prophète ne participait pas, à la différence de *al-ghazwa* (plur. *ghazawât*), où il était partie prenante.

préparatifs de guerre), de même que sur les nouvelles alliances qu'ils étaient susceptibles d'établir dans la région. La vigilance s'imposait tant la rancœur des Quraysh s'intensifiait et s'exprimait de plus en plus ouvertement et largement. Mais l'une de ces missions tourna mal. 'Abd Allah ibn Jahsh avait reçu l'ordre de se rendre, avec un petit groupe, très près des clans de Quraysh, dans la vallée de Nakhla (entre La Mecque et Ta'if), et de s'informer des intentions de leurs chefs. Les choses se gâtèrent lorsque 'Abd Allah ibn Jahsh et les membres de sa mission décidèrent d'attaquer une caravane alors qu'il s'agissait de la dernière nuit de Rajab, un des quatre mois sacrés durant lesquels la guerre était considérée comme interdite par l'ensemble des tribus. Un homme des Quraysh fut tué, un autre s'enfuit, et deux membres de la caravane furent faits prisonniers. Lorsque la mission s'en revint à Médine, le Prophète fut grandement fâché de cette action qui ne correspondait en rien à ses instructions. Cet événement allait marquer un tournant dans les relations entre Médine et La Mecque.

Pendant près d'une année, le Prophète avait établi des pactes avec quelques tribus le long du littoral de la mer Rouge, sur la route qu'empruntaient généralement les caravanes de La Mecque qui se rendaient dans le nord, au-delà de Médine, en Iraq ou en Syrie. Cela ne pouvait manquer de gêner les Quraysh, qui devaient chercher de nouvelles voies d'accès par l'est. La tension ne cessait de monter, et la publicité autour de cette attaque effectuée durant le mois sacré était un excellent prétexte pour les Quraysh, désireux de salir la réputation des émigrés et de mobiliser contre eux les tribus alentour. Selon les informations glanées ici et là par les émissaires de Muhammad, la confrontation paraissait imminente.

Une Révélation

Pendant cette même période, le Prophète allait recevoir coup sur coup deux Révélations de nature totalement différente, mais dont les conséquences devaient, dans les deux cas, également marquer une rupture. Durant plus de treize ans, les musulmans avaient été invités à la patience et à la résistance passive face à la persécution et à la terreur que leur faisaient subir les chefs et les différents clans de Quraysh. Ils avaient enduré, persévéré, puis ils avaient émigré sans répondre aux agressions et en évitant la confrontation.

À présent que les musulmans étaient installés à Médine, il était évident que les Quraysh allaient intensifier leur opposition et se donner d'autres moyens de mettre un terme à la mission du Prophète, qui menaçait désormais non plus les équilibres internes de la cité de La Mecque mais l'ordre des pouvoirs sur l'ensemble du territoire de la péninsule. C'était le statut des Quraysh vis-à-vis de tous les autres clans et tribus qui était en péril et leur prestige religieux et militaire qui vacillait. L'Hégire, qui était libération, signifiait également conflits à venir et confrontations.

Ainsi le Prophète reçut-il une Révélation qui ne laissait poindre aucun doute :

> *Autorisation de combattre* [de se défendre] *est donnée aux victimes d'une agression, qui ont été injustement opprimées et Dieu a tout pouvoir pour les*

> *secourir ; ceux qui ont été chassés de leurs foyers uniquement pour avoir dit : « Notre Seigneur est Dieu*[1] *! »*

Entendant ce verset, Abû Bakr affirmera plus tard qu'il avait compris, comme d'ailleurs le Prophète et les compagnons, qu'il s'agissait de l'annonce de conflits et de guerres imminents. Dorénavant, il convenait non plus de résister passivement, mais de se défendre face aux agressions de l'ennemi. Les *jihâd* de la spiritualité et de l'intelligence avaient consisté soit à résister aux attractions les plus sombres du moi égocentrique, avide ou violent, soit à répondre au moyen du Coran aux arguments des contradicteurs païens. S'y ajoutait désormais une autre forme possible de *jihâd, al-qitâl,* en cas d'agression armée : la nécessaire résistance par les armes, la légitime défense, face à l'oppresseur.

Toutes les formes du *jihâd*, on le voit, sont liées à la notion de résistance. Sur le plan du *qitâl*, de la lutte armée, il en est exactement de même, et il est présenté, à la fin du verset, comme une nécessité de la vie des hommes afin de résister aux naturelles velléités expansionnistes et oppressives des êtres humains :

> *Si Dieu ne repoussait pas certains peuples* [oppresseurs] *par d'autres, des ermitages auraient été démolis, ainsi que des synagogues, des oratoires et des mosquées où le Nom de Dieu est souvent invoqué. Dieu assistera assurément ceux qui aident au triomphe de Sa cause. Dieu est certes fort et puissant*[2].

1. Coran, 22, 39-40.
2. Coran, 22, 40.

La nécessité du rapport de forces et de leur équilibre est présentée comme une nécessité objective quand on considère la nature humaine. Le pouvoir absolu d'un seul homme, d'un seul empire ou d'une seule nation conduirait à l'anéantissement de la diversité parmi les hommes et à la destruction des différents lieux de prière, symbolisant ici (en finissant l'énonciation par les mosquées) le pluralisme des religions décrété et voulu par Dieu. Ainsi donc, la confrontation des forces et la résistance à la tentation guerrière des êtres humains sont présentées, dans un apparent paradoxe, comme la promesse de paix parmi les êtres humains. C'est ce que confirme, sur un plan plus global, cet autre verset :

> *Si Dieu ne repoussait pas certains peuples* [oppresseurs] *par d'autres, la terre aurait été entièrement corrompue*[1].

À l'origine de la création, les anges avaient interrogé Dieu sur Ses intentions quant à la création de l'Homme, Son vice-gérant : « *Vas-tu établir sur la terre qui* [l'Homme] *y fera régner le mal et y répandra le sang... ?*[2] » Ils rappelaient ainsi que, par sa nature, l'homme est avide de pouvoir et enclin à répandre le mal et à tuer : c'est l'autre face de son être, son amour du bien et de la justice, qui doit résister et, en accédant à l'équilibre, établir les conditions de la paix. Celle-ci se présente donc comme le fruit fragile d'un équilibre entre des forces et des tendances contradictoires. Ainsi

1. Coran, 2, 251.
2. Coran, 2, 30.

le *jihâd* comme le *qitâl* sont-ils les voies qui, par la résistance aux tentations sombres de l'intimité comme aux velléités guerrières des êtres humains, permettent d'accéder à la paix, fruit d'un effort toujours renouvelé pour maîtriser ses tentations comme ses oppresseurs. L'essence du *jihâd* est la quête de la paix, le *qitâl* est le chemin parfois obligé de la paix.

Une ère nouvelle s'ouvrait pour les membres de la communauté musulmane de Médine. Des lendemains de guerres avec leurs lots de morts et de souffrances intensifiées par le fait que les ennemis étaient originellement de leurs clans, leurs propres parents. Leur survie était à ce prix.

Changement de Qibla[1]

Les musulmans étaient installés à Médine depuis environ une année et demie quand le Prophète reçut la seconde Révélation mentionnée plus haut. Les musulmans se tournaient jusqu'alors vers Jérusalem pour prier, et la Révélation commanda soudain :

> *Nous t'avons vu souvent interroger le ciel du regard. Aussi t'orientons-Nous dorénavant vers une direction qui te sera agréable. Tourne donc ta face vers la Mosquée sacrée ! Et vous, croyants, où que vous soyez, tournez-vous dans cette même direction ! Quant à ceux qui ont reçu l'Écriture, ils savent parfaitement que cette vérité émane du Seigneur qui n'est point inattentif à leur comportement*[2].

1. Direction vers laquelle les musulmans s'orientent lors de l'accomplissement de la prière rituelle.
2. Coran, 2, 144.

Ce verset était fort de plusieurs messages et allait avoir des conséquences sur les relations que le Prophète entretenait avec les tribus juives et chrétiennes. Vis-à-vis de celles-ci, et principalement vis-à-vis des rabbins, ce changement établissait une distance et une distinction entre les traditions monothéistes. Si la place de Jérusalem restait essentielle au cœur de la tradition musulmane, la nouvelle orientation de la prière rétablissait un lien rituel et spirituel direct entre Abraham, la première Maison fondée pour l'adoration de l'unique, et le monothéisme de l'islam. Les musulmans s'en réjouirent et le comprirent comme un retour à l'origine. « Tourner sa face », c'était « tourner son être », « tourner son cœur », vers la Source, l'Origine, le Dieu unique, Dieu d'Abraham, de l'Univers et de l'Humanité, et la Ka'ba renouait ainsi avec la fonction première de son édification : sur la terre, elle était la Maison de Dieu, le centre vers lequel se tourneraient désormais toutes les intimités, de toutes les périphéries.

Les tribus juives étaient loin de partager cette satisfaction et, depuis le début de l'installation des musulmans à Médine, elles avaient eu des attitudes parfois contradictoires, entre la reconnaissance de la foi en un Dieu unique, la signature de pactes, mais aussi, plus secrètement, le doute et la crainte du danger face à l'expansion de la nouvelle religion. Muhammad avait d'ailleurs eu vent de contacts établis entre certaines tribus juives et des alliés des Quraysh. La méfiance régnait, et la révélation de ce verset n'était pas de nature à apaiser les dignitaires juifs de Médine, puisque le monothéisme professé par Muhammad semblait désormais clairement se distinguer du message du judaïsme.

Le changement de *Qibla* était non moins significatif pour les habitants de La Mecque. La ville trouvait dans le message de la nouvelle religion une centralité qui pouvait faire craindre de futures visées musulmanes sur la cité et le sanctuaire. Les Quraysh ne pouvaient l'admettre, et il était désormais clair que seule la cessation de la mission de Muhammad pouvait les protéger et leur assurer le maintien de privilèges historiques si difficilement acquis.

Une caravane

Le Prophète venait d'apprendre qu'une caravane menée par Abû Sufyân s'en revenait de Syrie avec une grande quantité de produits et de biens, et que la majorité des clans de Quraysh avait une part dans cette expédition commerciale. Muhammad décida de l'intercepter avec à l'esprit au moins deux raisons essentielles : la première était liée à cette même volonté de récupérer l'équivalent de biens que les Quraysh avaient spoliés des propriétés des émigrés après leur départ de La Mecque, et la seconde consistait en une démonstration de force destinée à impressionner les habitants de La Mecque qui multipliaient les complots contre Médine.

Muhammad se mit en route à la tête de trois cent neuf compagnons (ou trois cent treize selon les versions), dont des Émigrants et des Auxiliaires, qui emportaient avec eux un matériel conséquent – eu égard à l'importance de la caravane qu'ils prévoyaient d'attaquer –, même s'ils n'étaient pas vraiment équipés pour la guerre. Le Prophète avait demandé à Uthmân ibn 'Affân de rester au chevet de son épouse Ruqayya, la fille du Prophète, qui était très malade. Abû Sufyân, de son côté, eut vent des préparatifs de l'attaque par ses propres espions ; il changea immédiatement d'itinéraire tout en envoyant un émissaire aux chefs de La Mecque pour les informer du danger qui les guettait et demander de l'aide.

Le Prophète pensait couper la route de la caravane à Badr, mais Abû Sufyân avait pris de l'avance et avait en fait réussi à échapper à l'attaque. Il envoya tout de suite un nouvel émissaire aux chefs de Quraysh pour leur annoncer qu'il n'y avait plus de danger et qu'il n'était plus besoin d'envoyer du secours. Les chefs des Quraysh s'étaient néanmoins déjà mis en route à la tête de plus de mille hommes, et ils décidèrent, sous l'influence appuyée d'Abû Jahl, qu'il fallait poursuivre l'expédition malgré l'apparente absence de menace. Même si la confrontation pouvait être évitée, il s'agissait pour eux d'exposer à leur tour leur ennemi à une démonstration de force. Le Prophète et ses compagnons, ayant installé leur campement près de Badr, apprirent qu'une imposante armée s'était mise en route depuis La Mecque. Les perspectives changeaient du tout au tout : ils avaient quitté Médine avec l'intention de mettre la main sur une caravane pleine de richesses (qu'ils avaient finalement manquée), et voici que venait à eux une armée trois fois plus nombreuse que leur contingent, et dont les chefs semblaient bien décidés à en découdre. Il s'agissait désormais d'une guerre à laquelle, au fond, les musulmans ne s'étaient point préparés.

Consultations

Muhammad se demandait s'il fallait avancer encore pour tenter d'atteindre la caravane, ou s'il fallait s'arrêter et s'en retourner pour ne pas courir le risque de rencontrer l'imposante armée des Quraysh. Il décida de consulter ses compagnons afin de connaître leur opinion. C'est Abû Bakr et 'Umar qui prirent d'abord la parole et confirmèrent qu'ils étaient d'avis d'avancer et de prendre le risque de la confrontation directe, de la guerre. Un autre Émigré, al-Miqdâd ibn 'Amr, dit : « *Va donc toi et ton Seigneur et combattez ; et avec vous nous combattrons aussi, sur la droite et sur la gauche, devant toi et derrière toi*[1]. »

Cette attitude réconforta et réjouit le Prophète, mais c'était celle à laquelle il pouvait naturellement s'attendre de la part des *Muhâjirûn*. C'était du côté des *Ansâr* qu'il lui fallait un soutien explicite, car ceux-ci n'étaient pas directement concernés par le conflit avec les Quraysh. En outre, ils avaient signé un pacte d'assistance qui les liait en cas de guerre à l'intérieur de Médine seulement, et non à l'extérieur de la ville, comme c'était le cas dans la situation présente. Un Auxiliaire, Sa'd ibn Mu'âdh, prit la parole et proclama avec détermination : « *Fais donc ce que tu veux, et nous sommes avec toi. Par Celui qui t'a envoyé avec la vérité, si tu nous ordonnais de traverser la mer et si tu y plongeais toi-même, nous y plongerions avec toi. Pas un seul d'entre nous ne resterait en arrière*[2]. » Sa'd reçut l'approbation des *Ansâr*, et Muhammad avait

1. Ibn Hishâm, *op. cit.*, vol. 3, p. 161.
2. *Ibid.*, p. 162.

ainsi obtenu le consentement des deux clans. Il décida donc d'avancer et de ne point se laisser impressionner par les manœuvres des Quraysh.

Le Prophète ne cessait de consulter ses compagnons dans chacune des circonstances de sa mission. Il les incitait à exprimer leur opinion et il les écoutait attentivement. En amont de ces débats et de cette écoute, le Prophète avait élaboré une véritable pédagogie au moyen de laquelle il permettait aux musulmans de développer leur esprit critique, de manifester leur compétence et de s'épanouir en sa présence. Il lui arrivait souvent de poser des questions sur des sujets variés, et il ne donnait la réponse qu'après que ses compagnons eurent réfléchi et fait diverses conjectures : *« Savez-vous qui est l'homme ruiné* [en faillite] (muflis) *? »* Ils lui répondirent : *« Il s'agit de celui qui ne possède ni bien, ni argent. »* Muhammad leur dit : *« L'homme ruiné de ma communauté est celui qui, le jour du Jugement, aura à son actif des jeûnes, des prières, des aumônes mais qui aura, par ailleurs, calomnié un tel, volé l'argent d'un autre, versé le sang de celui-ci et frappé celui-là, si bien qu'on lui prendra ses bonnes actions pour les distribuer à ses victimes. Quand il n'aura plus d'œuvres pieuses à son actif, et avant même qu'il ne purge sa peine, on le chargera des péchés de ses victimes avant de le jeter en enfer*[1]. *»* Parfois, plus subtilement, il énonçait un jugement dont la forme était paradoxale et qui, de fait, obligeait son interlocuteur à une réflexion plus poussée. Ainsi, il avait pu dire : *« L'homme fort n'est point celui-ci qui renverse son ennemi ! »* Devant cet

1. *Hadîth* rapporté par Muslim.

énoncé, les compagnons se questionnaient et le questionnaient : « *Qui donc est l'homme fort ?* » Et le Prophète de surprendre son auditoire en le poussant à approfondir la compréhension des questions autant que des réponses : « *L'homme fort est celui qui se maîtrise alors qu'il est en colère*[1] *!* » Les propos étaient ainsi parfois figurés : « *La richesse n'est point dans les biens que l'on possède !* » Les compagnons réfléchissaient puis s'entendaient dire : « *La vraie richesse est la richesse de l'être* [de l'âme][2]. » En d'autres circonstances, l'énoncé paraissait clairement aller contre le bon sens ou l'éthique : « *Aide ton frère qu'il soit juste ou injuste !* » Les compagnons ne pouvaient pas manquer de s'interroger sur la nature du soutien à offrir au frère injuste : comment cela pouvait-il être ! ? Et le Prophète ajoutait, en renversant la perspective : « *Empêche-le* [le frère injuste] *d'accomplir son injustice, ce sera ton soutien à son égard*[3] *!* »

En posant des questions tout comme en formulant des propositions ou des jugements paradoxaux ou contradictoires, le Prophète stimulait le sens critique de ses compagnons et la capacité d'aller au-delà de la simple obéissance aveugle ou de l'imitation mécanique et abrutissante. Cette méthode développait les qualités intellectuelles nécessaires à l'efficacité des consultations. En effet, pour que celles-ci soient effectives, il fallait que les compagnons soient intellectuellement

1. *Hadîth* rapporté par al-Bukhârî et Muslim.
2. *Hadîth* rapporté par Muslim in *Al-Jâmi'as-Saghîr wa ziyâda*, Muhammad Nasr ad-Dîn al-Albânî, vol. 2, Al-Maktab al-Islâmî, seconde édition, 1988, Beyrouth, en arabe, p. 948.
3. *Hadîth* rapporté par al-Bukhârî.

éveillés, autonomes et audacieux. Et ceci même en présence du Prophète, dont la personnalité et le statut les impressionnaient forcément. Par cette façon de stimuler l'intelligence et de distribuer la parole, il exerçait une autorité qui offrait à ses compagnons la possibilité de se former, de s'affirmer et de prendre des initiatives.

Hubâb ibn al-Mundhir en fut l'exemple le plus éclatant au moment précis de l'histoire qui nous occupe. Arrivé à Badr, le Prophète établit le campement à proximité des premiers puits qu'ils trouvèrent. Observant cela, Ibn al-Mundhir vint lui demander : *« Le lieu où nous nous sommes arrêtés t'a-t-il été révélé par Dieu, de sorte que nous n'avons pas à nous en éloigner, en avançant ou en reculant ; ou alors s'agit-il d'une opinion, d'une stratégie liée à la ruse de guerre*[1] *? »* Le Prophète confirma qu'il s'agissait de son opinion personnelle. Alors Ibn al-Mundhir lui proposa un autre plan, qui consistait à camper autour du plus grand puits, le plus proche de la route par laquelle allait venir l'ennemi, puis de boucher les autres puits alentour afin de l'empêcher d'avoir accès à l'eau. Au cours de la bataille, il serait ainsi forcément en difficulté. Muhammad écouta attentivement l'exposé de cette stratégie et y adhéra immédiatement : le camp fut déplacé et le plan de Hubâb appliqué à la lettre.

Les compagnons faisaient ainsi la différence entre les Révélations qui parvenaient au Prophète, et auxquelles ils obéissaient sans mot dire, et les opinions de celui qui « n'était qu'un homme », et qui pouvaient être débattues, améliorées, voire simplement rejetées.

---

1. Ibn Hishâm, *op. cit.*, vol. 3, p. 167.

L'autorité du Messager dans les affaires humaines n'était point discrétionnaire ni autocratique. Il offrait à ses compagnons un rôle éminent dans la consultation et son enseignement, nous l'avons vu, développait les conditions d'acquisition de cet esprit critique et créatif. Le Prophète donnait à ses compagnons – femmes et hommes – les moyens et l'assurance de pouvoir être autonomes, d'oser l'interpeller et le contredire sans jamais y voir un manquement au respect de son statut. C'était lui qui, par cette attitude, leur témoignait son profond respect de leur intelligence autant que de leur cœur : de leur côté, ils aimaient leur Prophète, leur chef, pour cette attention, cette disponibilité, cette exigence.

La bataille de Badr

Quand il apparut clairement que la caravane avait échappé et que ce qui s'annonçait était une guerre, Muhammad tenta de dissuader les Quraysh de choisir la guerre. Il envoya 'Umar ibn al-Khattâb afin qu'il leur proposât de s'en retourner et d'éviter ainsi la confrontation. Parmi les Quraysh, d'aucuns voulaient également éviter le conflit, et 'Utbah, l'un des dignitaires mecquois, proposa même de payer le prix du sang de leur allié qui avait été tué pendant le mois sacré. Rien n'y fit : les partisans de la guerre parmi les Quraysh étaient déterminés, ils savaient que le nombre était nettement à leur avantage et ils virent d'ailleurs dans la démarche de 'Umar un signe de faiblesse. L'occasion était belle de réduire à néant la communauté des musulmans et d'éliminer Muhammad.

Ce dernier avait eu de son côté un certain nombre d'inspirations et de rêves. Il avait compris que la guerre allait être la conséquence de cette rencontre avec les gens de Quraysh et que l'issue en serait favorable. Il ne cessait d'invoquer Dieu et d'appeler ses compagnons à la persévérance et à la détermination. Il leur annonça : « *Par Celui qui tient entre Ses mains l'âme de Muhammad, personne ne sera tué ce jour, combattant dans le ferme espoir d'être récompensé, allant de l'avant et ne regardant pas en arrière, sans que Dieu le fasse directement entrer en Son Paradis*[1]. » Il se prosterna encore très longtemps (priant Dieu de tenir Sa promesse, de protéger sa communauté et de donner la victoire aux musulmans), jusqu'à ce que Abû Bakr l'invite à s'arrêter, convaincu que Dieu ne pouvait les abandonner.

La bataille allait avoir lieu pendant le mois de Ramadân, le 17, de l'an 2 de l'Hégire (624 de l'ère chrétienne). Sur la route qui menait à Badr, le Prophète avait rappelé aux musulmans qui désiraient jeûner que cela n'était point imposé pendant les voyages : « *La piété ne consiste pas à jeûner pendant les voyages : il est de votre devoir de faire bon usage des allégements* (rukhas) *que Dieu a établis pour vous. Acceptez-les donc*[2] *!* » Chacune des circonstances de la vie était ainsi utile à rappeler aux musulmans les enseignements de leur religion et le Prophète insistait en permanence sur les allégements (*rukhsa*, plur. *rukhas*) offerts aux fidèles qui devaient absolument faciliter la pratique et répandre la bonne nouvelle et

---

1. *Ibid.*, p. 175.
2. *Hadîth* authentique rapporté par al-Mundhirî. Voir *Al-Jâmi'as-Saghîr wa ziyâda*, Muhammad Nasr ad-Dîn al-Albânî, vol. 2, Al-Maktab al-Islâmî, seconde édition, 1988, Beyrouth, en arabe, p. 955.

non la répulsion : « *Facilitez* [les choses], *ne les rendez point difficiles ! Répandez la bonne nouvelle* [qui réjouit], *non la mauvaise* [qui révulse et repousse][1] *!* » Le Prophète but en cette occasion ostensiblement pour montrer l'exemple à ses compagnons.

La bataille commença par trois duels dans lesquels étaient engagés Hamza, 'Alî et 'Ubayda ibn al-Hârith : les deux premiers l'emportèrent alors que 'Ubayda fut mortellement blessé. Puis les hostilités commencèrent, et les musulmans firent preuve d'une telle détermination que les Quraysh subirent assez vite une déroute générale. Malgré leur nombre trois fois supérieur, ils ne parvinrent pas à contenir les assauts des musulmans. La Révélation parlera plus tard de la protection continue de Dieu au cœur des combats, de Ses anges et de Sa promesse accomplie :

> *Votre Seigneur vous a très certainement accordé la victoire à Badr alors que vous étiez en nombre insignifiant. Ayez donc la conscience intime de Dieu* [la crainte révérencielle] *en témoignage de votre reconnaissance*[2].

Cette victoire marqua un tournant : le statut et la supériorité des Quraysh venaient d'être sérieusement mis à mal, et la nouvelle de cette défaite se répandit comme une traînée de poudre dans l'ensemble de la péninsule.

Les musulmans avaient perdu quatorze de leurs hommes contre plus de soixante-dix pour les Mecquois,

---

1. *Hadîth* rapporté par al-Bukhârî et Muslim.
2. Coran, 2, 123.

dont Abû Jahl, qui avait été l'un des ennemis les plus acharnés de l'islam et qui avait ardemment désiré que cette bataille eût lieu. 'Abbas, l'oncle du Prophète (qui avait pourtant été dans la confidence de ce dernier à La Mecque et avait assisté à tous les préparatifs secrets avant l'émigration) était parmi les soixante-dix prisonniers qurayshites.

À La Mecque, à Médine

Le retour des Qurayshites à La Mecque fut douloureux, et la plupart des clans étaient touchés par la mort d'un des leurs. La situation était désastreuse et, déjà, d'aucuns criaient vengeance, à l'instar de Hind qui avait perdu son père, son frère et son oncle dans la bataille. Elle jura qu'elle boirait le sang de Hamza, responsable de la mort de son père et de son oncle. Les chefs des Quraysh ne tardèrent pas une minute à réagir et à tenter d'établir des alliances avec les cités et les tribus avoisinantes afin de combattre les musulmans, de se venger de cette humiliation et de mettre un terme à leur présence dans la péninsule.

Abû Lahab, qui était en trop mauvaise santé physique pour participer aux combats, était resté à La Mecque. Il demanda à Abû Sufyân[1] de lui raconter la façon dont les choses s'étaient déroulées et les circonstances de la défaite. Alors que ce dernier exposait les faits, un esclave assis à proximité, et qui avait gardé jusque-là secrète sa conversion à l'islam, ne put contenir sa joie et ainsi se découvrit. Abû Lahab se précipita

---

1. Selon certaines versions, il s'agissait de Mughîra ibn al-Hârith, un simple soldat de l'armée des Quraysh, et non d'Abû Sufyân.

sur lui et le frappa rudement en le maintenant au sol. Um al-Fadl, la belle-sœur d'Abû Lahab et épouse de 'Abbâs, qui assistait à la scène et qui, elle aussi, s'était secrètement convertie à l'islam, s'élança sur son beau-frère et le frappa violemment avec un pieu de tente. La blessure à la tête était profonde. Elle s'infecta en quelques jours et le corps entier d'Abû Lahab fut finalement atteint : il mourut dans les semaines qui suivirent. Le Coran avait, des années auparavant, annoncé son destin et sa perte, comme celle de sa femme, alors qu'ils s'acharnaient dans leur haine de l'islam. Contrairement à certains autres oppresseurs qui changèrent d'attitude, ni Abû Lahab ni sa femme ne manifestèrent une quelconque attirance pour le message de Muhammad. Cette mort, dans le rejet et la violence, venait confirmer ce que la Révélation avait annoncé : tous deux seraient, jusqu'au bout, parmi ceux qui nient et se rebellent.

Les musulmans avaient enterré leurs morts et se préparaient à rentrer à Médine. Ils avaient soixante-dix prisonniers, et une discussion eut lieu entre le Prophète, Abû Bakr et 'Umar. Ce dernier était d'avis qu'il fallait les tuer, contrairement à Abû Bakr : Muhammad décida de leur laisser la vie sauve à l'exception de deux prisonniers qui s'étaient montrés particulièrement odieux avec les musulmans, qu'ils avaient humiliés et torturés jusqu'à la mort quand ceux-ci se trouvaient à La Mecque. La possession des captifs allait être un moyen supplémentaire d'humilier les Quraysh, contraints de venir payer une forte rançon à Médine, ce qui, de surcroît, allait permettre aux musulmans d'obtenir des gains estimables. Une Révélation coranique viendra par ailleurs reprocher au Prophète ce choix essentiellement motivé par le désir d'acquérir des richesses[1].

Les combattants musulmans s'étaient du reste déjà disputés sur le partage des butins, et des divergences apparurent sur les mérites de chacun ainsi que sur la nature de la répartition. Les coutumes préislamiques, quant aux butins de guerre, étaient demeurées bien ancrées : la quantité de gains amassés après une guerre faisait partie de la fierté et de l'honneur des vainqueurs. Une Révélation du Coran mentionnera cette dispute et indiquera que le butin devait revenir *« à Dieu et à Son Envoyé*[2] *»*, ce qui sous-entendait que le Prophète devait répartir équitablement les biens selon les prescriptions coraniques et mettre ainsi un terme aux disputes. Muhammad allait avoir à faire face à de nombreuses reprises à ce genre de tentations et de différends entre ses compagnons, et, à chaque reprise, la Révélation ou lui-même leur répétait qu'ils devaient se questionner sur leurs intentions : cherchaient-ils les biens de ce monde ou la paix de l'Au-delà ? Ils restaient des êtres humains, avec leurs faiblesses et leurs tentations : ils avaient besoin de rappels, d'éducation spirituelle et de patience, comme c'est le cas de chaque conscience à proximité du Prophète ou tout au long de l'histoire des Hommes. Cette dernière nous apprend, somme toute, à ne rien idéaliser : rien ni personne.

Lorsqu'ils arrivèrent à Médine, le Prophète reçut la nouvelle du décès de sa fille Ruqayya, la femme de 'Uthmân ibn 'Affân. Il venait de perdre ses premiers compagnons, et voilà que sa fille s'en était allée alors

1. Coran, 8, 67-68.
2. Coran, 8, 1.

qu'il revenait d'une expédition victorieuse. Le mariage du contentement et de l'affliction lui rappelait la fragilité de la vie et, toujours, sa relation essentielle à l'Unique dans l'épreuve comme dans le succès. Rien n'était jamais définitivement acquis. Plus tard, 'Uthmân allait épouser Um Kulthûm, une autre fille du Prophète ; lui, de son côté, allait s'unir à Hafsa, la fille de 'Umar ibn al-Khattâb, qui vint s'installer dans l'une de ses habitations aux alentours de la mosquée.

Les tractations avec les familles des captifs commencèrent. Certaines familles étaient venues payer leur dû et s'en étaient retournées avec leur parent. Certains prisonniers furent libérés sans rançon, alors que les plus pauvres étaient soumis à des accords particuliers. Les captifs qui savaient lire et écrire et étaient incapables de payer le prix de la rançon devaient s'engager à apprendre à lire et à écrire à dix jeunes Médinois s'ils voulaient obtenir leur libération. Encore une fois, le Prophète montrait l'importance du savoir et envoyait un message aux membres de sa communauté : en temps de paix comme en temps de guerre, le savoir, la connaissance, lire et écrire, sont des facultés et des outils qui font la dignité de l'Homme. Le savoir de certains captifs était leur richesse, il devint leur rançon.

Banû Qaynuqa'

Les mois qui suivirent le retour de Badr furent difficiles à gérer sur le plan régional : il était clair que le statut de la communauté musulmane de Médine avait changé. De nombreuses cités alentour, de même que ceux qui n'avaient point conclu de pacte, avaient peur de l'ascendant militaire, politique autant que symbolique qu'était en train de prendre Muhammad au cœur de la péninsule Arabique. Ainsi, quelques jours seulement après son retour, ce dernier dut se rendre à la tête de deux cents hommes dans les villages de Banû Salim et Banû Khatafân dans la région d'al-Qudr afin de mettre un terme à un complot. Les habitants prirent la fuite.

Le Prophète ne cessait d'être renseigné sur les initiatives et les tentatives d'alliances menées par les chefs qurayshites en vue d'accomplir leur désir de vengeance. Un rêve inspiré lui avait permis de déjouer une tentative d'assassinat de 'Umayr ibn Wahb qui, surpris par ce dont le Prophète avait eu connaissance, avait fini par se convertir sur-le-champ. Muhammad savait toutefois que les Quraysh ne tarderaient point à agir à grande échelle en essayant de mobiliser le plus de tribus possible pour mener à bien leur projet. Depuis son retour de Badr, le Prophète n'avait pu que constater qu'un certain nombre d'habitants de Médine étaient déçus et inquiets de la victoire des musulmans. Il avait identifié certains hypocrites qui s'étaient convertis à l'islam par purs calcul et intérêt politiques. Il savait également que certains des signataires du pacte d'alliance, signé lors de son arrivée à Médine, n'étaient pas fiables et n'hésiteraient pas à se retourner contre lui à la première occasion venue. Muhammad venait de recevoir une Révélation qui l'invitait à la vigilance : « *Si tu crains d'être trahi par un peuple, dénonce* [en toute franchise] *les termes du pacte. En vérité, Dieu n'aime point les traîtres*[1]. » Pour l'heure, le

1. Coran, 8, 58.

Prophète se contentait de surveiller les activités des uns et des autres en s'en tenant aux engagements apparents des hypocrites et au respect strict des termes du pacte, puisque la Révélation lui conseillait la prudence et la sagesse : *« S'ils penchent vers la paix, penche vers elle de la même façon et place ta confiance en Dieu*[1]. »

La tribu juive des Banû Qaynuqa' était la seule, parmi les trois tribus juives vivant aux alentours de Médine, à être installée à l'intérieur de la cité. Ils étaient d'ailleurs les signataires directs du pacte, et c'est pourtant de l'intérieur de leurs rangs que les informations les plus alarmantes – en termes de possible complot et de trahison – parvenaient au Prophète. Pour en avoir le cœur net et ne point donner l'impression aux gens de Banû Qaynuqa' que la voie était libre, Muhammad leur rendit visite et les appela à méditer sur la déroute des Quraysh. Les dignitaires des Banû Qaynuqa' le prirent de haut en rétorquant que, s'ils lui faisaient la guerre, les choses ne se passeraient point ainsi, et qu'assurément ils l'emporteraient. Cette réponse, sous forme de menace, était en fait une révélation et une confirmation : ils étaient bien dans une disposition d'hostilité à l'égard des musulmans.

Quelques jours plus tard, une femme musulmane se rendit comme à l'accoutumée au marché des Banû Qaynuqa', et elle fut moquée puis humiliée par un marchand qui attacha son vêtement dans son dos alors qu'elle était assise, de sorte que le bas de son corps se découvrit lorsqu'elle se releva. Un musulman, observant la scène, voulut intervenir, une bagarre s'ensuivit, et le

1. Coran, 8, 61.

marchand aussi bien que le musulman succombèrent à leurs blessures. Une telle affaire (qui était liée à la gestion des conflits et au prix du sang) aurait dû, selon les termes du pacte, être renvoyée au Prophète et trouver un règlement pacifique selon la justice et les codes de l'honneur. Or, les Banû Qaynuqa' trahirent les termes du pacte et cherchèrent à s'allier à Ibn Ubayy, l'hypocrite, avec qui ils traitaient depuis quelque temps déjà, et dont ils espéraient qu'il les aiderait à mobiliser leurs alliés de la région afin de s'opposer aux musulmans.

La réaction de Muhammad fut prompte et ne permit pas aux traîtres et aux hypocrites de tirer parti de la situation. Il mobilisa une armée et fit immédiatement le siège de la forteresse dans laquelle les Banû Qaynuqa' s'étaient précipités pour se protéger. Ces derniers espéraient qu'un soutien viendrait de l'intérieur des rangs musulmans par l'intermédiaire des hypocrites, qui leur avaient toujours assuré qu'ils souhaitaient, comme eux, l'élimination de la communauté musulmane. Aucun soutien ne se manifesta et, après deux semaines de siège, les Banû Qaynuqa' se rendirent.

Le Prophète se souvint du verset révélé lui indiquant qu'*« il n'appartient point à un Prophète de faire des prisonniers*[1] *»* en étant motivé par l'appât du gain. Il avait le choix d'éliminer les hommes de la tribu qui avait trahi le pacte et de bannir leurs femmes et leurs enfants, comme c'était la pratique courante en situation de guerre et de victoire. Cela lui aurait permis d'envoyer ainsi un message fort à toutes les tribus alentour quant au sort qui attendrait tous ceux qui trahiraient ou s'attaqueraient à la communauté musulmane. Il avait

1. Coran, 8, 67.

d'ailleurs reçu une révélation allant en ce sens : « *Si tu l'emportes sur eux dans un combat, fais-en un exemple afin de jeter l'effroi chez ceux qui se tiennent derrière eux* [qui pourraient être tentés de suivre leur exemple] *afin qu'ils prennent garde*[1]. » Muhammad reçut néanmoins Ibn Ubayy – dont il connaissait l'hypocrisie et les manœuvres secrètes –, qui venait intercéder en faveur des Banû Qaynuqa'. Il décida cette fois encore de laisser la vie sauve à ces derniers, exigeant toutefois qu'ils soient dépossédés de leurs biens et qu'ils s'exilent loin de la ville. Ils se réfugièrent dans certaines des tribus et des colonies de la région, mais ils ne renoncèrent pas pour autant à comploter contre le Prophète. Au contraire, leur récente humiliation ajoutait à leur haine : le nombre des ennemis de Muhammad ne cessait d'augmenter, de même que s'intensifiait leur ressentiment. Le Prophète le savait et ne cessait d'appeler ses compagnons à la sagesse, à la patience autant qu'à la vigilance.

1. Coran, 8, 57.

10

LES ENSEIGNEMENTS ET LA DÉFAITE

La vie continuait à Médine. Malgré la complexité des relations et la nécessaire vigilance, Muhammad continuait à dispenser ses enseignements à la lumière des Révélations qui lui parvenaient. Il ne cessait d'être l'exemple dont la particularité était de marier cette stricte fidélité à ses principes et cette constante chaleur humaine qui se dégageait de son contact et de sa présence. Les compagnons en étaient si avides qu'ils se relayaient afin de passer le plus de temps possible en sa compagnie et de pouvoir l'écouter et apprendre. Ils l'aimaient d'un amour respectueux, profond et fidèle, et le Prophète ne cessait de les inviter à approfondir cet amour, à apprendre à l'aimer encore davantage et à l'aimer enfin à la lumière supérieure de l'amour de Dieu.

La douceur, l'attention et l'amour

Dans son quotidien, alors qu'il était préoccupé par les attaques, les trahisons et la soif de vengeance des ennemis, il restait attentif aux détails de la vie et aux attentes de chacun, mêlant de façon permanente la rigueur et la générosité de la fraternité et du pardon. Ses compagnons, comme ses épouses, le regardaient prier durant de longues heures de la nuit, seul, loin des hommes, isolé dans le murmure de ses prières et de ses invocations qui nourrissaient son dialogue avec l'Unique. 'Aïsha, son épouse, en était impressionnée et étonnée : « *Ne t'imposes-tu pas trop* [d'actes de dévotion] *alors que Dieu t'a déjà pardonné tes fautes passées et futures ? Et le Prophète de répondre : Comment pourrais-je ne point être un serviteur reconnaissant* [qui remercie] *?*[1] » Il n'imposait point à ses compagnons ce qu'il s'imposait de pratiques, de jeûnes, de méditations. Au contraire, il exigeait d'eux qu'ils allègent leur fardeau et qu'ils évitent l'excès. À certains compagnons qui voulaient mettre un terme à leur vie sexuelle, prier durant les nuits entières ou jeûner sans discontinuer (comme 'Uthmân ibn Maz'ûn ou 'Abd Allah ibn 'Amr ibn al-'As), il disait : « *N'en fais rien ! Mais jeûne certains jours et mange certains jours. Dors une partie de la nuit et veille une autre partie en accomplissant la prière. Car ton corps a sur toi des droits, tes yeux ont sur toi un droit, ta femme a sur toi un droit, ton hôte a sur toi un droit*[2]. » Il s'exclama un jour, et répéta trois fois : « *Malheur aux exagérateurs* [rigoristes][3] *!!!* » et, en une autre circonstance : « *La modération, la modération ! Car c'est seulement par la modération que vous arriverez à bon port*[4]. »

1. *Hadîth* rapporté par al-Bukhârî et Muslim.
2. *Hadîth* rapporté par al-Bukhârî.
3. *Hadîth* rapporté par Muslim.
4. *Hadîth* rapporté par al-Bukhârî.

Il n'avait de cesse d'apaiser la conscience des croyants qui avaient peur de leurs faiblesses et de leurs manquements. Un jour, le compagnon Handhala al-Usaydî rencontra Abû Bakr et lui confia être persuadé de sa profonde hypocrisie, tant il se sentait traversé de sentiments contradictoires : dans la présence du Prophète, il n'était pas loin de voir le paradis et l'enfer, mais lorsqu'il s'en éloignait, il était distrait par sa femme, ses enfants et ses affaires. Abû Bakr lui confia à son tour qu'il vivait les mêmes tensions. Ils allèrent voir le Prophète et le questionner sur cet apparemment triste état de leur spiritualité. Handhala lui exposa la nature de ses doutes, et Muhammad lui répondit : « *Par Celui qui détient mon âme entre Ses mains, si vous aviez le pouvoir de demeurer dans l'état* [spirituel] *où vous êtes en ma compagnie et dans le souvenir permanent de Dieu, les anges vous serreraient la main dans vos lits et sur les chemins. Mais il n'en est rien, Handhala, il est une heure pour cela* [la dévotion, le souvenir] *et une heure pour cela* [le repos, la distraction][1]. » Il n'y avait donc là aucune des dimensions de l'hypocrisie, mais simplement la réalité de la nature humaine qui se souvient et oublie, qui a besoin de se souvenir justement parce qu'elle oublie. Parce que les humains ne sont point des anges.

En d'autres circonstances, il les surprenait en affirmant que c'était au cœur même de leurs besoins les plus humains, dans l'humble reconnaissance de leur humanité, que s'exprimait la sincérité d'une prière, d'une aumône ou d'un acte d'adoration. « *La prescription du bien est une aumône, la proscription*

---

1. *Hadîth* rapporté par al-Bukhârî et Muslim.

du mal est une aumône. Dans vos relations sexuelles avec vos épouses, il y a une aumône. » Ses compagnons, surpris, lui dirent : « *Ô Messager de Dieu, quand l'un de nous satisfait son désir* [sexuel] *en reçoit-il en plus une récompense ?* » Muhammad répondit : « *Dites-moi, si l'un d'entre vous avait eu une relation illicite, n'aurait-il point commis un péché ? C'est pourquoi lorsqu'il a une relation licite, il en reçoit la récompense*[1]. » Ainsi les invitait-il à ne rien nier ou mépriser de leur humanité, et il leur enseignait qu'il s'agissait, au fond, d'apprendre à se contrôler. La spiritualité, c'est à la fois accepter ses instincts et les maîtriser : vivre ses désirs naturels à la lumière de ses principes est une prière. Jamais une faute, encore moins de l'hypocrisie.

Le Prophète détestait entretenir chez ses compagnons un inutile sentiment de culpabilité. Il leur répétait de ne jamais cesser de dialoguer avec l'Unique qui est l'Infiniment Bon, le Miséricordieux qui accueille chacun dans Sa grâce et Sa bonté et aime la sincérité des cœurs qui regrettent et reviennent à Lui. C'est le sens profond de « *at-tawba* » offerte à chaque conscience : le « retour sincère à Dieu », après un oubli, un écart, une faute. Dieu aime ce retour sincère auprès de Lui, et Il pardonne et purifie. Le Prophète en donnait l'exemple lui-même en de nombreuses circonstances. Un Bédouin vint un jour uriner dans la mosquée, et les compagnons se précipitèrent sur lui et voulurent le battre. Le Prophète intervint et leur dit : « *Laissez-le en paix et versez simplement un seau d'eau sur son urine. Dieu*

1. *Hadîth* rapporté par al-Bukhârî et Muslim.

ne vous a suscités que pour faciliter les obligations et non point pour les rendre difficiles[1]. » 'Aïsha rapporte par ailleurs qu'un homme vint un jour trouver le Prophète et lui dit : « *Je suis perdu !* » Le Prophète lui demanda : « *Pourquoi donc ?* » Celui-ci lui confia : « *J'ai eu commerce avec ma femme pendant les heures de jeûne du mois du Ramadân !* » Muhammad répondit : « *Fais donc l'aumône !* », à quoi l'homme rétorqua : « *Je ne possède rien !* », puis il s'assit non loin du Prophète. Un homme vint alors apporter au Prophète un plat de nourriture[2]. Le Prophète appela : « *Où est donc l'homme perdu ?— Ici,* répondit-il. » Muhammad lui dit : « *Prends cette nourriture et va la donner en aumône !— À plus pauvre que moi ? Mais ma famille n'a rien à manger !— Alors mangez-la vous-mêmes* », répondit le Prophète en souriant[3]. Cette douceur et cette bonté étaient l'essence même de son enseignement, et il répétait : « *Dieu est doux* (Rafîq) *et Il aime la douceur* (ar-rifq) *en toute chose*[4] » en ajoutant : « *Il donne pour la douceur ce qu'Il ne donne pas pour la violence ou toute autre chose*[5]. » Il confia à l'un de ses compagnons : « *Il y a en toi deux qualités que Dieu aime : la clémence* (al-hilm) *et la longanimité* [la grandeur d'âme, la tolérance] (al-anâ)[6] », et il invitait tous les compagnons à ce constant effort de la douceur et

1. *Hadîth* rapporté par al-Bukhârî.
2. Selon une version, il s'agissait de dattes. Un autre transmetteur, du nom de 'Abd ar-Rahmân, indiquait quant à lui ne pas savoir de quoi il s'agissait exactement.
3. *Hadîth* rapporté par al-Bukhârî et Muslim.
4. *Hadîth* rapporté par al-Bukhârî et Muslim.
5. *Hadîth* rapporté par al-Bukhârî.
6. *Hadîth* rapporté par Muslim.

du pardon : *« S'il te parvient de ton frère une chose que tu désapprouves, cherche-lui une à soixante-dix excuses. Si tu ne trouves pas, dis* [persuade-toi] *que c'est une excuse que tu ne connais pas*[1]. *»*

Autour de la mosquée, à proximité de la demeure du Prophète, s'étaient installés certains nouveaux convertis à l'islam qui n'avaient pas de toit et étaient souvent privés de nourriture. Démunis (parfois volontairement, car certains désiraient vivre l'ascèse loin des biens du monde), leur subsistance dépendait des aumônes et des dons des musulmans : leur nombre ne cessait d'augmenter et ils furent bientôt appelés *« ahl as-suffa »* (les gens du banc[2]). Le Prophète était très touché par leur situation et manifestait une solidarité permanente à leur égard. Il les écoutait, répondait à leurs questions et était attentif aux besoins de chacun. C'était une des particularités de sa personnalité et de ses enseignements, avec *ahl as-suffa* comme avec l'ensemble de sa communauté : à la même question sur la spiritualité, la foi, l'éducation ou le doute, il apportait des réponses différentes et adaptées qui tenaient compte de la psychologie, du vécu et de l'intelligence de celle ou de celui qui l'apostrophait. Ceux-ci se sentaient vus, respectés, compris, aimés et, en effet, il les aimait, le leur disait et leur conseillait, en sus, de ne jamais oublier de se confier mutuellement leur amour : *« Quand quelqu'un aime son frère* [sa sœur], *qu'il lui fasse part de son*

1. *Hadîth* rapporté par al-Bayhaqî.
2. Un banc avait été installé à leur intention à proximité de la mosquée. Certains commentateurs, cherchant l'origine du mot *« sûfî »* (sufisme), l'ont lié à ces *« ahl as-suffa »*, dont certains avaient fait le choix délibéré de la pauvreté et de l'éloignement du monde, des désirs et de la possession.

amour pour lui [elle][1]. » Au jeune Mu'âdh ibn Jabal, qu'il saisit un jour par la main, il murmura : « *Ô Mu'âdh, par Dieu, je t'aime. Et je te conseille, ô Mu'âdh, de ne pas oublier de dire, à la suite de chaque prière rituelle : "Ô Dieu, aide-moi à me souvenir de Toi, à Te remercier et à parfaire mon adoration à Ton égard"* [2]. » Le jeune homme s'est ainsi vu offrir en un seul élan et l'amour et l'enseignement spirituel, et ce dernier était d'autant plus profondément assimilé qu'il était enveloppé de cet amour.

Les chrétiens de Najrân

La date de la visite des chrétiens de Najrân n'est pas connue précisément. Certaines sources, comme Ibn Hishâm, la placent avant même la bataille de Badr, et d'autres, selon un texte qui nous serait parvenu d'Ibn Ishâq (en référence également à certains *ahâdîth* et à la chronologie de certains versets du Coran liés à cet épisode), entre la bataille de Badr et celle d'Uhud. La date n'est pas très importante, somme toute, et ce qui demeure essentiel est la nature et l'objectif de cette rencontre.

Une délégation de quatorze notables religieux de Najrân[3] (Yémen) avait rendu visite au Prophète afin de l'interroger sur la nouvelle religion, sa foi et, bien sûr, sur le statut de Jésus dans l'islam. Il existait de nombreuses tribus chrétiennes dans la péninsule Arabique, et la majorité des chrétiens du Yémen semblaient suivre le rite orthodoxe melkite dont le centre était à

---

1. *Hadîth hassan* (bon) rapporté par Abû Dâwud et at-Tirmidhî.
2. *Hadîth* rapporté par Abû Dâwud et an-Nasâ'î.
3. Ibn Hishâm, *op. cit.*, vol. 2, p. 112.

Constantinople. Le Prophète répondit à leurs questions, mit en évidence le lien entre les deux traditions en ce que l'islam était la continuation du message du Prophète Jésus, mais il fut catégorique quant au refus du dogme de la Trinité. Il les appela à l'adoration du Dieu unique et à accepter l'islam comme étant la dernière Révélation. Le Coran rend longuement compte de cette rencontre et, dans le prolongement, du rapprochement et des distinctions entre les enseignements chrétiens et islamiques[1]. Le début de la troisième sourate *Alâ 'Imrân* (« La famille d'Imrân ») fixe le cadre de référence islamique :

> *Alif – Lâm – Mîm. Dieu, il n'y a point d'autre divinité que Lui, le Vivant, l'Animateur de l'Univers ! Il t'a révélé graduellement le Livre en tant que Message de vérité, confirmant ce qui l'avait précédé, comme Il avait révélé la Torah et l'Évangile auparavant, pour servir de direction aux hommes. Et Il a également révélé le Livre du discernement* [le Coran][2].

La Révélation confirme la reconnaissance des précédents Livres qui sont parvenus à l'humanité par l'intermédiaire de Moïse et de Jésus, et ajoute que le Coran participe de la même tradition monothéiste. Plus loin, le texte précise les termes de l'invitation faite aux chrétiens quant au rapprochement et aux distinctions des deux messages :

---

1. Comme le mentionne Ibn Hishâm, les quatre-vingts premiers versets de la sourate *Alâ 'Imrân* (« La famille d'Imrân ») ont trait à cette rencontre et, plus généralement, à la discussion sur les positions respectives sur Dieu, les messages et les commandements.
2. Coran, 3, 1-4.

> *Dis : « Ô gens du Livre ! Venez donc à une parole commune entre nous et vous,* [à savoir] *de n'adorer que Dieu seul, de ne rien Lui associer et de ne pas nous prendre les uns les autres pour des maîtres en dehors de Dieu. » S'ils s'y refusent, dites-leur : « Soyez témoins que, en ce qui nous concerne, nous sommes soumis à Dieu*[1]*. »*

Avec l'affirmation de l'unicité de Dieu et le refus de la Trinité, le présent verset marque également une distance avec le statut et le rôle du clergé dans la tradition chrétienne. En effet, ici, comme dans d'autres versets ou traditions prophétiques, ces potentiels « maîtres » (seigneurs, autorités) cités dans le verset susmentionné réfèrent à ceux qui se placent entre Dieu et les hommes et pourraient ainsi se prévaloir de pouvoirs religieux illégitimes ou démesurés.

La délégation de Najrân refusera d'adhérer au message du Prophète. Avant de repartir, les membres de la délégation voulurent accomplir leurs prières à l'intérieur de la mosquée. Les compagnons présents crurent devoir s'y opposer, et le Prophète intervint : *« Laissez-les prier*[2] *! »* Ceux-ci prièrent donc dans la mosquée en se tournant vers l'Orient. Au moment de partir, ils proposèrent au Prophète d'envoyer avec eux un émissaire qui vivrait auprès d'eux, répondrait à leurs questions et, le cas échéant, jugerait de certaines de leurs affaires. Abû 'Ubayda ibn al-Jarrâh fut désigné alors que 'Umar ibn al-Khattâb avouera plus tard avoir tenté

1. Coran, 3, 64.
2. Ibn Hishâm, *op. cit.*, vol. 2, p. 114.

sans succès d'attirer l'attention du Prophète afin que celui-ci le désignât pour accomplir cette mission.

La délégation s'en retourna. Les chrétiens étaient venus à Médine, s'étaient enquis du message, avaient écouté le contenu de la nouvelle religion, avaient présenté leurs arguments, avaient prié à l'intérieur même de la mosquée, puis ils étaient repartis sans être inquiétés, toujours chrétiens et parfaitement libres. L'attitude du Prophète ne sera pas oubliée par les premiers compagnons qui en tirèrent la substance du respect qu'impose l'islam à ses fidèles en les invitant, au-delà de la tolérance, à apprendre, à écouter et à reconnaître la dignité de l'autre. Le commandement « *Pas de contrainte en religion*[1] » s'accorde avec cette façon respectueuse d'aborder la diversité :

> *Ô vous les Hommes ! Nous vous avons créés d'un mâle et d'une femelle, et Nous vous avons répartis en peuples et en tribus, pour que vous vous entre-connaissiez. En vérité, le plus noble d'entre vous auprès de Dieu est celui dont la conscience de Dieu* [la piété] *est la plus profonde. Dieu est Omniscient et le Bien informé*[2].

Plus que la tolérance, en effet (qui a des accents de condescendance au cœur d'une relation de pouvoir), le respect exigé par Dieu se fonde sur un rapport égalitaire de connaissance mutuelle[3]. Dieu seul sait le contenu des cœurs et la profondeur de la piété des

1. Coran, 2, 256.
2. Coran, 49, 13.
3. La forme arabe « *ta'ârafû* » employée dans le verset exprime un rapport de connaissance mutuelle basé sur l'horizontalité et l'égalité de la relation.

uns et des autres. Ailleurs, le Coran – alors même que le statut des prêtres et des dignitaires religieux est critiqué et refusé – mentionne et reconnaît la sincérité de leur humble quête du divin :

> *Et tu constateras certainement que les plus proches en sympathie* [en termes d'affection] *vis-à-vis des croyants* [musulmans] *sont ceux qui disent nous sommes chrétiens et ce car il en est parmi eux qui sont prêtres et moines et qu'ils ne s'enflent point d'orgueil*[1].

Ce verset, tiré de la cinquième sourate (la dernière révélée en matière de prescriptions), formule les termes d'une relation privilégiée entre les musulmans et les chrétiens, se fondant sur les deux qualités essentielles que sont la sincérité et l'humilité. Avec les chrétiens, comme avec toutes les autres traditions spirituelles et religieuses, l'invitation à la rencontre, au partage et à un vivre ensemble fructueux restera pour toujours fondée sur ces trois conditions : chercher à acquérir la connaissance de l'autre, demeurer sincère (et donc honnête) au cours de la rencontre et des débats et, enfin, apprendre l'humilité quant à la prétention à détenir la vérité. C'est ce message que porta le Prophète dans sa relation avec les fidèles des autres religions. On le voit, il n'hésita pas à questionner, voire à contredire les convictions des chrétiens (comme la Trinité ou le rôle des prêtres), mais, au bout du compte, son attitude était fondée sur la connaissance, la sincérité et l'humilité, qui sont les trois conditions du respect. Ils repartirent libres, et le dialogue se poursuivit avec l'émissaire du Prophète.

1. Coran, 5, 82.

Une fille, une épouse

Le Prophète vivait très modestement : sa demeure était particulièrement sobre et il ne restait souvent chez lui que quelques dattes pour se nourrir. Il ne cessait pourtant de venir en aide aux personnes démunies autour de lui, et en particulier à *ahl as-suffa*, aux gens du banc, vivant à proximité de sa demeure. Il faisait distribuer les cadeaux qu'il pouvait recevoir et libérait immédiatement les esclaves qui lui étaient parfois envoyés en guise de don : c'est ce qu'il fit avec l'esclave Abû Râfi', que son oncle 'Abbâs lui fit parvenir une fois revenu à La Mecque après sa libération. Malgré un rôle de plus en plus important dans la société médinoise et des responsabilités multiples, il préservait cette simplicité dans sa vie et dans sa manière de se laisser aborder par les membres de sa communauté. Il ne possédait rien et acceptait d'être interpellé par les femmes, les enfants, les esclaves comme par les plus pauvres. Il vivait parmi eux, il était l'un des leurs.

Sa fille Fâtima était très proche de son père. Mariée à 'Alî ibn Abî Tâlib, le cousin du Prophète, elle avait finalement déménagé à proximité de la demeure de son père et se dévouait énormément pour la cause des plus pauvres, notamment des *ahl as-suffa.* Quand le Prophète était assis ou participait à une assemblée et que sa fille venait à lui ou entrait dans la pièce, il avait coutume de se lever et de la recevoir en lui témoignant publiquement un respect et une tendresse immenses. Les Médinois comme les Mecquois étaient étonnés de cette façon de faire avec une fille qui, généralement, ne recevait guère ce genre de traitement dans leur coutume respective. Le Prophète embrassait sa fille, lui parlait, se confiait à elle et l'asseyait à son côté en ne tenant pas compte des remarques, voire des critiques, que son comportement pouvait susciter. Il embrassa un jour son petit-fils, al-Hassan, le fils de Fâtima, devant un groupe de Bédouins qui en furent choqués. L'un d'eux, Al-Aqra' ibn Hâbis, manifesta sa stupéfaction en lui disant : *« J'ai une dizaine d'enfants et je n'en ai jamais embrassé un seul ! »* Le Prophète lui répondit : *« Celui qui n'est point généreux* [affectueux, clément], *Dieu n'est point généreux* [affectueux, clément] *à son égard*[1]. *»* À la lumière de son exemple silencieux, au détour de certaines réflexions et remarques, le Prophète enseignait à son peuple les bonnes manières, la bonté, la douceur, le respect des enfants, la délicatesse et la galanterie à l'égard des femmes. Plus tard, il affirmera : *« Je n'ai été envoyé que pour parfaire la noblesse des comportements*[2]. *»*

Fâtima recevait de son père cette affection et les enseignements de la foi et de la tendresse et les répandait dans son entourage au gré de ses activités auprès des pauvres. Un jour, pourtant, elle fit part de ses difficultés à son mari : comme son père, ils ne possédaient rien, et elle sentait qu'elle avait de plus en plus de difficultés à gérer le quotidien, sa famille, ses enfants. Son mari lui conseilla d'aller demander de l'aide à son père ; sans doute pourrait-il mettre à sa disposition un des esclaves qu'il avait reçus en cadeau. Elle alla le voir, mais elle n'osa point présenter sa requête, tant

1. *Hadîth* rapporté par al-Bukhârî et Muslim.
2. *Hadîth* rapporté par al-Bukhârî.

était profond son respect pour son père. Lorsqu'elle revint, silencieuse et bredouille, 'Alî décida de l'accompagner et de demander directement de l'aide au Prophète. Ce dernier les écouta et les informa qu'il ne pouvait rien faire pour eux, que leur situation était bien meilleure que celle de *ahl as-suffa*, qui avait un besoin urgent de son aide : il fallait donc qu'ils résistent et patientent. Ils s'en retournèrent déçus et attristés : fille et cousin du Prophète, ils ne pouvaient néanmoins se prévaloir d'aucun privilège social.

Tard dans la soirée, le Prophète se présenta au seuil de leur demeure. Ils voulurent se lever pour le recevoir, mais Muhammad entra et vint s'asseoir sur le bord de leur couche. Il murmura : « *Voulez-vous que je vous offre quelque chose de meilleur que ce que vous m'avez demandé ?* » Ils répondirent par l'affirmative et le Prophète ajouta : « *Ce sont des paroles que Gabriel m'a apprises et que vous devriez répéter dix fois après chaque prière : "Gloire à Dieu"* (Subhân Allah)*, puis "Louange à Dieu"* (al-hamduliLLah)*, puis "Dieu est le plus grand"* (Allahu Akbar). *Avant de vous coucher vous devriez répéter chacune de ces formules trente-trois fois*[1]. » Assis au chevet de sa fille, tard dans la nuit, profondément attentif à ses besoins, il répondait à sa requête matérielle en lui faisant le privilège d'une confidence du Divin : un enseignement spirituel qui nous est parvenu à travers les âges et que chaque musulman a fait désormais sien au cœur de son quotidien. Fâtima, comme son mari 'Alî, fut un modèle de piété, de générosité et d'amour. Elle vivait dans la lumière des enseignements spirituels de son père :

1. *Hadîth* rapporté par al-Bukhârî et Muslim.

vivre de peu, tout demander à l'Unique, et tout donner de soi aux hommes.

Des années plus tard, au chevet de son père mourant, elle pleurera intensément lorsqu'il lui murmurera à l'oreille que Dieu allait le rappeler à Lui, qu'il était l'heure pour lui de s'en aller. Elle sourira de bonheur lorsque, quelques minutes plus tard, il lui confiera – comme si la confidence affectueuse révélait l'essence de la relation de ce père avec sa fille – qu'elle serait la première de sa famille à le rejoindre.

'Aïsha, la plus jeune femme du Prophète, se nourrissait également de l'exemple et des propos de Muhammad. Tout était matière à réflexion et à édification spirituelle, et elle sera plus tard une source incomparable de renseignements sur la personnalité du Messager, son attitude dans la vie privée, comme sur ses engagements dans la vie publique. Elle fera part de la façon dont Muhammad était attentif à ses attentes et à ses désirs lorsque, jeune encore, elle arriva dans la demeure du Prophète à Médine. Le jeu faisait partie de leur vie, et Muhammad n'hésitait jamais à y prendre part ou encore à lui permettre de satisfaire sa curiosité, comme ce fut le cas lorsqu'une délégation d'Abyssinie vint lui rendre visite. Les Abyssins se mirent à l'écart pour pratiquer divers jeux et danses traditionnelles, et le Prophète se plaça devant le seuil de sa demeure, permettant ainsi à son épouse d'observer le spectacle discrètement – et sans être vue – par-delà son épaule[1]. À de nombreuses reprises, elle

1. *Hadîth* rapporté par al-Bukhârî et Muslim (selon une autre version, il la protégea des regards à l'aide de son manteau alors qu'il lui était loisible à elle d'observer leurs jeux).

mentionnera la nature particulière de son attention à son égard, de ses manifestations de tendresse, et de la liberté qu'il lui offrait dans son quotidien. Le contenu des traditions prophétiques qu'elle a rapportées montre combien Muhammad lui parlait, échangeait avec elle et lui manifestait son amour et sa tendresse. En sa présence, à travers sa façon d'être avec son épouse, il réformait par l'exemple les habitudes des Émigrés et des Auxiliaires.

Les deux versets coraniques traitant de la tenue vestimentaire des femmes[1] furent révélés autour de la deuxième année de l'Hégire. Le *khimâr* était une pièce d'étoffe portée sur la tête et dont les pans flottaient en arrière : le Coran prescrivit aux musulmanes de les rabattre sur leur poitrine afin de couvrir leur cou. Les femmes du Prophète, comme toutes les musulmanes, respectaient cette prescription. Ce n'est que deux ans plus tard que sera établie la spécificité de leur statut en tant que « femmes du Prophète », et qu'il ne leur sera plus possible de s'adresser aux hommes, si ce n'est derrière un voile de protection (*al-hijâb*). Avant la révélation des versets appelant les épouses du Prophète à se cacher aux regards des hommes, 'Aïsha agissait comme toutes les femmes et était très présente dans la vie publique de Médine. Le Prophète l'impliquait et désirait que ses compagnons voient et comprennent, à travers son exemple, le rôle que les femmes et leurs épouses devaient prendre dans leur vie quotidienne et publique.

Un voisin persan convia un jour le Prophète à un repas. Ce dernier lui demanda : *« Qu'en est-il d'elle ? »*,

1. Coran, sourate 24, verset 31, et sourate 33, verset 59.

en désignant son épouse 'Aïsha. Le voisin répondit par la négative, laissant entendre que l'invitation ne s'adressait qu'à lui. Muhammad refusa alors l'invitation. Le Persan renouvela son invitation quelque temps plus tard. Le Prophète demanda à nouveau : « *Qu'en est-il d'elle ?* » Le voisin répondit par la négative, et il essuya un nouveau refus de la part de Muhammad. Il renouvela une troisième fois son invitation et à la question du Prophète : « *Qu'en est-il d'elle ?* », il répondit par l'affirmative. Le Prophète accepta l'invitation et il se rendit avec 'Aïsha chez le voisin[1]. Sans brusquer les conventions mais avec fermeté – et en répétant les choses et les situations –, le Prophète réformait les coutumes et les pratiques chez les Arabes et les Bédouins de la péninsule. 'Aïsha et, avant elle, Khadîdja, comme d'ailleurs l'ensemble de ses épouses et de ses filles, étaient présentes dans sa vie, actives dans la vie publique et ne confondaient jamais la pudeur avec leur disparition des sphères sociale, politique, économique, voire militaire.

Le Messager leur avait donné la latitude d'être et de s'épanouir, de s'exprimer et d'être critiques, et de ne point faire montre de fausse pudeur en n'osant point aborder des sujets délicats liés à leur féminité, à leur corps, à leurs désirs et à leurs attentes. Des années plus tard, 'Aïsha relèvera avec respect et admiration ce trait de caractère qu'était l'audace intellectuelle des femmes ansârites qui, à la différence de la majorité des femmes de La Mecque, osaient questionner et interpeller avec franchise : « *Bénies soient* [quelles excellentes femmes étaient] *les femmes des* Ansâr *que la pudeur*

1. *Hadîth* rapporté par Muslim.

n'empêche point de s'instruire [quant aux affaires de leur religion][1]. » Elle avait elle-même été formée à cette école par le Prophète : elle était présente lorsque avaient lieu les Révélations, elle restait au côté du Prophète au moment où il transmettait le message ou donnait des recommandations et des conseils, ou simplement lorsqu'il était seul et vivait sa religion dans l'intimité. Elle écoutait, questionnait et cherchait à comprendre les raisons et le sens des choix et des attitudes de son mari, et c'est grâce à sa mémoire, à son intelligence et à son esprit critique que plus de deux mille *ahâdîth* (traditions prophétiques) ont été transmis par son intermédiaire et qu'elle a, par ailleurs, à de nombreuses reprises, corrigé la version des faits rapportée par d'autres compagnons.

L'amour que se témoignaient le Prophète et 'Aïsha était fort et intense. 'Aïsha n'a pas hésité à rapporter son attitude tendre et amoureuse dans leur vie quotidienne et sa proximité chaleureuse et attentive, même pendant le mois du Ramadân. Elle a fait part de ses questions au Prophète sur la profondeur de son amour pour elle, de sa jalousie à l'égard de la défunte Khadîdja et de la façon dont il trouvait toujours le moyen de la rassurer. Sa présence amoureuse, attentive et intelligente a permis de façonner un portrait profond et subtil du dernier des Messagers, et cela est grandement dû à 'Aïsha.

Elle vivra plus tard, en l'an 5 ou 6 de l'Hégire, l'épreuve la plus difficile de sa vie. Lors du retour d'une expédition à Banû al-Mustaliq, constatant qu'elle avait perdu son collier, elle s'en retourna pour aller le chercher. Le convoi s'était remis en route sans s'apercevoir

1. *Hadîth* rapporté par Muslim.

de l'absence de 'Aïsha, qui voyageait dans un palanquin à l'abri des regards. Elle fut finalement raccompagnée par un homme, Safwân ibn al-Mu'atal, qui se trouvait à l'arrière de l'expédition. Des bruits commencèrent à circuler puis à s'amplifier sur ses relations avec Safwân, et on finit par l'accuser d'avoir trahi et trompé le Prophète. Ce dernier en fut très touché, d'autant que certains compagnons menaient une véritable campagne en répandant la calomnie (*ifk*) à l'égard de son épouse. Il s'éloigna d'elle pendant plus d'un mois, mais 'Aïsha resta ferme et clama, à plusieurs reprises, son innocence. Des versets allaient enfin être révélés, qui non seulement l'innocentaient, mais condamnaient la calomnie et les calomniateurs, et fixaient très haut les conditions et les preuves qu'il était nécessaire de réunir pour porter un jugement sur le comportement d'une femme ou d'un homme en situation ambiguë ou douteuse[1].

Cette épreuve a d'abord ébranlé 'Aïsha comme le Prophète, mais elle a finalement renforcé leur amour et leur confiance. Plus largement, la communauté musulmane comprit que le malheur et la calomnie pouvaient s'abattre sur les meilleur(e)s de ses membres, et la Révélation condamnait la calomnie, la médisance et la diffamation de la façon la plus ferme, rappelant aux musulmans, comme l'exprimera plus tard le Prophète, de « *tenir leur langue*[2] ». 'Aïsha retrouvera naturellement sa place et deviendra une référence en matière de connaissance et de science islamiques. Le Prophète conseillera à ses compagnons : « *Allez chercher la*

1. Coran, 24, 11-26.
2. *Hadîth* rapporté par al-Bukhârî et Muslim.

science auprès de cette jeune rouquine[1]*. »* Au-delà des doutes et des soupçons, au-delà de la calomnie, 'Aïsha resta sincère dans sa foi et son amour du Prophète, et elle devint un modèle autant en matière de piété et de dévouement que dans son engagement intellectuel et social. Elle fut un modèle à la lumière de cet amour que le Prophète lui a témoigné : c'est chez elle que le Prophète a désiré rendre son dernier souffle, c'est là qu'il fut enterré.

Uhud

Au-delà de ses affaires privées et de son enseignement spirituel et social, le Prophète restait vigilant quant à la sécurité des musulmans de Médine et il savait que les Qurayshites préparaient leur revanche. Il reçut une missive de son oncle 'Abbâs, qui lui annonçait qu'une armée de plus de trois mille hommes s'était mise en route en direction de Médine. Il restait environ une semaine à Muhammad pour mettre au point sa stratégie et organiser la résistance. Il décida très vite d'organiser une consultation (*shûrâ*) pour demander l'avis de ses compagnons : ils avaient effectivement le choix de rester à l'intérieur de la cité et d'attendre l'entrée de l'ennemi afin de s'abattre sur lui, ou de sortir de la ville et de lui faire face directement dans une plaine alentour. Le Prophète, comme un grand nombre de compagnons, et notamment le peu fiable 'Abd Allah ibn Ubayy, était d'avis qu'il fallait attendre l'ennemi dans la ville. Néanmoins, au

1. *Hadîth* rapporté par Muslim. C'est ainsi qu'il désignait 'Aïsha dont la peau était très blanche. Il existe une autre version du *hadîth* : *« Prenez la moitié de votre religion auprès de cette jeune rouquine. »*

cours des débats, son point de vue fut mis en minorité, notamment par l'opposition des plus jeunes compagnons et de ceux qui n'avaient pas participé à la bataille de Badr : ils espéraient obtenir un mérite semblable aux combattants de Badr lors de la bataille qui s'annonçait.

La majorité avait voté la sortie hors de la ville et la confrontation en face à face. Muhammad accepta cette décision et s'en alla directement dans sa demeure pour se changer : il fallait se mettre en route immédiatement. Pris de remords et pensant qu'il aurait peut-être mieux valu lui obéir, un groupe de compagnons vint à sa rencontre au moment où il sortait de chez lui, et lui proposa de revenir sur cette décision et d'agir selon son opinion. Il refusa catégoriquement : la décision avait été prise collectivement, il avait enfilé sa tenue de guerre, il n'était plus question de renoncer.

Ils se mirent en route en direction d'Uhud. Le convoi était fort de mille combattants, l'expédition était donc particulièrement difficile et périlleuse. Tandis qu'ils avançaient, 'Abd Allah ibn Ubayy décida de faire sécession, suivi de trois cents de ses hommes : il reprochait au Prophète de s'être laissé influencer par des jeunes inexpérimentés et de n'avoir pas pris la décision – qui était également la sienne – de rester dans Médine et d'attendre l'ennemi. Sa désertion était grave et réduisait à sept cents le contingent des musulmans qui, à cet instant précis, ne pouvait plus changer de stratégie ni revenir en arrière. L'hypocrisie d'Ibn Ubayy était connue, et on le soupçonnait de trahisons multiples : cette décision, juste avant le combat, était une preuve supplémentaire de sa duplicité.

Les musulmans continuèrent donc, bien qu'ils fussent désormais fortement diminués. En chemin, le Prophète s'aperçut que six jeunes adolescents, ayant entre treize et seize ans, s'étaient mêlés aux combattants. Il en renvoya immédiatement quatre qui étaient trop jeunes et se laissa convaincre de garder deux garçons de quinze et seize ans, qui lui prouvèrent sur-le-champ qu'ils étaient de meilleurs archers et combattants que bien des adultes. Le choix, dans ce contexte particulier, était difficile, mais le Prophète ne cessait d'exiger que l'on protégeât les enfants des zones de combats, tant comme soldats que comme potentielles victimes. Il le réitéra avec force, nous le verrons, lors de l'expédition de Tabûk et cet enseignement – quant à l'éthique de la guerre – a toujours été sans compromis dans son message.

À l'approche d'Uhud, il fallait trouver un itinéraire discret qui permette au convoi de s'approcher du lieu du combat sans que ses mouvements puissent être devinés ou découverts. C'est encore une fois à un guide non musulman que le Prophète fit confiance : ses compétences étaient reconnues, et il répondit à l'appel de Muhammad qu'il mena, avec son armée, à bon port. Ils s'installèrent donc, et le Prophète expliqua sa stratégie de combat à ses troupes. Les archers allaient rester sur le flanc de la colline, alors que les chevaliers et les combattants iraient directement affronter l'ennemi dans la plaine. Il ne fallait en aucune façon que les archers bougent. Muhammad insista : en cas d'apparente victoire ou défaite des troupes dans la plaine en aval, il était impératif que les archers demeurent à leur poste et empêchent que les Quraysh contournent la colline et attaquent les troupes par l'arrière. C'est d'ailleurs ce que l'une des sections qurayshites tenta de faire dès le début des hostilités, mais la pluie de flèches qui l'accueillit la contraignit à revenir en arrière. La stratégie fonctionnait à merveille.

La bataille commença et, dans la plaine, les troupes musulmanes prenaient peu à peu l'ascendant. Les Quraysh reculaient, perdaient de nombreux combattants, alors que les Émigrés et les *Ansâr* manifestaient un courage impressionnant. Parmi ces combattants, deux femmes se distinguèrent par leur énergie et leur vigueur : Um Sulaym et surtout une Ansârite du nom de Nusayba bint Ka'b, qui était d'abord venue pour porter de l'eau et organiser le secours, et qui finalement n'hésita point à s'engager sur le champ de bataille, à prendre une épée et à combattre les Quraysh[1]. Le Prophète n'avait jamais recommandé le combat aux femmes, mais il était là en présence du fait accompli, et lorsqu'il vit la fougue et l'énergie de Nusayba, il salua son engagement et fit pour elle des invocations de protection, de victoire et de succès. Il devenait manifeste que les musulmans l'emportaient, malgré des revers et la mort de certains des compagnons. Hamza, l'oncle du Prophète, était l'objet de la vengeance de Hind depuis la défaite de Badr. Wahshî, un lanceur de javelot abyssin, avait été mandaté pour cette unique tâche – tuer Hamza –, et c'est ce qu'il s'efforça d'accomplir : alors que l'oncle de Muhammad combattait, Wahshî s'approcha de lui et lança avec une extrême précision son javelot, qui l'atteignit et le tua sur le coup. Plus tard, Hind trouvera le corps de

1. Ibn Hishâm, *op. cit.*, vol. 4, p. 30.

Hamza sur le champ de bataille et, après avoir mâché son foie[1], selon sa promesse désormais accomplie, elle le défigura en lui coupant les oreilles et le nez pour s'en faire un collier.

La victoire ne semblait néanmoins pas pouvoir échapper aux musulmans qui ne cessaient d'avancer, alors que les Quraysh reculaient et laissaient sur place leurs montures et leurs biens. Les archers, postés sur le flanc de la colline, observaient la tournure favorable des événements, la victoire imminente, et surtout le butin qui était à portée de main des combattants qui, contrairement à eux, bataillaient aux avant-postes. Ils en oublièrent les ordres du Prophète et les rappels à l'ordre de leur chef 'Abd Allah ibn Jubayr : quelques archers seulement restèrent sur place alors qu'une quarantaine dévalèrent la colline, persuadés que la victoire était acquise et qu'ils avaient droit eux aussi à leur part du butin. Khâlid ibn al-Walîd, le chef d'une des trois sections des Quraysh, observa ce mouvement des archers et prit la décision immédiate de contourner la colline et de prendre les troupes musulmanes à revers. Il y parvint et attaqua par l'arrière les compagnons du Prophète : la débandade fut générale, et les combattants musulmans se dispersèrent dans un total désordre. D'aucuns furent tués, d'autres fuirent, d'autres encore combattaient en ne sachant plus vraiment où donner de la tête. Le Prophète fut attaqué, il tomba de sa monture, eut une dent cassée, et les anneaux de son casque s'en-

1. Une version rapporte que c'est Wahshî qui lui rapporta le foie de Hamza et qu'elle se rendit ensuite sur le champ de bataille à la recherche de son corps qu'elle défigura.

foncèrent dans sa joue maculée de sang. La rumeur se répandit que le Prophète avait été tué, ce qui ajouta au chaos parmi les musulmans. Finalement, des compagnons le portèrent sur sa monture, le protégèrent, et il put échapper à ses assaillants. Les musulmans réussirent à s'extirper du champ de bataille, où il était de plus en plus difficile d'y voir clair, et à se rassembler pour faire face à l'ennemi le cas échéant. La bataille s'achevait et Khâlid ibn al-Walîd, en fin stratège, était parvenu à renverser la tendance : au terme des hostilités, les Quraysh ne comptaient que vingt-deux morts contre soixante-dix chez les musulmans qui, de plus, avaient été clairement battus (concrètement autant que symboliquement).

La désobéissance des archers avait eu des conséquences dramatiques. Attirés par la richesse et les gains, les archers s'étaient laissés aller aux vieilles pratiques qui étaient les leurs dans leur passé païen. Nourris par le message de la foi en l'Unique, de la justice et de l'éloignement des biens de ce monde, ils avaient soudain tout oublié à la vue de richesses qui étaient à portée de main. Les victoires guerrières se mesuraient, dans leur ancienne coutume arabe, à la quantité du butin acquis, et ce passé, cette partie d'eux-mêmes et de leur culture, avaient pris le dessus sur leur éducation spirituelle. Ils furent pris au piège de la stratégie d'un homme redoutable, Khâlid ibn al-Walîd, qui, quelques années plus tard, allait se convertir à l'islam et devenir le héros guerrier de la communauté musulmane. Ce moment très précis de la rencontre d'Uhud est riche d'un profond enseignement : jamais l'être humain ne dépasse complètement la culture et les expériences qui ont façonné son passé ; jamais un jugement définitif ne peut s'exprimer quant à l'avenir de ses choix et de ses orientations. Les musulmans furent rattrapés par un trait malheureux de leurs coutumes passées ; Khâlid ibn al-Walîd allait vivre une future conversion qui effaçait le moindre des jugements énoncés sur son passé. « Rien n'est jamais acquis » est une leçon d'humilité ; « il ne faut juger définitivement de rien » est une promesse d'espoir.

Les Quraysh emportèrent les corps de leurs morts et tous leurs biens. Abû Sufyân s'enquit auprès de 'Umar au sujet du sort de Muhammad, et celui-ci lui confirma qu'il était bien vivant. Quand les musulmans vinrent à leur tour sur le champ de bataille, ils constatèrent que des corps avaient été mutilés, et le Prophète fut terriblement atteint à la vue du corps de son oncle Hamza. Dans la colère, il exprima le souhait de se venger en mutilant trente de leurs corps lors de la prochaine confrontation, mais la Révélation vint lui rappeler l'ordre, la mesure et la patience : *« Si vous endurez, ce sera mieux pour celui qui sera patient*[1]. *»* Le Prophète exigera que l'on respecte les corps des vivants comme des morts, qu'aucune torture ni aucune mutilation ne soit jamais acceptée ou promue, au nom du respect de la Création, de la dignité et de l'intégrité de la personne humaine[2].

Une défaite, un principe

Les musulmans s'en étaient retournés à Médine, atteints, déçus et profondément dépités par la tournure

1. Coran, 16, 126.
2. Nous verrons plus loin qu'il se prononcera également en ce sens pour les animaux.

des événements : leurs morts étaient nombreux, leur défaite était due à une désobéissance motivée par l'appât du gain, le Prophète était blessé et les Quraysh allaient bien sûr recouvrer leur dignité et leur statut dans la péninsule. À son arrivée à Médine, le Prophète ne perdit pas de temps et appela l'ensemble des hommes qui avaient participé à la bataille d'Uhud – même les combattants blessés – à se préparer à une nouvelle expédition. Il refusa la proposition de 'Abd Allah ibn Ubayy de se joindre à eux après qu'il eut déserté des rangs juste avant la bataille. Le Prophète n'avait informé personne de ses véritables intentions. Il se rendit à Hamrâ', campa sur place, et demanda à chacun de préparer dix feux afin de les allumer pendant la nuit. Ces feux donnaient l'impression qu'une imposante armée s'était déplacée.

Muhammad avait mis en scène cette manœuvre pour faire croire aux Qurayshites qu'il préparait une immédiate revanche et qu'il serait périlleux d'attaquer Médine. Il envoya un émissaire (encore une fois un païen) auprès d'Abû Sufyân pour l'informer de cet extraordinaire déploiement de force des musulmans : Abû Sufyân fut impressionné et décida de ne pas attaquer Médine, contrairement à sa première intention qui était de tirer profit de l'affaiblissement des musulmans et de leur porter l'estocade finale au cœur même de Médine. Les choses en restèrent là : l'expédition repartit de Hamrâ' trois jours plus tard, et la vie reprit son cours.

Dans les jours qui suivirent, le Prophète reçut une Révélation qui revenait sur la bataille d'Uhud, et en particulier sur les désaccords à propos de la stratégie, la désobéissance, la défaite, puis l'attitude du Prophète. Ce dernier resta digne et conciliant vis-à-vis des compagnons qui avaient été emportés par leurs désirs de richesse et qui lui avaient désobéi. La Révélation rapporte cet événement et confirme ce que nous disions au début de ce chapitre sur le mariage constant entre le respect des principes et la force de la douceur dans la personnalité du Prophète :

> *C'est par un effet de la grâce de Dieu que tu fus conciliant* [doux] *à leur égard et si tu t'étais montré rude, dur de cœur, ils se seraient détournés* [détachés] *de toi. Pardonne-leur et implore le pardon de Dieu en leur faveur ! Consulte-les quand il s'agit de prendre une décision ! Une fois la décision prise, place ta confiance en Dieu car Dieu aime ceux qui mettent leur confiance en Lui*[1].

À l'origine de la succession d'événements qui allait mener à la défaite, il y avait d'abord eu cette décision prise contre l'opinion du Prophète puis, bien sûr, la désobéissance des archers. Le Coran vient confirmer le principe de la *shûrâ*, de la consultation, et ce quel que soit le résultat. Cette Révélation est d'une importance capitale et stipule que le principe de la délibération, de la prise de décision à la majorité, n'est pas négociable, et doit être respecté au-delà des contingences historiques et des erreurs humaines quant aux décisions. Les musulmans sont donc ceux qui « *délibèrent ensemble de leurs affaires*[2] », et ils se doivent d'appliquer ce principe quel que soit le modèle de consultation qu'ils établissent à travers l'Histoire. Le principe

1. Coran, 3, 159.
2. Coran, 42, 38.

doit demeurer même si les modèles ne manqueront pas de changer.

En ce qui concerne la désobéissance des archers, la Révélation nous informe que ce sont les qualités de cœur du Prophète qui lui ont permis de dépasser la situation et de maintenir ses compagnons dans sa proximité : il n'a point été brutal ni rude et ne les a pas condamnés pour s'être laissé emporter par leur réflexe et leur cupidité subsistant de leurs habitudes passées. Sa douceur avait calmé leurs blessures et permis de tirer une multitude d'enseignements de ce revers : Dieu accompagnait leur destin dans la mesure où eux-mêmes s'en sentaient responsables. De même qu'il n'y avait pas de place pour le fatalisme dans les enseignements révélés, il n'y avait pas non plus de place pour un optimisme éthéré qui rendrait leur route plus facile par le seul fait qu'ils s'engageaient pour Dieu. Au contraire, la foi exigeait un supplément de rigueur dans le respect des principes, un supplément de cœur dans les relations humaines et, enfin, un supplément de vigilance quant au risque de la suffisance. Uhud avait été cette leçon de la fragilité, et le Prophète blessé, au sortir de la bataille, rappelait à chacun que tout pouvait arriver : son sang exprimait et rappelait l'évidence de son humanité.

11

RUSES ET TRAHISONS

La situation était désormais difficile pour la communauté musulmane de Médine. La défaite avait eu de multiples conséquences, dont la moindre n'était point d'avoir entamé son prestige aux yeux des tribus avoisinantes, qui la considéraient désormais d'un autre œil et la supposaient vulnérable. On savait les musulmans affaiblis, et de nombreuses expéditions s'étaient organisées contre eux pour essayer de tirer parti de cet état de fait. De son côté, Muhammad, parfois prévenu des attaques qui se fomentaient contre Médine, envoyait ses hommes – par groupes de cent ou cent cinquante – vers différentes tribus pour les neutraliser ou prévenir une agression. La quatrième année après l'Hégire (626 de l'ère chrétienne) fut traversée par ces conflits locaux, de basse intensité, qui avaient néanmoins pour rôle de modifier (et parfois de maintenir) les alliances ou l'équilibre des forces dans la région. Il s'agissait d'une véritable partie d'échecs entre les Qurayshites et les musulmans de Médine, et les deux parties savaient qu'une confrontation majeure se préparait : les gens de La Mecque ne faisaient guère secret de leur désir d'éradiquer la communauté musulmane de la péninsule, et c'est avec cet objectif qu'ils multipliaient les pactes avec les tribus avoisinantes. Leur situation était d'autant plus difficile que les voies commerciales du nord les plus directes, qui les menaient en Syrie ou en Iraq par le littoral, étaient toujours sous la surveillance et le contrôle de Médine. Dans l'esprit des Qurayshites, il fallait donc agir de façon rapide et radicale pour, à la fois, tirer profit de la fragilité des musulmans après la défaite et libérer les routes que devaient emprunter leurs caravanes se rendant au nord.

Banû Nadîr

Nombreux furent les musulmans qui furent faits prisonniers, suppliciés ou tués pendant ces années. Tombés dans des embuscades ou simplement vaincus par le nombre de leurs ennemis, ils étaient souvent torturés et mis à mort de façon atroce, et la tradition rapporte leur courage, leur patience et leur dignité devant la mort. Le plus souvent, ils demandaient, à l'exemple de Khubayb ou de Zayd, à pouvoir faire deux cycles de prière avant leur exécution, et ils les prolongeaient par des invocations adressées à Dieu, l'Unique, pour Lequel ils avaient donné leurs biens et leur vie.

Un jour, un dénommé Abû Barâ', de la tribu des Banû 'Amir, vint à la rencontre du Prophète et lui demanda d'envoyer avec lui une quarantaine de musulmans pour enseigner l'islam à l'ensemble de sa tribu. Muhammad, au fait des alliances locales, exprima sa crainte que ceux-ci ne fussent la cible des autres tribus qui étaient hostiles à l'islam ou avaient établi divers pactes avec les Quraysh. Il reçut l'assurance que ses hommes seraient protégés par les Banû 'Amir, qui jouissaient d'un prestige sans faille et pouvaient de leur côté s'appuyer sur de nombreuses alliances. C'était néanmoins compter sans les rivalités internes du clan des Banû 'Amir. Le propre neveu d'Abû Barâ' fit mettre à mort l'éclaireur du convoi des musulmans (qui portait une lettre de la part du Prophète). Puis, lorsqu'il vit que son clan tenait à rester fidèle au pacte de protection offert par son oncle, il mandata deux autres clans qui tuèrent l'ensemble des musulmans, vers Bi'r al-Ma'ûna, à l'exception de deux hommes qui purent en échapper parce qu'ils étaient allés s'approvisionner en eau[1]. L'un d'eux préféra mourir en combattant l'ennemi et l'autre, 'Amr ibn Umayya, se rendit à Médine pour informer le Prophète du massacre de ses hommes. Sur sa route, il rencontra deux membres des Banû 'Amir qu'il croyait responsables du guet-apens et les tua en guise de vengeance.

Le Prophète fut choqué, inquiet et très attristé par ce qui était arrivé à ses hommes. C'était le signe que la situation devenait de plus en plus dangereuse, et que les alliances comme les trahisons prenaient des contours compliqués et subtils. Les Banû 'Amir avaient été fidèles aux engagements d'Abû Barâ' et n'étaient donc pas responsables de la mort de ses hommes. Le Prophète, scrupuleux quant au respect des termes de ses pactes, décida immédiatement qu'il fallait payer le prix du sang des deux hommes que 'Amr avait tués en se trompant d'ennemi. Il décida de se rendre chez les juifs de Banû Nadîr afin de leur

1. Ibn Hishâm, *op. cit.*, vol. 4, p. 138.

demander leur participation dans le paiement de cette dette de sang, puisque tels étaient les termes de leur pacte d'assistance mutuelle. Muhammad savait que, depuis l'exil imposé aux Banû Qaynuqa', les Banû Nadîr étaient suspicieux, voire hostiles, à son égard, et qu'ils avaient établi des liens avec des tribus opposées aux musulmans. Il demeurait donc très vigilant.

Il leur rendit visite avec ses compagnons les plus proches, dont Abû Bakr, 'Umar et 'Alî. Leur comportement était étrange et leurs chefs, parmi lesquels se trouvait Huyay, ne proposèrent rien de concret en matière de soutien au paiement de la dette du sang. Ils disparurent soudain sous le prétexte de préparer une réception et de récolter la somme voulue. Le Prophète eut l'intuition que les chefs des Banû Nadîr tramaient quelque chose, se leva et s'en alla discrètement. Ne le voyant pas réapparaître, ses compagnons s'en allèrent à leur tour et le rejoignirent chez lui. Il leur fit part de ses doutes et leur confia que Gabriel l'avait informé que les Banû Nadîr désiraient l'éliminer, ce que d'ailleurs confirmaient leurs étranges comportements pendant que la délégation était présente. Une trahison des Banû Nadîr, vivant à l'intérieur même de Médine, rendait impossible l'établissement d'une stratégie de résistance de la part des musulmans. Il fallait donc agir vite. Le Prophète dépêcha Muhammad ibn Maslama chez les Banû Nadîr pour leur stipuler qu'ils avaient trahi le pacte d'assistance mutuelle, et qu'ils avaient dix jours pour quitter les lieux avec leurs femmes, leurs enfants et leurs biens, faute de quoi ils seraient passés par les armes. Les habitants de Banû Nadîr prirent peur et commencèrent les préparatifs jusqu'à ce que 'Abd Allah ibn Ubayy, l'hypocrite, vienne leur rendre visite, leur conseille de ne point quitter la ville, et les assure de son indéfectible soutien de l'intérieur. Les chefs de Banû Nadîr l'écoutèrent et firent savoir à Muhammad qu'ils refusaient de partir : dans les faits, il s'agissait d'une déclaration de guerre.

Le Prophète décida sur-le-champ de faire le siège de la forteresse où les Banû Nadîr s'étaient réfugiés. Ils furent d'abord surpris de la rapidité de l'expédition, mais ils espéraient qu'Ibn Ubayy ou leurs propres alliés, notamment la tribu juive des Banû Qurayza, allaient venir à leur secours. Il n'en fut rien et, au bout de dix jours, la situation était devenue tout à fait intenable pour eux. C'est à ce moment que le Prophète décida de couper les plus grands palmiers, ceux qui étaient visibles de l'intérieur, par-delà la forteresse, afin d'ébranler encore davantage la confiance des Banû Nadîr. Ce fut la seule et unique fois que Muhammad allait s'en prendre aux arbres ou à la Nature, en situation de guerre comme de paix. Le fait était tellement exceptionnel que la Révélation mentionna expressément cette dérogation : « *Les quelques palmiers que vous avez coupés et ceux que vous avez épargnés le furent avec la permission de Dieu*[1]. » Jamais plus, en effet, le Prophète ne manquera de respect à la Création, et il répétera maintes fois, comme nous le verrons, que ce respect doit être sans faille, même en temps de guerre. La révélation du verset susmentionné est, en soi, la confirmation de la règle que vient établir cette unique exception.

La stratégie allait s'avérer particulièrement efficace. Les Banû Nadîr, assiégés et sans ressources, imaginèrent

1. Coran, 59, 5.

que les musulmans s'en prenaient aux biens les plus précieux de leur cité, et qu'il ne leur resterait plus aucune richesse s'ils persévéraient dans leur résistance. Ils se rendirent donc, en essayant de négocier les termes de leur exil. Le Prophète leur avait proposé, avant le siège, de partir avec l'ensemble de leurs richesses, mais les Banû Nadîr avaient refusé, et ils étaient désormais en position de faiblesse. Selon la menace du Prophète, ils auraient dû être exécutés. Il n'était en tous les cas plus question de leur laisser leurs biens et, passant outre à sa menace d'exécution, Muhammad exigea qu'ils quittent les lieux en n'emportant que leurs femmes et leurs enfants. Le chef des Banû Nadîr, Huyay, tenta néanmoins de négocier, et le Prophète lui concéda qu'ils pouvaient désormais partir avec tout ce que leurs chameaux pouvaient porter de matériels et de biens[1]. Non seulement il ne mit pas sa menace à exécution et leur laissa donc la vie sauve, mais il leur permit de s'en aller avec une quantité impressionnante de richesses. Muhammad n'avait jamais cessé d'être généreux et clément après les batailles, malgré les trahisons et le manque de reconnaissance de ses ennemis : il avait retrouvé certains captifs qu'il avait graciés après Badr parmi ses ennemis les plus farouches à Uhud. Cette fois encore, il allait retrouver certains chefs et autres membres de Banû Nadîr, partis se réfugier à Khaybar, parmi les Coalisés (*al-Ahzâb*) qui allaient se liguer contre lui quelques mois plus tard.

Certes, la situation des musulmans se stabilisait, mais les dangers demeuraient importants et multiples.

---

1. Ibn Hishâm, *op. cit.*, vol. 4, p. 145.

À la suite d'Uhud, Abû Sufyân avait donné rendez-vous à 'Umar et au Prophète l'année suivante à Badr. Le Prophète avait relevé le défi. Il ne voulait pas manquer à sa parole et se rendit donc à Badr avec une armée de mille cinq cents hommes. Abû Sufyân, de son côté, se mit en marche avec deux mille combattants, mais s'arrêta en route et rebroussa chemin. Les musulmans restèrent huit jours sur place en attendant les Quraysh qui n'apparurent point. Ils avaient tenu parole, et cette manifestation de fidélité à la promesse donnée, et de confiance face au défi, les rassurait en même temps qu'elle renforçait leur prestige.

Excellence et singularité

Le Prophète tenait en grande estime l'un de ses compagnons du nom d'Abû Lubâba, au point qu'il lui avait confié la charge de Médine lors de son absence pendant la première expédition de Badr. Quelque temps plus tard, Muhammad reçut la visite d'un jeune orphelin qui venait se plaindre du fait qu'Abû Lubâba s'était emparé d'un palmier qui était son bien depuis longtemps. Le Prophète convoqua Abû Lubâba et lui demanda ce qu'il en était. Après investigation, il s'avéra que le palmier appartenait bien à Abû Lubâba, et le Prophète jugea en faveur de ce dernier, au grand dam du jeune orphelin qui se trouvait ainsi dépossédé de son bien le plus précieux. Muhammad demanda en aparté à Abû Lubâba, maintenant que justice lui avait été rendue, de faire cadeau de cet arbre au jeune orphelin pour lequel ce palmier représentait tant. Il refusa fermement : il avait tant cherché à ce que son droit soit respecté que la présente reconnaissance était devenue une obsession dans son esprit étouffant le moindre élan du cœur. La Révélation rappellera, sur un plan individuel autant que collectif, la nature de cette singulière élévation spirituelle qui permet de passer de la conscience de la justice, qui exige le droit, à l'excellence du cœur, qui offre le pardon ou donne au-delà du droit : *« Dieu certes commande la justice et l'excellence*[1]. »

Il ne s'agissait point de faire l'impasse sur son droit (et Abû Lubâba avait eu raison d'en exiger la reconnaissance), mais d'apprendre parfois à aller au-delà au nom des raisons du cœur qui apprennent à l'intelligence à pardonner, à passer outre et à donner de soi, de ses biens, en étant mû par la fraternité humaine ou l'amour. Le Prophète fut triste de la réaction de son compagnon, pour qui il avait une profonde estime. Il s'apercevait que son attachement presque aveugle à l'une des recommandations de l'islam – la justice – l'empêchait d'accéder au niveau supérieur de la justesse du cœur – l'excellence, la générosité, le don. Ce fut finalement un autre compagnon, Thâbit ibn Dahdâna, qui, témoin de la scène, offrit à Abû Lubâba un verger entier en échange de cet unique palmier dont il fit ensuite cadeau au jeune orphelin. Muhammad fut heureux de ce dénouement et ne garda aucune rancune à l'égard d'Abû Lubâba, à qui il confia plus tard d'autres missions dont celle, par exemple, de transmettre aux gens de Banû Qurayza les termes de leur reddition. Abû Lubâba exécuta cette dernière mission, mais ne put s'empêcher d'en dire plus qu'il ne fallait : il ne fut pas fier de son attitude et finit par s'attacher à un arbre pendant six jours, en espérant que Dieu et

1. Coran, 16, 90.

Son Prophète lui pardonneraient sa défaillance et son manque de fermeté. Ce pardon viendra, et le Prophète dénouera lui-même les liens d'Abû Lubâba, dont l'expérience personnelle montre combien l'édification spirituelle n'était jamais définitivement accomplie, que les consciences étaient constamment mises à l'épreuve, et que le Prophète accompagnait cet enseignement de sa rigueur autant que de sa bienveillance.

Muhammad s'était depuis peu marié à la veuve Zaynab, du clan des Banû 'Amir, qui était appréciée pour sa générosité et son amour des pauvres. C'est d'ailleurs à travers ce mariage qu'il avait établi des liens avec cette tribu qui allait lui rester fidèle, malgré des pressions venant autant de l'intérieur que de l'extérieur du clan. Zaynab, *« um al-masâkîn »* (la mère des pauvres), était très dévouée et vint s'installer dans une demeure spécialement aménagée pour la recevoir à côté de la mosquée. Elle mourut huit mois seulement après ce mariage et fut enterrée à côté de Ruqayya, la fille du Prophète. Quelques mois plus tard, c'est Um Salama, veuve d'Abû Salama, avec qui elle s'était rendue en exil en Abyssinie, qui épousera le Prophète et viendra habiter dans la demeure laissée vide par Zaynab. Pieuse, entreprenante et particulièrement belle, elle aura une présence et un rôle remarqués auprès du Prophète, et 'Aïsha avouera avoir ressenti de la jalousie à l'égard d'Um Salama autant, semble-t-il, pour sa beauté que parce que le Prophète l'écoutait et se laissait grandement influencer par ses opinions.

Le Messager continuait, au gré des circonstances et malgré les difficultés, à diffuser et à illustrer par son attitude les enseignements de l'islam. Un compagnon avait pris un jour un oisillon dans un nid, et il fut soudain attaqué par la mère ou le père qui désirait défendre son petit. Le Prophète lui demanda d'aller remettre l'oisillon à sa place et dit aux témoins de la scène : « *La bonté* [la miséricorde] *de Dieu à votre égard est supérieure à celle de cet oiseau pour sa progéniture*[1]. » Il leur apprenait à observer les éléments, à s'émerveiller et à tirer des enseignements de la Nature alentour autant que des moindres circonstances de la vie. La Révélation avait multiplié cette invitation :

> *Tout ce qui est dans les Cieux et sur la Terre célèbre les louanges* [la gloire] *de ton Seigneur. Il est le Digne de pouvoir, le Sage*[2].

Ou encore :

> *Les sept Cieux, la Terre et tout ce qu'ils contiennent célèbrent le Nom du Seigneur, et il n'est rien dans la Création qui ne proclame Ses louanges* [Sa gloire]. *Mais vous n'avez point une connaissance profonde de leur façon de L'adorer. En vérité Dieu est plein de compassion et de mansuétude*[3].

Et l'oiseau, dans les airs, appelle à cette observation méditative :

> *N'ont-ils jamais observé les oiseaux planer au-dessus de leurs têtes, déployant et reployant leurs ailes,*

---

1. *Hadîth* rapporté par Muslim.
2. Coran, 57, 1.
3. Coran, 17, 44.

sans rien qui les soutienne si ce n'est l'Infiniment Bon [le Miséricordieux] *qui veille sur toute chose*[1].

La Révélation confirmera plus tard l'importance de cette spiritualité agissante par le regard, la contemplation, le souvenir de Dieu, lié au rappel permanent de l'infinie bonté du Divin à l'égard des cœurs humains. « *Le soleil et la lune se meuvent selon des mesures déterminées* », rappelle le Coran en parlant à l'œil physique et à l'intelligence. « *Les étoiles et les arbres se prosternent*[2] », ajoute-t-il en s'adressant à l'œil du cœur et de la foi. Ce sont ces enseignements qui façonnaient et forgeaient la force spirituelle du Prophète. Il savait d'où venait sa vulnérabilité autant que son pouvoir quand tant d'ennemis essayaient de le tromper, de le séduire ou de le détruire. Dieu lui avait déjà rappelé Sa bonté et Sa protection à proximité de ses fragilités : « *Si Nous ne t'avions pas affermi dans la foi, tu te serais certainement laissé aller* [tu aurais été tenté de] *les suivre insensiblement* [les négateurs, tes ennemis][3]. » Les signes dans la Création, sa capacité à s'émerveiller au gré des événements ou à la vue d'apparents détails de la vie, à reconnaître l'aumône du cœur dans la parole généreuse d'un individu (« *Une parole bienveillante est une aumône*[4] ») ou à travers le sourire d'un semblable (« *Le sourire offert à ton frère* [ta sœur] *est une aumône*[5] ») lui donnaient cette force de résister et de persévérer.

1. Coran, 67, 19.
2. Coran, 55, 5 et 6.
3. Coran, 17, 74.
4. *Hadîth* rapporté par al-Bukhârî.
5. *Hadîth* rapporté par at-Tirmidhî.

Être avec l'Unique en permanence, et se souvenir de Sa Présence au détour d'un regard ou d'un geste comme de la présence de l'Ami, du Protecteur, et non comme celle d'un juge ou d'un gendarme, tel est le sens de l'excellence (*al-ihsân*), du pouvoir du cœur et de la foi : « *L'excellence* (al-ihsân) *c'est que tu adores Dieu comme si tu Le voyais, car si tu ne Le vois pas, Lui certes te voit*[1]. »

Ses compagnons reconnaissaient ces qualités en lui, ils l'aimaient et tiraient leur énergie spirituelle de sa présence parmi eux. Il leur enseignait à approfondir sans cesse cet amour : « *Aucun d'entre vous n'a une foi complète* [accomplie, parachevée] *tant que je ne lui suis pas plus cher que son fils et que son père, et que tous les hommes réunis*[2]. » Il leur fallait poursuivre leur quête spirituelle et amoureuse, aimer le Prophète et s'aimer en Dieu, alors que le Prophète lui-même se voyait rappeler que cette communion dépassait son pouvoir humain : « *Si tu avais dépensé tout ce qui est sur la terre, tu n'aurais point pu unir leurs cœurs ; mais c'est Dieu qui a uni leurs cœurs*[3]. » Il était l'exemple, le modèle, qui vivait parmi eux et offrait son affection aux uns et aux autres, aux pauvres comme aux vieux, en respectant avec élégance et galanterie les femmes et en demeurant attentionné à l'égard des enfants. Grand-père, il portait ses petits-enfants pendant qu'il priait à la mosquée et transmettait ainsi, par l'exemple vivant et quotidien, qu'il n'est point de souvenir et de proximité de Dieu sans générosité ni attention humaines.

---

1. *Hadîth* rapporté par al-Bukhârî et Muslim.
2. *Hadîth* rapporté par Muslim.
3. Coran, 8, 63.

La Révélation allait consacrer sa singularité dans de multiples domaines. L'Un exigeait de lui une pratique plus rigoureuse, notamment pour les prières de la nuit, et ses obligations à l'égard de l'ange Gabriel, et donc de Dieu, étaient à nulles autres pareilles. Le Coran avait, sur un autre plan, prescrit la limite de quatre femmes pour l'ensemble des croyants[1], mais avait déterminé la singularité du Prophète dans ce domaine. Il était de plus rappelé à ses femmes qu'elles n'étaient « *semblables* [comparables] *à aucune des femmes* [ordinaires][2] ». Désormais, elles devaient se couvrir le visage, parler aux hommes derrière un voile (*hijâb*), et elles étaient informées qu'elles ne pourraient plus se marier après la mort du Prophète. C'est à la lumière de ces prescriptions que Muhammad épousa Zaynab, la femme divorcée de Zayd qui, jusqu'alors, comme nous l'avons vu, se faisait appeler Zayd ibn Muhammad, et qui reprit son ancien nom, Zayd ibn Hâritha, puisqu'il n'était point le fils de sang du Messager. Le Coran rappela : « *Muhammad n'est le père d'aucun homme parmi vous, mais il est l'Envoyé de Dieu et le sceau des Prophètes*[3]. »

Les Coalisés

Une grande partie des Banû Nadîr allèrent s'installer à Khaybar après leur exil loin de Médine. Ils nourrissaient

1. La pratique de la polygamie était répandue et sans limite quant au nombre des épouses possible. Le Coran en avait prescrit la limite à quatre épouses, avec de strictes conditions à respecter lors du mariage d'une seconde, troisième ou quatrième femme.
2. Coran, 33, 32.
3. Coran, 33, 40.

un ressentiment profond à l'égard du Prophète et espéraient prendre leur revanche au plus vite. Ils savaient, comme c'était d'ailleurs le cas de toutes les tribus dans la péninsule, que les Quraysh préparaient une attaque d'envergure pour écraser la communauté musulmane et mettre une fin définitive à la mission de Muhammad. Le chef des Banû Nadîr, Huyay, accompagné de notables juifs de Khaybar, se rendit à La Mecque et scella avec les Qurayshites une alliance dont les termes ne souffraient aucun doute : il fallait attaquer Muhammad et sa communauté et les éliminer. Pour ce faire, ils contactèrent d'autres tribus pour les intégrer au pacte, et c'est ainsi que les Banû Asad, les Banû Ghatafân et les Banû Sulaym s'engagèrent à leurs côtés. Seuls les Banû 'Amir, parmi lesquels le Prophète avait pris une épouse, et qui avaient déjà fait montre d'une fidélité inébranlable (à l'exception de quelques individus qui trahirent leur parole), refusèrent de faire partie de la nouvelle coalition parce qu'ils avaient conclu un pacte préalable avec Muhammad.

Les forces réunies étaient impressionnantes et lorsque les armées se mirent en marche à l'assaut de Médine, il leur semblait évident que les musulmans ne pourraient point leur résister. En effet, le contingent des Quraysh et de leurs alliés venus du sud était de plus de quatre mille hommes, tandis qu'une seconde armée, venant du Najd, à l'est, et composée de tribus éparses, réunissait près de six mille combattants. La ville de Médine allait être attaquée sur deux fronts, puis encerclée par dix mille guerriers : il était bien difficile d'imaginer que ses habitants en réchappent. L'oncle du Prophète, 'Abbas, envoya secrètement une délégation à Médine au moment où les armées se mirent en route, afin d'avertir le Prophète de l'attaque et de son envergure. Au moment où la délégation arriva à Médine, il ne restait aux Médinois (selon leur calcul quant à l'avancement des troupes) qu'une petite semaine pour déterminer une stratégie de résistance. Ils ne pouvaient espérer réunir plus de trois mille combattants, soit trois fois moins que leurs ennemis.

Fidèle à son habitude, le Prophète réunit ses compagnons et les consulta sur la situation et le plan d'action à adopter. D'aucuns étaient d'avis qu'il fallait aller à la rencontre de l'ennemi, comme cela avait été le cas à Badr, car une résistance à l'intérieur de Médine était impensable. D'autres pensaient au contraire que seule l'attente à l'intérieur de la ville leur donnerait quelque chance de succès, et qu'il fallait tirer les enseignements de la déroute de Uhud. Parmi les compagnons présents se trouvait Salmân, d'origine persane, dont l'histoire était singulière à plus d'un point de vue. Il avait été en quête de la vérité et de Dieu depuis bien longtemps, et il s'était rapproché de La Mecque en espérant vivre dans la proximité du nouveau Prophète. Les circonstances ne lui avaient guère été favorables, et il avait fini par être réduit à l'esclavage dans la tribu des Banû Qurayza. Le Prophète et ses compagnons réunirent la somme nécessaire à son affranchissement et, depuis peu, il était libre et participait à leurs réunions tout en se distinguant par sa ferveur et son engagement. Salmân se leva et prit la parole en proposant une stratégie inconnue des Arabes : *« Ô Envoyé de Dieu, lorsqu'en Perse nous craignions une attaque d'une cavalerie, nous creusions une tranchée autour de la ville. Creusons donc une tranchée autour de nous*[1] *!* » L'idée était surprenante, mais elle séduisit l'ensemble des compagnons et fut immédiatement retenue. Il fallait faire vite : il restait une semaine pour creuser, autour de la ville, une tranchée suffisamment large et profonde pour que les chevaux ne puissent la franchir.

C'était la troisième grande confrontation avec les Quraysh et c'était, dans les faits, la troisième stratégie adoptée. Badr, avec la disposition autour des puits, et Uhud, avec l'utilisation stratégique de la colline, ne ressemblaient en rien à cette technique de l'attente et de la mise à distance de l'ennemi, qui paraissait être le seul moyen de le contenir et, le cas échéant, de retourner la capacité de résistance, si le siège venait à durer, en faveur de ceux qui étaient protégés à l'intérieur de la cité. Cette inventivité en matière de stratégie militaire en dit long sur la façon dont le Prophète enseignait à ses compagnons tant la profondeur de la foi que l'exploitation de la créativité intellectuelle en toute circonstance : ils n'avaient point hésité à emprunter une technique de guerre étrangère, proposée par Salmân le Persan (*al-Fârisî*), et à l'adapter à leur situation à Médine. Le génie des peuples, la sagesse des nations et la saine créativité humaine étaient intégrés à leur univers de pensée sans hésitation ni frilosité, et le Prophète affirmera avec force : « *La sagesse* [humaine] *est le bien égaré du croyant, il en est le premier propriétaire quel que soit le lieu où il la trouve*[2]. » C'était là une invitation à étudier ce que les hommes pensent et produisent de mieux, et à le faire sien comme participant du patrimoine positif (du *ma'rûf*, du bien commun

1. Ibn Hishâm, *op. cit.*, vol. 4, p. 170.
2. *Hadîth* rapporté par at-Tirmidhî et Ibn Mâjah.

reconnu) de l'humanité. Plus largement, cela signifiait qu'il fallait savoir être curieux, inventif et créatif dans la gestion des affaires humaines, et c'est ce que montraient non seulement sa façon d'appréhender la guerre et ses stratégies, mais aussi, comme nous l'avons vu, sa manière de considérer l'univers des idées et de la culture.

La tranchée (al-Khandaq)

Les travaux commencèrent immédiatement, et l'ensemble de la ville y participa. On détermina le terrain où la tranchée devait être creusée, et d'autres où les roches et la configuration du territoire empêcheraient de fait l'ennemi de pouvoir passer. Les journées de travail étaient longues et les compagnons se mettaient à creuser après la prière du matin jusqu'à la tombée du jour.

Muhammad participait aux travaux, et ses compagnons l'entendaient tantôt invoquer Dieu, tantôt réciter des poèmes, tantôt entonner certains chants qu'ils reprenaient en chœur. Ces moments de communion dans le travail façonnaient la fraternité, le sens de l'appartenance, en même temps qu'ils permettaient d'exprimer collectivement des sentiments, des aspirations et des espérances. Le Prophète, par les invocations, la poésie et le chant, permettait aux femmes et aux hommes de sa communauté – au-delà de leur communion dans la foi et les prières rituelles – de communier dans le verbe des émotions et la musicalité des cœurs qui traduisent l'appartenance à une commune expression de soi, à un imaginaire collectif, à une culture. Ils n'étaient pas seulement unis par ce qu'ils recevaient de l'Unique – et en quoi ils avaient foi –, mais également par leur façon de se dire, de s'exprimer, de traduire leurs sentiments et de se projeter dans l'univers. La communion de la foi, de l'intimité du sens, ne peut rester éthérée, et elle n'entretient son énergie unificatrice que si elle se marie avec la communion du dire et de l'agir dans un espace commun de références sociales et culturelles. La foi a besoin de culture. Muhammad, au moment où il lui faut unir les forces de ses compagnons, mobilise donc tous les registres de leur être au monde pour parachever l'unité de sa communauté : la foi profonde en l'Un, le verbe poétique des sentiments, comme la musicalité du chant des émotions. De l'intérieur de sa communauté, vivant le quotidien de ses compagnons, il témoigne que, s'il est au service de l'Unique – au-delà du temps et de l'espace –, il vit bien leur histoire et partage leur culture : il est l'un des leurs.

Les travaux se poursuivaient, et la tranchée qui se dessinait était une belle réussite : il serait impossible aux cavaliers ennemis de la franchir en aucun point, et les archers musulmans n'auraient aucune peine à les empêcher de s'engager dans toute tentative trop audacieuse. Avant de s'installer dans la cité, les Médinois firent la récolte de toutes les cultures de l'oasis afin qu'à leur arrivée, les armées ennemies ne puissent compter que sur leurs réserves en nourriture. L'ennemi était maintenant à proximité, et il était urgent de retourner s'installer à l'intérieur de la cité en deçà de la tranchée en attendant sa venue.

Le siège

Du sud et de l'est de Médine, les armées arrivèrent et s'installèrent autour de la ville. Les Coalisés furent surpris par la tranchée qui mettait à mal leur plan consistant à encercler la ville et à l'envahir en une attaque concertée de tous côtés. La tranchée était une technique de guerre inconnue des Arabes, et ils se devaient donc d'élaborer une autre stratégie pour défaire les musulmans.

Les consultations commencèrent entre les différentes tribus afin de trouver le meilleur moyen d'écourter le siège et de prendre possession de la ville : sans autres vivres que leurs propres réserves, il ne pouvait être question de prolonger les hostilités. Il fut décidé qu'une majorité des armées allaient se masser vers le nord afin de mobiliser les forces médinoises de ce côté, alors que le reste tenterait de franchir la tranchée à partir du sud désormais dégarni, et où il semblait que l'accès était plus facile à proximité des roches. C'était surtout dans cette région que se trouvait la tribu juive des Banû Qurayza, qui avait signé un pacte d'assistance avec Muhammad, mais qui pouvait peut-être représenter le point faible de l'unité des Médinois. Huyay, le chef du clan des Banû Nadîr, insista pour se rendre dans la forteresse des Banû Qurayza afin de parler à son chef, Ka'b ibn Asad, pour tenter de le décider à rompre son alliance avec Muhammad. Ka'b ibn Asad refusa d'abord de recevoir Huyay, mais celui-ci insista tellement qu'il se laissa convaincre d'abord de l'écouter puis de trahir le pacte. Cette défection inversait la situation, et c'était l'ensemble de la stratégie des Médinois qui maintenant s'effondrait, puisque l'alliance des Banû Qurayza avec l'ennemi ouvrait une brèche de l'intérieur et offrait à ce dernier un accès signifiant une défaite assurée et l'extermination non moins certaine des musulmans.

Les membres de la tribu des Banû Qurayza furent loin d'être tous satisfaits de la décision de leur chef, et les tensions s'exprimaient de façon visible. Mais l'avis de la très grande majorité fut donc de s'allier aux Quraysh et à leurs alliés. Pendant ce temps, le Prophète observait les mouvements de l'armée ennemie vers le nord : il eut l'intuition d'une ruse et décida de s'informer de la solidité de ses alliances dans le sud, car il savait que les Banû Qurayza étaient loin de lui être tous favorables. Entre-temps, des rumeurs lui parvinrent indiquant que les chefs des Banû Qurayza avaient unilatéralement rompu le pacte. La situation était alarmante, et si ces informations s'avéraient justes, non seulement le moral de ses troupes allait s'effondrer mais il y avait peu de chances qu'elles remportent la bataille. Il envoya deux éclaireurs à qui il demanda de glaner des informations et d'agir avec intelligence : si la rumeur était infondée, il fallait qu'ils le proclament haut et fort pour que cela rassure et revigore les troupes ; dans le cas contraire, il fallait qu'ils le lui fassent comprendre discrètement et de façon figurée. Ils s'exécutèrent : l'information était vraie, et Muhammad devait donc réagir immédiatement. Il envoya Zayd sur le flanc sud à la tête de trois cents hommes afin d'empêcher une tentative de pénétration planifiée avec le soutien des Banû Qurayza.

Le siège devenait de plus en plus éprouvant, et les musulmans devaient se relayer en permanence, car la défection de la tribu des Banû Qurayza rendait fragile leur unité interne : tout devenait possible. Les combattants, constamment sur le qui-vive, se relayaient nuit et jour. Lors d'une journée de combat, les attaques étaient tellement répétées et venaient de tant de fronts divers que les musulmans, constamment sollicités, ne purent accomplir la prière du début puis du milieu de l'après-midi (*ad-dohr* et *al-'asr*) à leurs heures respectives ni, ensuite, la prière du coucher du soleil (*al-maghrib*). Le Prophète en était troublé, et ses compagnons subissaient un siège qui commençait à les ébranler. La Révélation relate leurs sentiments :

> *Quand ils vous vinrent d'en haut et d'en bas* [de toutes parts], *et que vos regards étaient troublés, et que vos cœurs remontaient à la gorge, vous faisiez toutes sortes de suppositions sur Dieu. Les croyants furent alors éprouvés et secoués d'une profonde secousse*[1].

Cette épreuve était difficile et, en même temps, révélatrice de la sincérité et de la fidélité des tribus comme des individus. Non seulement la guerre avait fait apparaître la duplicité du clan des Banû Qurayza, mais elle avait, une fois encore, exposé les hypocrites qui étaient prompts à vouloir reconsidérer leur engagement, voire même à se rendre. Le Coran mentionne : « *Et quand les hypocrites et ceux dont le cœur est atteint par la maladie* [*du doute*] *disaient : "Dieu et Son Envoyé ne nous ont promis que tromperie"* »[2]. » Certains demandaient à retourner auprès de leur famille : « *Nos demeures sont sans protection*[3] », disaient-ils. D'autres voulaient simplement fuir le combat et se protéger, tant leur semblait évidente l'imminence d'une brèche dans la défense des musulmans. Il leur

1. Coran, 33, 10-11.
2. Coran, 33, 12.
3. Coran, 33, 13.

paraissait impossible de résister ainsi pendant plusieurs jours.

La majorité des musulmans étaient cependant fidèles au Prophète, à son exemple, et partageaient sa détermination. C'est en relation à cette situation extrême, qui révèle la sincérité et la profondeur de la foi et de l'engagement pour l'Unique, que le verset sur l'exemplarité du Prophète fut révélé :

> *Il y a certes pour vous, dans le Messager de Dieu, le meilleur des modèles pour qui désire* [aspire à s'approcher de] *Dieu et l'Au-delà et se souvient de Dieu intensément*[1].

Le sens de ce verset dépasse de loin, et pour l'éternité, les circonstances de cette bataille. Il dit et exprime le rôle et le statut du Prophète dans et pour la vie de chaque conscience musulmane. Mais il prend une dimension plus forte encore quand on se souvient des circonstances de sa révélation : une communauté assiégée, ébranlée, qui ne perçoit – à vue et à intelligence d'homme – aucune issue à la débâcle, dont les rangs se délitent par la désertion et la trahison, et qui pourtant s'unit autour du Messager, de sa foi et de sa confiance. La Révélation le confirme :

> *Quand les croyants virent les Coalisés, ils dirent : « Voilà ce que Dieu et Son Messager nous avaient promis. Dieu et Son Envoyé disaient la vérité. » Cela ne fit qu'accroître leur foi et leur don d'eux-mêmes*[2].

1. Coran, 33, 21.
2. Coran, 33, 22.

Au cœur de cette tourmente, le Prophète avait été très perturbé de ne pas avoir pu accomplir les différentes prières à leurs heures respectives. Cette conscience de la discipline dans la prière n'a jamais quitté le Messager : il était scrupuleux, strict et particulièrement discipliné dans l'accomplissement de sa pratique religieuse. « *La prière est une prescription fixée à des heures déterminées*[1]. » Négliger l'heure d'une prière avait atteint son cœur et avait nourri un profond ressentiment contre ceux qui l'avaient obligé à ce manquement. Tous ses compagnons avaient été témoins, dans toutes les circonstances de sa vie, de ce mélange apparemment surprenant d'une infinie générosité de cœur, d'une détermination tranchée dans l'adversité et d'une stricte gestion du temps. Ibn 'Abbâs[2] affirmera avoir vu le Prophète réunir – sans raison apparente – les deux prières de l'après-midi et les deux du soir : ces allégements étaient possibles, et les savants musulmans ont reconnu le caractère licite de ces aménagements – en voyage ou en situation exceptionnelle. Mais ce qui demeure comme enseignement, à la lumière de la vie du Prophète, est la nécessaire rigueur dans le respect de la prière qui est un rappel et l'expérience d'une relation privilégiée avec l'Unique. C'est ce que le Coran confirme en relatant l'appel de Dieu à Moïse : « *En vérité, Je suis Dieu, il n'y a de Dieu que Moi, adore-Moi et accomplis la prière afin de te souvenir de Moi*[3]. »

---

1. Coran, 4, 103.
2. *Hadîth* rapporté par Muslim.
3. Coran, 20, 14.

Ruse

Les musulmans étaient en grande difficulté, mais les jours passaient et les Coalisés étaient eux aussi en situation difficile car ils n'avaient plus beaucoup de vivres, et les conditions climatiques étaient particulièrement contraignantes, compte tenu du froid intense qu'ils devaient affronter pendant les nuits. Le Prophète tenta de négocier la sécession de deux clans des Ghatafân en leur offrant un tiers des dattes de Médine. Ils informèrent son émissaire qu'ils en voulaient la moitié, mais le Prophète maintint son offre qu'ils finirent par accepter. Au moment d'envoyer 'Uthmân conclure le marché, le Prophète consulta les chefs de clans des Aws et des Khazraj. Ceux-ci lui demandèrent les motifs de son geste : s'agissait-il d'une révélation ou d'un choix personnel ? Quand ils apprirent qu'il s'agissait d'une initiative personnelle destinée à les protéger, ils refusèrent les termes de ce traité et annoncèrent à l'Envoyé que, étant donné la situation, il n'y avait d'issue que le combat. Le pacte ne fut point signé, ce qui signifiait qu'aucune solution ne se dessinait à l'horizon.

C'est à ce moment que le Prophète reçut la visite de Nu'aym ibn Mas'ûd, venu lui annoncer qu'il s'était converti à l'islam, mais que personne ne le savait encore. Il se mettait à la disposition du Prophète. Nu'aym était très connu et particulièrement respecté par les chefs qui, à ce moment même, faisaient le siège de Médine. Muhammad le savait et lui dit : « *Fais ce qu'il faut pour semer la discorde parmi eux !* » Nu'aym lui demanda s'il lui était permis de mentir et le Prophète lui répondit : « *Dis ce que tu veux pour desserrer l'étau autour de nous ; la guerre est tromperie*[1] *!* » Nu'aym s'en alla et conçut un stratagème efficace. Il se rendit d'abord chez les Banû Qurayza et les mit en garde contre les intentions de leurs nouveaux alliés. En cas de situation difficile, leur dit-il, ceux-ci n'hésiteraient pas à les laisser, et ils seraient livrés à Muhammad sans aucune protection. Il leur conseilla d'exiger que des hommes leur fussent envoyés – en tant qu'otages – comme une assurance qu'ils ne les abandonneraient pas. Ils furent séduits par son idée et décidèrent d'envoyer un émissaire auprès des chefs des Quraysh afin de leur exposer cette requête. Nu'aym s'empressa de se rendre chez Abû Sufyân pour l'avertir que les Banû Qurayza le trompaient, et qu'ils étaient en fait les alliés de Muhammad. Il lui affirma qu'ils allaient lui demander des hommes comme garantie de fidélité, mais qu'ils voulaient en réalité les livrer à Muhammad en témoignage de leur bonne foi. Quand l'émissaire des Banû Qurayza parvint auprès d'Abû Sufyân et lui exposa la requête des otages, ce dernier fut convaincu que Nu'aym avait dit vrai et que les Banû Qurayza étaient en train de les tromper. Il convoqua sur-le-champ Huyay, le chef des Banû Nadîr, qui avait négocié l'alliance avec les Banû Qurayza, et le questionna sur cette trahison : Huyay, surpris et décontenancé, ne sut d'abord que répondre, et Abû Sufyân crut y percevoir un aveu de la traîtrise.

Les premiers craquellements apparaissaient dans le camp des Coalisés. Certains clans se faisaient une confiance profonde tandis que la méfiance régnait parmi les autres. Ces nouvelles entamèrent grandement

1. Ibn Hishâm, *op. cit.*, vol. 4, p. 188.

la détermination des combattants autour des Quraysh. La fatigue et le manque de vivres ajoutaient à l'atmosphère de découragement. Un vent fort et glacial s'abattit alors sur la plaine et les persuada qu'il était désormais impossible de vaincre la résistance des Médinois. Muhammad avait été informé de l'état du moral des troupes ennemies. Il envoya Hudhayfa en éclaireur, pendant la nuit, et celui-ci revint avec la bonne nouvelle de leur totale déroute : le chaos régnait dans les rangs, et le froid paralysait l'ennemi. Les hommes étaient en train de lever le camp, et de nombreux combattants étaient déjà partis. Le Prophète annonça la bonne nouvelle à ses compagnons après la prière du matin : le lever du soleil confirma que l'ennemi s'en était allé. Le siège avait duré environ vingt-cinq jours, durant la cinquième année de l'Hégire (627), et les Coalisés s'en retournaient défaits, sans avoir combattu, portant sur leurs épaules le poids d'une défaite aussi réelle que symbolique.

Banû Qurayza

Le Prophète libéra ses hommes et leur permit de se rendre dans leur foyer. L'ennemi s'en était allé et le siège était levé : épuisés, les Médinois étaient heureux d'un dénouement qu'ils n'espéraient plus alors qu'ils avaient eux-mêmes atteint la limite de leur résistance. Muhammad s'en retourna aussi chez lui et se reposa jusqu'à la première prière de l'après-midi. Lorsque celle-ci eut été accomplie, l'ange Gabriel vint à sa rencontre et l'informa que Dieu lui commandait de se rendre immédiatement auprès des Banû Qurayza qui l'avaient trahi et qui n'avaient pas été loin de provoquer la perte et l'extermination de la communauté musulmane.

Le Prophète apostropha sur-le-champ ses compagnons et l'ensemble de l'auditoire présent à la mosquée en leur demandant de se préparer. Il s'agissait de faire le siège de la forteresse des Banû Qurayza. Les musulmans devaient se déplacer par groupes, mais le Prophète exigea : « *Qu'aucun d'entre vous n'accomplisse la seconde prière de l'après-midi* (al-'asr) *avant d'avoir atteint le territoire de Qurayza*[1]. » Le temps était compté et les musulmans, qui avaient espéré se reposer enfin, n'eurent que le temps de réunir leurs affaires, d'enfiler leur tenue de combat et de se mettre en route. Entre les groupes qui se rendaient à Banû Qurayza, une dispute éclata : il était l'heure de prier *al-'asr* et un groupe, répétant littéralement l'ordre du Prophète, affirma qu'il était exclu d'accomplir la prière en route et qu'il fallait attendre d'être parvenu à Banû Qurayza[2]. L'autre groupe rétorqua que l'intention du Prophète, ce qu'il avait voulu dire, était qu'il fallait se dépêcher de s'y rendre, mais que, lorsque l'heure de la prière était venue, il fallait bien sûr l'accomplir à son heure. Un groupe donc s'abstint de prier en s'en tenant à la formulation littérale des propos du Prophète, et l'autre pria en se référant à l'intention, à l'esprit et à l'objectif de la recommandation. Ils allèrent plus tard s'enquérir de la bonne interprétation, et le Prophète accepta les deux compréhensions. Cette attitude allait avoir des conséquences majeures pour

1. *Ibid.*, p. 193.
2. Ils ne prièrent *al-'asr* qu'après le temps de la dernière prière du soir (*al-'ishâ'*).

l'avenir de la communauté musulmane car, après la mort du Prophète, deux grandes écoles de pensée verront le jour : *ahl al-hadîth*, qui, à la suite de 'Abd Allah ibn 'Umar et selon l'esprit du premier groupe susmentionné, s'en tiendront à la littéralité des propos contenus dans la tradition prophétique (*Sunna*), et *ahl ar-ra'y*, avec 'Abd Allah ibn Mas'ûd, qui chercheront à comprendre l'objectif du propos, sa finalité, son esprit et son sens parfois figuré. Les deux approches avaient été agréées par le Prophète, et il s'agissait donc de deux façons justes et légitimes de rester fidèle au message.

Environ trois mille hommes encerclaient désormais les forteresses des Banû Qurayza. Reclus, enfermés avec peu de vivres, ceux-ci résistèrent néanmoins vingt-cinq jours, tant ils craignaient le sort qu'ils supposaient devoir être le leur après la gravité de leur trahison. Le Prophète envoya Abû Lubâba, un homme des Aws (qui avaient antérieurement scellé un pacte avec les Banû Nadîr et étaient de fait restés proches des Banû Qurayza), pour discuter des termes de leur capitulation. Abû Lubâba, face au spectacle de la désolation qui régnait à l'intérieur des murs de la forteresse, ne put s'empêcher de faire comprendre aux Banû Qurayza qu'ils encourraient la mort s'ils se rendaient. Comme nous l'avons vu, il regrettera amèrement son geste, qui aurait pu pousser les Banû Qurayza à ne pas capituler ou à chercher une issue à travers d'autres alliances. Ceux-ci décidèrent cependant d'ouvrir les portes de leurs forteresses et de reconnaître leur défaite.

Les femmes et les enfants furent confiés à la garde de l'ancien rabbin 'Abd Allah ibn Sallâm, et les sept cents hommes furent ligotés et mis à l'écart dans un champ. Les biens, les richesses et les armes furent collectés et rassemblés afin d'être ramenés à Médine. Les Aws envoyèrent immédiatement une délégation auprès du Prophète afin de lui demander de faire preuve, vis-à-vis des Banû Qurayza, de la même clémence que celle qui avait été la sienne jusqu'alors. Muhammad leur demanda : *« Seriez-vous satisfaits si je demandais à l'un des vôtres* [du clan des Aws] *de prononcer la sentence à leur endroit*[1] *? »* Ils répondirent de façon très positive, persuadés qu'aucun des leurs ne pourrait oublier les alliances passées, et le Prophète demanda que l'on aille chercher Sa'd ibn Mu'âdh qui était encore blessé et était soigné dans la mosquée de Médine.

Le Prophète avait jusqu'alors gracié les prisonniers. Il avait plus tard rencontré certains des captifs de Badr parmi ses plus farouches ennemis à Uhud, et il en fut de même avec les Banû Nadîr – qu'il laissa partir avec femmes, enfants et richesses –, dont il retrouvait maintenant le chef, Huyay, à la tête du complot des Coalisés. Parmi les prisonniers de Banû Qurayza, il y avait également un grand nombre de ceux qui avaient été exilés de Banû Nadîr. Sa clémence n'avait donc eu aucun effet sur la plupart de ceux qui en avaient bénéficié, et elle envoyait un message peu compréhensible dans toute la péninsule : Muhammad, pensait-on, contrairement aux usages arabes et même à ceux des juifs[2], ne tue jamais ses prisonniers. Sa clémence, maintes fois trahie, était

1. Ibn Hishâm, *op. cit.*, vol. 4, p. 198.

2. La loi juive, appliquée dans les situations de conflit et de victoire, stipulait : *« Et lorsque le Seigneur ton Dieu l'aura livré entre tes mains, tu feras passer tous les mâles au fil de l'épée ; mais les femmes, les enfants, le bétail et tout ce qui se trouvera dans la ville, ainsi que tout son butin, tu prendras pour toi. »* (Deutéronome, 20, 12.)

perçue comme un signe de faiblesse, sinon de folie. Par ailleurs, la gravité de la trahison des Banû Qurayza était telle qu'elle aurait signifié, si leurs plans s'étaient réalisés, la mise à mort des musulmans, trompés de l'intérieur et écrasés par une armée de dix mille combattants.

Sa'd ibn Mu'âdh arriva enfin chez les Banû Qurayza, et il voulut d'abord s'assurer que son jugement serait effectivement respecté de chacun. Il se tourna vers les chefs des différents partis qui, à tour de rôle, affirmèrent qu'ils se conformeraient à sa décision. Il interpella enfin le Prophète – dont il pouvait craindre le désaccord –, qui confirma qu'il ne s'opposerait point à sa décision. Ibn Mu'âdh jugea que les hommes devaient être mis à mort et que les femmes et les enfants seraient considérés comme des captifs de guerre. Muhammad accepta cette sentence, qui fut exécutée dans les jours qui suivirent. Un certain nombre de captifs furent rachetés par les Banû Nadîr et Rayhânah, une captive des Banû Qurayza, originellement des Banû Nadîr, devint l'esclave du Prophète. Les récits varient sur ce qu'il advint d'elle : elle devint musulmane puis, selon certaines sources, le Prophète l'affranchit et l'épousa ; d'autres rapportent qu'il l'épousa simplement, et les dernières affirment qu'elle refusa le mariage et resta sa servante pendant cinq ans, jusqu'à sa mort.[1]

L'annonce de la double victoire des musulmans se répandit dans la péninsule et y transforma du tout au tout les perceptions et les rapports de force. Non seulement ils avaient résisté à une armée de plus de dix

1. Ibn Hishâm, *op. cit.*, vol. 4, p. 205.

mille hommes, mais ils avaient fait montre d'une détermination sans faille. Le destin des hommes des Banû Qurayza envoya un message fort à toutes les tribus avoisinantes : les trahisons et les agressions seraient désormais durement châtiées. Le message fut entendu, car une telle situation ne se reproduisit plus jamais du vivant du Prophète.

Zaynab et Abû al-'As

La fille du Prophète, Zaynab, avait été mariée à Abû al-'As, qui n'avait point accepté l'islam. Elle était d'abord restée avec lui à La Mecque jusqu'à ce que le Prophète lui demande de venir s'installer à Médine avec sa petite fille Umâma. Zaynab aimait profondément son mari, mais leur différent choix de vie les avait finalement séparés. Toutefois, ni l'un ni l'autre ne s'était remarié.

Quelques mois après la bataille de la tranchée (*al-Khandaq*), le Prophète envoya une expédition pour arrêter une riche caravane qurayshite qui passait par le nord. Zayd, qui était à la tête des cavaliers musulmans, s'empara du butin et fit prisonniers la majorité des hommes, tandis que d'autres réussirent à s'échapper. Parmi ces derniers se trouvait Abû al-'As, qui décida, alors qu'il était en fuite sur la route qui le menait du nord à La Mecque, de passer par Médine pour rendre secrètement visite à sa femme et à sa fille. C'était en soi une folie, mais le désir de revoir son épouse et son enfant était plus fort que la conscience des risques encourus. Il frappa à la porte de son épouse au cœur de la nuit, et Zaynab le fit entrer. Il demeura chez elle et lorsque l'aube s'approcha, elle se rendit comme à son habitude à la mosquée pour la prière (*al-fajr*). Elle pénétra dans la mosquée et se plaça au premier rang des femmes juste derrière la rangée des hommes. Au moment où le Prophète prononça la formule qui ouvre la prière, elle profita du court instant de silence pour lancer à très haute voix : *« Ô vous, les gens ! Je donne ma protection à Abû al-'As, fils de Rabî' ! »* À la fin de la prière, le Prophète fit confirmer par les fidèles qu'ils avaient comme lui entendu ce dont d'ailleurs il n'avait lui-même aucune connaissance auparavant. Il insista pour que la protection offerte – par Zaynab comme par n'importe quel musulman ordinaire – soit respectée. Il s'approcha ensuite de sa fille, qui lui exposa la situation d'Abû al-'As. Tous les biens de celui-ci avaient été pris lors de la récente expédition du nord, et il se trouvait endetté car il s'agissait de dépôts appartenant à des gens de La Mecque. Muhammad proposa à ceux qui étaient en possession de ces biens de les remettre à Abû al-'As s'ils le désiraient, ce que tous firent sans exception. Abû al-'As récupéra donc les biens, et certains compagnons lui proposèrent de se convertir à l'islam et, ainsi, de faire siennes ces richesses. Il refusa, affirmant qu'entrer en islam en commençant par trahir les dépôts aurait été malvenu. Il prit donc l'ensemble des biens, s'en retourna à La Mecque et restitua sa dette à chaque propriétaire. Il revint ensuite à Médine, se convertit à l'islam, et retrouva sa femme Zaynab et sa fille Umâma.

Ainsi, la générosité et la largesse des premiers musulmans apparaissaient au grand jour. À l'exemple du Prophète, ils n'avaient rien exigé d'Abû al-'As : il n'était point musulman, il était membre d'un clan ennemi, il refusa de se convertir et ils le laissèrent aller malgré tout en lui offrant la liberté de choisir et le temps nécessaire à son cheminement spirituel. Il reçut même – à un moment critique des relations entre les clans – la protection de la communauté musulmane, et c'est une femme, son épouse, la fille du Prophète, qui n'hésita pas à prendre publiquement et fortement la parole et à se faire entendre dans un espace que partageaient les femmes et les hommes. Personne ne trouva rien à redire à cette intervention publique, qui se renouvellera d'ailleurs en d'autres circonstances, comme celle, particulièrement célèbre dans l'histoire musulmane, où une femme apostrophera dans la mosquée 'Umar ibn al-Khattâb, devenu le Calife des musulmans, et lui signifiera une erreur de jugement qu'il reconnaîtra sur-le-champ.

L'espace de la mosquée était ouvert aux femmes, qui se plaçaient en ligne derrière les rangées des hommes. La gestuelle de la prière, lors des différentes stations, exige une disposition qui protège la pudeur, la décence et le respect. Les femmes étaient donc présentes à l'intérieur de ce même espace où elles priaient, étudiaient et s'exprimaient. Elles trouvaient, de surcroît, dans l'attitude du Prophète, l'exemple de l'élégance et de la galanterie : il exigeait des hommes qu'ils demeurent assis et permettent aux femmes de sortir les premières et de s'en retourner sans gêne. Il y avait toujours de la douceur et de la dignité dans son comportement vis-à-vis des femmes qu'il écoutait parce qu'il n'avait eu de cesse de protéger, de reconnaître et de promouvoir leur droit à exposer leurs opinions et à argumenter.

12

UN RÊVE, LA PAIX

La victoire face aux Coalisés puis l'expédition contre les Banû Qurayza avaient changé la situation dans la péninsule. Il était désormais évident que le Prophète et ses compagnons possédaient un pouvoir reconnu et effectif. D'aucuns, dans les Empires perse et byzantin, commencèrent même à parler de Muhammad comme du « puissant Roi des Arabes », tant il leur paraissait représenter une force régionale incontestable. Dès que lui parvenait la nouvelle d'un danger, Muhammad n'hésitait pas à envoyer des expéditions auprès des tribus alentour afin de prévenir toute velléité de rébellion ou d'attaque et de faire ainsi passer le clair message, à tous les clans avoisinants, que les musulmans de Médine restaient sur le pied de guerre et qu'ils demeuraient prêts à se défendre.

C'est lors de l'une de ces expéditions, contre les Banû al-Mustaliq, qu'eut lieu, en l'an 5 ou 6 de l'Hégire, l'épisode du collier de 'Aïsha que nous avons rapporté plus haut. Cet événement, comme de nombreux autres, nous rappelle que la vie et les enseignements se poursuivaient au gré des circonstances, et que la pratique religieuse se clarifiait en même temps que s'approfondissait la dimension sociale de l'éthique musulmane. Les difficultés internes demeuraient, notamment avec les agissements d'un certain nombre d'hypocrites qui essayaient de tirer parti de toutes les situations pour mettre Muhammad en difficulté.

Un rêve

Le mois du Ramadân avait commencé et le Prophète, comme à son habitude, multipliait les actes de dévotion pendant la nuit et manifestait un souci plus prononcé encore pour le bien-être des pauvres et des nécessiteux. Ce mois était une période de spiritualité intense où Muhammad répétait, chaque année, à l'ange Gabriel tout ce qui lui avait été révélé du Coran, et durant laquelle il allongeait les prières rituelles et accomplissait les cycles surérogatoires du *tarawîh*[1]. Les invocations (*du'â*) étaient également permanentes, alors que les femmes et les hommes étaient appelés à jeûner et se libérer pendant la journée des caractéristiques qui définissaient le plus directement leur humanité : boire, manger et assouvir leur désir sexuel. En maîtrisant leurs besoins naturels, les croyants devaient tenter de s'approcher des qualités du Divin et de vivre l'expérience de Sa proximité dans la méditation et, au-delà du jeûne du corps, par le jeûne de la langue et du cœur, éviter les mensonges, les propos vulgaires ou indécents, et lutter contre les mauvais sentiments et les mauvaises pensées. Cette discipline spirituelle était

1. Entre huit et vingt cycles de prières, selon les écoles juridiques islamiques, qui sont effectués après la dernière prière du soir (*al-'ishâ'*) et durant lesquels l'ensemble du Coran révélé était habituellement récité.

accompagnée, nous l'avons dit, d'une exigence renforcée quant à l'attention et au souci qu'il fallait porter aux pauvres. Le mois du Ramadân était à la fois le mois du Coran et le mois de la générosité, du don et de la solidarité. Il était fortement recommandé au croyant, femme, homme ou enfant, de verser à la fin du jeûne une aumône spéciale afin de protéger du besoin tous les membres de la communauté durant les jours de fête célébrés par la collectivité. La quête de la proximité de l'Unique ne peut être vécue et parachevée que par la proximité avec les pauvres : c'est le respect, le souci et le service de ces derniers qui rapproche du Premier.

C'est pendant ce mois que le Prophète fit un rêve étonnant, troublant autant que réjouissant. Il rêva qu'il pénétrait dans le sanctuaire de la Ka'ba, la tête rasée, avec la clef dudit sanctuaire dans la main droite. La vision était forte et le Prophète, comme à son habitude en pareille circonstance, interpréta cette vision comme un signe et un message. Le lendemain, il en parla à ses compagnons et leur annonça qu'ils devraient bientôt se préparer à accomplir le petit pèlerinage (*'umra*) à La Mecque. Ceux-ci en furent à la fois heureux et surpris : comment allaient-ils pouvoir pénétrer dans l'enceinte de La Mecque, comment les Quraysh les laisseraient-ils faire, comment allaient-ils éviter un conflit ? La confiance affichée par le Prophète les apaisait néanmoins : le départ était prévu pendant le mois de Dhû al-Qi'da, l'un des mois sacrés durant lesquels les Arabes ne combattaient jamais. De plus, les visions du Prophète avaient jusqu'alors été véridiques, et il les avait toujours menés dans la tranquillité et l'assurance. Ils se préparèrent.

Ils furent entre mille deux cents et mille quatre cents à se mettre en route. Le danger était réel, mais le Prophète refusa que les pèlerins soient armés (si ce n'est avec les épées utiles pour la chasse ou autre nécessité du voyage). Il emmena avec lui son épouse Um Salama, de même que Nusayba et Um Manî', deux femmes qui avaient été présentes lors du premier serment d'al-'Aqaba. Le Prophète s'attacha lui-même, au cours de la première halte, à consacrer les chameaux qui allaient devoir être sacrifiés lors du pèlerinage. Les Mecquois, de leur côté, apprirent très vite qu'un convoi de musulmans était en route pour La Mecque dans l'intention de visiter la Ka'ba. C'était, depuis des décennies, le droit le plus légitime des tribus de la péninsule de visiter le sanctuaire mais, avec les musulmans, les Quraysh se trouvaient en face d'un dilemme inextricable : comment, d'une part, justifier une interdiction d'entrée (et par quel moyen l'imposer en ce mois sacré où la guerre était proscrite), et comment, d'autre part, laisser entrer l'ennemi qui en tirerait, à coup sûr, un prestige intolérable ? Les Quraysh décidèrent d'envoyer Khâlid ibn al-Walîd à la tête de deux cents hommes afin d'empêcher les pèlerins de s'approcher de La Mecque. L'éclaireur des musulmans vint les en informer, et ceux-ci décidèrent de changer d'itinéraire afin d'éviter au maximum toute situation qui mènerait à un affrontement inévitable. Le Prophète s'appuya sur les compétences d'un compagnon connaissant le terrain, et ils prirent un chemin qui les mena au sud de La Mecque, à la limite du territoire sacré, dans la plaine d'al-Hudaybiyya. C'est à ce moment que la chamelle du Prophète, Qaswa, s'arrêta et ne voulut plus avancer. Comme ce fut le cas à son arrivée à Médine sept ans plus tôt, le Prophète y vit un signe. Il fallait faire halte et négocier avec les Quraysh l'entrée des pèlerins à La Mecque.

Les Quraysh, une fois de plus, étaient totalement surpris par l'attitude du Prophète, qui ne correspondait à aucune de leurs habitudes religieuses, culturelles ou guerrières. Fort de son nouveau pouvoir, le voilà qui venait à La Mecque désarmé et, de fait, vulnérable, et qui s'exposait alors que les circonstances lui permettraient de prendre un ascendant encore plus grand sur ses ennemis. En sus, il appelait à une nouvelle religion, mais il n'hésitait point à s'appuyer sur le respect des règles des traditions arabes pour se protéger de leurs attaques. En ce sens, il mettait les Quraysh devant une alternative très difficile : il leur fallait choisir entre leur honneur (respecter les règles) et la perte de leur prestige (laisser les musulmans entrer dans La Mecque). Les choix tactiques de Muhammad s'avérèrent payants.

Négociations

Les Quraysh étaient déterminés à ne pas laisser les musulmans accomplir le pèlerinage, tant les enjeux symboliques étaient cruciaux mais aussi, bien sûr, parce qu'ils ne connaissaient pas les véritables intentions de Muhammad. Ils décidèrent d'envoyer un émissaire du clan des Banû Khuzâ'a, Budayl ibn Warqâ', qui n'était en mauvais terme avec aucun des clans en présence et pouvait donc agir comme médiateur. Il se rendit auprès du Prophète qui l'assura que ses intentions n'étaient point belliqueuses, et qu'il désirait seulement accomplir le petit pèlerinage avec ses compagnons et s'en retourner. Il ajouta qu'il était prêt néanmoins à combattre ceux qui ne respecteraient point leur droit à se rendre librement, comme tous les autres clans et tribus, dans le sanctuaire. Si, néanmoins, les Quraysh avaient besoin de temps pour se préparer à laisser la voie libre aux pèlerins, les musulmans attendraient à al-Hudaybiyya jusqu'à ce qu'ils aient fini de s'organiser. Budayl s'en retourna à La Mecque et fit part aux Quraysh de cette proposition, mais il reçut un accueil glacial et un net rejet, notamment de la part de 'Ikrima, le fils d'Abû Jahl.

'Urwa se proposa d'aller à la rencontre de Muhammad et de négocier avec lui, tout en jetant un œil plus scrupuleux sur les gens qui l'accompagnaient et la nature de l'expédition. Il se rendit auprès du Prophète et commença à discuter avec lui selon les méthodes et les pratiques usuelles entre clans arabes. Il lui parlait familièrement, d'égal à égal, lui prenait la barbe comme c'était l'habitude entre chefs de tribu, mais il se vit rappeler fermement à l'ordre par Mughîra, un des Émigrants, qui le menaça de le corriger s'il s'avisait de poursuivre ainsi. 'Urwa en fut surpris mais lorsque, avant de partir, il prit le temps de visiter le camp des musulmans, il fut stupéfait d'observer le respect et la dévotion des croyants à l'égard de leur chef Muhammad. Il revint auprès des Quraysh et tint le même discours que Budayl : il était plus sage de laisser entrer les musulmans, qui n'avaient clairement aucune intention guerrière. Il essuya toutefois le même refus.

Alors que 'Urwa était en mission, deux autres tentatives de négociation avaient eu lieu. Hulays, des Banû al-Hârith, était également venu s'entretenir avec le Prophète. Ce dernier le reconnut de loin et, connaissant son respect – et celui de son clan – pour les questions religieuses et sacrées, il demanda à ce qu'on envoie à sa rencontre le troupeau des chameaux consacrés pour le sacrifice. Quand Hulays vit le troupeau, il comprit le message et décida de s'en retourner sur-le-champ, persuadé que Muhammad avait bel et bien l'intention d'accomplir pacifiquement le pèlerinage. De son côté, le Prophète n'était pas resté inactif, et il avait lui-même envoyé un émissaire du nom de Khirâsh auprès des Quraysh. Mais 'Ikrima ne l'écouta point, coupa les jarrets de son chameau, et il allait s'en prendre à sa personne quand Hulays intervint pour le protéger et demander à ce qu'on le laissât s'en retourner sain et sauf auprès du Prophète.

Quatre négociations avaient donc échoué, et les Quraysh apparaissaient plus que jamais intraitables. Le Prophète décida qu'il fallait essayer une dernière tentative en envoyant un émissaire suffisamment respecté et protégé à La Mecque pour qu'on lui réserve un autre sort qu'à Khirâsh et qu'il soit écouté. Le choix s'arrêta finalement sur 'Uthmân ibn 'Affân, son gendre, qui avait de solides relations claniques à La Mecque et que personne n'oserait attaquer. Celui-ci fut effectivement bien reçu, mais il essuya le même refus que ses prédécesseurs : les Quraysh ne laisseraient point les musulmans accomplir leur pèlerinage. Il pouvait lui, s'il le voulait, accomplir les circumambulations autour de la Ka'ba, mais il n'était pas question d'y laisser pénétrer Muhammad et ses hommes. 'Uthmân refusa cette offre. Sa mission s'était prolongée et, pendant trois jours, le Prophète n'eut pas d'informations le concernant. La rumeur se répandit que 'Uthmân avait été tué, et le Prophète en eut un chagrin intense. Une telle action de la part des Quraysh – qui auraient ainsi tué un émissaire pendant le mois sacré et refusaient de respecter le droit légitime des musulmans de visiter la Ka'ba, comme c'était le droit de toute autre tribu – ne pouvait être entendue par les musulmans que comme une nouvelle déclaration de guerre alors que, à quatre reprises, ils avaient répété leurs intentions pacifiques. Il fallait désormais se préparer au pire.

Le serment d'allégeance (bay'a ar-ridwân)

Le Prophète fit appeler les compagnons qui devaient venir le rejoindre au plus vite. Il alla s'asseoir au pied d'un acacia et demanda à ce que chacun des musulmans lui prête un serment d'allégeance, un serment de reconnaissance et de fidélité à sa personne (*ridwân*). Par ce geste, ils affirmaient explicitement qu'ils resteraient aux côtés du Prophète quelle que soit l'issue de l'affaire. Ils étaient venus accomplir un pèlerinage, ils étaient désarmés, et ils se retrouvaient face à la très grande probabilité d'un conflit auquel ils n'étaient point préparés. L'affirmation de leur fidélité au Prophète signifiait pour eux qu'ils prêtaient le serment de ne point fuir et d'aller jusqu'à accepter de mourir, tant l'équilibre des forces était en leur défaveur. Le Prophète, de son côté, mit sa main gauche dans sa main droite, et il affirma à l'assemblée que ceci représentait la prestation de serment de 'Uthmân, qui n'avait point donné signe de vie et qu'il considérait comme mort[1].

Or, ce dernier réapparut soudain, après la fin de la prestation de serment des derniers compagnons. Le

1. Ibn Hishâm, *op. cit.*, vol. 4, p. 283.

Prophète s'en réjouit : non seulement 'Uthmân, son gendre, était vivant, mais les Quraysh n'avaient point poussé leur folie jusqu'à manquer de respect à la clause commune de la non-violence durant les mois sacrés. La probabilité d'un conflit avec les Quraysh s'éloignait, et le Prophète fut informé que ceux-ci avaient finalement envoyé un nouvel émissaire, Suhayl ibn 'Amr, afin de sceller un accord formel avec les musulmans. Il décida de le recevoir et d'étudier leurs propositions.

'Uthmân, avant cela, avait à son tour, et en personne, prêté le serment d'allégeance au Prophète. Comme tous les autres, il avait compris que l'expression de cette fidélité serait d'abord nécessaire dans le cas d'une potentielle situation de guerre. Or, les choses s'inversaient désormais du tout au tout, et Muhammad allait entrer dans une négociation sur les termes de la paix entre sa communauté et les Quraysh. Ils avaient tous prêté un serment d'allégeance avec à l'esprit l'idée qu'ils exprimaient là leur fidélité dans une situation de conflit où ils étaient en situation de faiblesse. Voilà que leur fidélité allait être, de façon exactement inverse, mise à l'épreuve de la gestion et des termes d'une trêve, d'un accord de paix qu'ils abordaient en position de force. La Révélation rapporte cette prestation de serment : « *Dieu fut satisfait des croyants lorsqu'ils te prêtèrent serment* [jurèrent fidélité] *sous l'arbre*[1]. » Les musulmans étaient dans leur droit, ils portaient un message dont ils étaient sûrs qu'il était la vérité et ils avaient, de surcroît, acquis un grand prestige à la suite des dernières batailles : il ne pouvait être question pour eux de faire profil bas.

---

1. Coran, 48, 18.

Le pacte d'al-Hudaybiyya

Le Prophète reçut l'émissaire des Quraysh, Suhayl ibn 'Amr, qui se présenta avec deux autres hommes, Mikraz et Huwaytib. Les négociations commencèrent un peu à l'écart des compagnons, et chaque point de l'accord fut discuté de façon parfois tendue. Lorsque les termes du pacte furent enfin conclus, le Prophète demanda à 'Alî d'en retranscrire la teneur. Celui-ci commença naturellement la rédaction du texte par la formule usuelle : « *Je commence par Dieu* [au nom de Dieu] *l'Infiniment Bon, le Très Miséricordieux* » (*Bis-miLLah ar-Rahmân ar-Rahîm*). Suhayl contesta cette expression, affirmant qu'il ne connaissait pas « *ar-Rahmân* », et qu'il fallait donc indiquer la formule « *En Ton nom, ô Dieu !* » (*Bismika Allahumma*), qui était la seule connue par l'ensemble des Arabes (même les polythéistes qui s'adressaient ainsi à leur dieu principal). Des compagnons réagirent immédiatement en affirmant qu'il n'était pas question de changer cette formule, mais le Prophète intervint et dit à 'Alî d'écrire *Bismika Allahumma*[1]. Puis il lui indiqua de poursuivre en écrivant : « *Tels sont les termes de la trêve signée entre Muhammad, l'Envoyé de Dieu, et Suhayl ibn 'Amr.* » Suhayl exprima à nouveau son désaccord : « *Si nous avions su que tu es l'Envoyé de Dieu, nous ne t'aurions pas combattu. Écris donc : Muhammad ibn 'Abd Allah* [fils de 'Abd Allah]. » 'Alî, qui avait déjà écrit la formule consacrée, refusa de céder et affirma qu'il ne pouvait pas faire une chose

1. Ibn Hishâm, *op. cit.*, vol. 4, p. 284.

pareille. Le Prophète lui demanda de lui indiquer où était inscrite ladite expression, et il l'effaça lui-même en lui demandant d'ajouter « fils de 'Abd Allah ». 'Alî et les compagnons étaient outrés et comprenaient mal l'attitude du Prophète. Les termes de l'accord allaient les alarmer encore davantage, tant cela ressemblait à une série de compromis tout à fait désavantageux pour les musulmans. Quatre points essentiels constituaient le fond du traité : 1) les musulmans ne pourraient accomplir le pèlerinage cette année, mais un séjour de trois jours leur serait assuré l'année suivante ; 2) un armistice de dix ans serait respecté par les deux parties, dont les membres seraient libres de voyager dans la région en toute sécurité ; 3) tous les clans ou tribus qui signeraient un pacte avec l'une des deux parties seraient directement liés par les termes du présent accord ; 4) quiconque quitterait La Mecque pour se rendre à Médine, chez les musulmans, devrait être remis aux chefs mecquois, alors que quiconque fuirait Médine et chercherait protection à La Mecque se verrait accorder un droit d'asile[1].

Les compagnons, parvenus à quelques kilomètres de La Mecque pour accomplir leur pèlerinage, étaient en train de comprendre qu'ils devraient, à la suite de la signature d'un pacte qui ressemblait fort à un marché de dupes, s'en retourner sans avoir visité la Ka'ba. Leur désappointement fut à son comble quand ils virent apparaître Abû Jandal (le cadet des enfants de Suhayl, qui venait de signer le pacte). Celui-ci, converti à l'islam, avait encore des chaînes aux pieds, et il venait se réfugier chez les musulmans après que son

1. *Ibid.*, p. 285.

père l'eut emprisonné pour l'empêcher d'émigrer parmi les musulmans. Suhayl, à la vue de son fils qui s'était échappé, intervint et rappela au Prophète que, selon les termes de l'accord qu'il venait de signer, il ne pouvait le garder et devait le lui remettre. Le Prophète l'admit et Abû Jandal, malgré ses appels à l'aide adressés aux compagnons, fut remis à son père tandis que Muhammad l'exhortait à demeurer patient. Son frère aîné, 'Abd Allah, qui était musulman depuis longtemps – et se trouvait parmi les pèlerins qui assistaient à la scène –, était révolté par la situation et 'Umar ne put se contenir lorsque Suhayl frappa au visage Abû Jandal à l'aide de ses chaînes. Il se précipita vers le Prophète et l'apostropha vertement en le bombardant d'une série de questions qui marquait sa totale désapprobation : *« N'es-tu pas le Prophète de Dieu ? Ne sommes-nous pas dans la vérité et nos ennemis dans l'erreur ? Pourquoi céder si honteusement contre l'honneur de notre religion*[1] *? »* Le Prophète lui répondit à chaque fois calmement, mais cela ne suffit pas à satisfaire 'Umar, qu'une intense colère faisait maintenant bouillonner : il se tourna vers Abû Bakr qui lui conseilla de se calmer car le Prophète, selon lui, avait raison. 'Umar décida alors de se maîtriser et de se taire, même s'il était clair qu'il continuait de penser que cet accord était une humiliation.

Suhayl et les deux autres envoyés quittèrent le camp en emmenant avec eux Abû Jandal, effondré et en larmes. Les musulmans qui observaient cette scène ressentaient une intense tristesse et une profonde révolte : l'attitude du Prophète était incompréhensible. Il leur avait enseigné le courage et la dignité, et il

---

1. *Ibid.*, p. 287.

acceptait un pacte injuste dont les conséquences les obligeaient à observer, impuissants, le traitement indigne et humiliant de l'un des leurs. Lorsque le Prophète leur demanda de sacrifier les bêtes consacrées pour le pèlerinage, ils ne purent s'y résoudre. Les blessures et l'amertume étaient trop profondes, et aucun des compagnons ne s'exécuta : le Prophète répéta trois fois son ordre, mais personne ne réagit. C'était la première fois qu'il faisait ainsi face à une désobéissance collective et déterminée. Le Prophète, choqué et triste, se retira dans sa tente et expliqua à son épouse Um Salama ce qui venait de se passer et le refus des compagnons de sacrifier les bêtes. Elle l'écouta et lui proposa d'agir avec sagesse et en silence : elle lui conseilla de sortir sans mot dire et d'aller sacrifier son propre chameau en se contentant de donner l'exemple. Muhammad suivit son conseil, et ce choix allait s'avérer judicieux : il se dirigea vers son chameau, prononça la formule rituelle puis le sacrifia. Les compagnons, voyant cela, se levèrent les uns après les autres et firent de même. Le Prophète se rasa ensuite la tête et certains l'imitèrent, alors que d'autres coupèrent leurs cheveux ou simplement une mèche.

Spiritualité et intelligence de la victoire

Les compagnons allaient bientôt se rendre compte que leurs premières appréciations du traité étaient une complète erreur, et qu'ils n'avaient point suffisamment mesuré la profonde spiritualité, la stricte cohérence rationnelle, l'extraordinaire intelligence et le génie stratégique du Prophète. Ce dernier était à l'écoute des signes, et lorsque sa chamelle s'était arrêtée net – puis refusa de bouger –, il avait eu l'intuition que les musulmans n'iraient pas, cette année, plus loin que la plaine d'al-Hudaybiyya. L'échec des quatre premières négociations et l'entêtement des Quraysh le persuadèrent qu'il devrait s'armer de patience. Il était profondément confiant : il avait bien vu, en rêve, qu'il entrait dans le sanctuaire, et cela ne manquerait pas d'arriver, sans qu'il puisse, encore, en déterminer le moment. Le serment d'allégeance, qui avait d'abord semblé unir les musulmans au Prophète *contre* l'ennemi, allait donc, comme nous l'avons vu, se transformer en son exact contraire. Il s'agissait d'un serment de fidélité exigeant de supporter dignement, spirituellement et intellectuellement, les conditions d'un pacte *pour* la paix.

De plus, lorsque Suhayl refusa les deux formules usuelles des musulmans référant à l'Infiniment Bon (*ar-Rahmân*) et au statut de Muhammad comme « Envoyé de Dieu », il formulait une position d'une logique stricte et implacable. Le Prophète entendit son point de vue et son argument et eut la capacité, à ce moment précis, de se mettre à la place de son interlocuteur : ce que disait Suhayl était, de là où ce dernier observait les choses, parfaitement juste. Il était évident, en effet, que, si les Quraysh avaient reconnu son statut d'Envoyé de Dieu, ils ne l'auraient point combattu, et qu'il était donc impossible qu'un accord d'égal à égal stipule un élément qui, de fait, reconnaîtrait la vérité d'une des deux parties contre les positions naturelles de l'autre. Les compagnons, dont le respect pour le Prophète était si profond, n'avaient pu (à ce moment précis) entendre la vérité de l'autre : l'attitude du Prophète, et son entrée en matière raisonnable quant aux termes du pacte, étaient fortes d'un enseignement spirituel et intellectuel profond. En effet, il s'agissait de ne jamais laisser le rapport du cœur à la vérité – la spiritualité profonde – se transformer en un aveuglement émotionnel et passionné. La raison devait toujours être convoquée pour analyser, tempérer et aider à déterminer une relation d'écoute et de cohérence vis-à-vis de la conviction et de la vérité de l'autre. Ce qui apparaissait comme un compromis inacceptable du seul point de vue de la foi des croyants était juste et équitable du point de vue de la rationalité respective des parties établissant le traité de paix.

C'est d'ailleurs cette même logique qui mena Muhammad à accepter les différentes clauses du contrat. Il n'était pas question, pour sauver l'honneur et le prestige des musulmans – voire même pour tirer profit de la nouvelle situation après la victoire de la tranchée – de chercher à humilier les Quraysh. Accepter de ne point entrer cette année dans le sanctuaire, et ainsi ménager leur susceptibilité et protéger leur prestige, était au fond une des conditions, factuelles et symboliques, de la paix à long terme. Celle-ci, en considérant l'intérêt général des deux camps, jouerait bientôt en faveur des musulmans. La clause de renvoi des émigrés de Médine ne touchait que marginalement les intérêts des musulmans : un croyant fuyant Médine n'était d'aucun intérêt pour la communauté musulmane, alors que la foi musulmane d'un Mecquois rendu à son clan ne devrait pas – malgré la souffrance – être ébranlée à cause de cet exil imposé. Muhammad, contrairement aux apparences – renforcées par la captivité d'Abû Jandal –, n'avait rien concédé de sérieux sur ce point.

La confiance en Dieu, mariée à une stricte cohérence intellectuelle et à une vivacité d'esprit exceptionnelle, avait permis au Prophète d'établir une trêve de dix ans, avec la perspective d'une visite du sanctuaire une année plus tard. La plupart des compagnons, au premier rang desquels on trouve 'Umar ibn al-Khattâb, ne considéraient que les résultats immédiats, avec le sentiment d'une humiliation qui ne pouvait équivaloir qu'à une défaite. Al-Khattâb, comme bien d'autres, s'en était certes voulu d'avoir réagi aussi vivement contre le Prophète, mais il restait persuadé que le pacte était une capitulation. Sur le chemin du retour, on vint lui annoncer que Muhammad le faisait appeler. Il eut peur qu'il s'agisse de le blâmer pour son attitude intempestive ou, plus gravement, que des versets réprobateurs aient été révélés le concernant. Il trouva le Prophète avec un visage rayonnant, et celui-ci lui annonça la révélation de versets dont le contenu ne correspondait en rien à ce à quoi il aurait pu s'attendre. La parole divine annonçait : « *Nous t'avons en vérité donné une victoire éclatante*[1]. » Puis elle mentionnait le pacte d'allégeance en ajoutant : « *Il savait ce qui était en leurs cœurs et Il a fait descendre sur eux l'Esprit de Paix* (as-Sakîna) [la quiétude] *et leur a donné la récompense d'une proche victoire*[2]. » Tout cela est rappelé à la lumière de son rêve initial qui était donc véridique : « *Dieu a certes montré à Son Envoyé la véracité de sa vision* [de son rêve] *: vous entrerez très certainement dans la Mosquée sacrée* [le sanctuaire de la Ka'ba], *si Dieu le veut, en toute sécurité, sans crainte, la tête rasée ou les cheveux coupés. Il sait*

1. Coran, 48, 1.
2. Coran, 48, 18.

néanmoins ce que vous ne savez point et avant cela, Il vous a donné une proche victoire[1]. »

La perspective et les événements étaient présentés de façon totalement opposée à la perception qu'en avaient les compagnons. Le pacte d'allégeance pour se préparer à la guerre était dans les faits un pacte de fidélité pour la paix, le semblant de défaite était présenté comme « *une victoire éclatante* » et ce qui n'avait été qu'un rêve apparemment avorté cette année était annoncé comme une certitude de l'avenir : « *Vous entrerez très certainement dans la Mosquée sacrée.* » La très grande majorité des musulmans n'avaient pas compris, pas vu, ni n'avaient pu percevoir ce que le pacte ouvrait d'horizon et d'espoir. La signature du pacte fut donc, encore une fois, un moment privilégié de l'édification spirituelle avec, de surcroît, une exceptionnelle leçon d'intelligence et de perspicacité. L'écoute, l'art de décentrer son point de vue, la sensibilité à la dignité de l'autre et la vision de l'avenir étaient quelques-unes des qualités dont avait fait preuve le Prophète et qui contribuaient à façonner son rôle de modèle.

Il était également un exemple dans une autre dimension de sa vie, elle aussi centrale et édifiante. Lorsque ses compagnons refusèrent de sacrifier les chameaux, il se rendit auprès de son épouse Um Salama, qui l'écouta et le réconforta. Elle lui témoigna sa confiance et elle lui suggéra la solution à son problème. Ce dialogue, cette complicité et cette écoute expriment l'essence même de l'attitude du Prophète vis-à-vis de ses épouses. Comme avec Khadîdja tant d'années auparavant, il n'hésitait jamais à prendre le temps de se confier, de consulter,

1. Coran, 48, 27.

d'échanger et de faire sienne l'opinion des femmes qui l'entouraient. Au moment où, de visions en pactes d'allégeance ou de paix, se jouait l'avenir de l'ensemble de la communauté, il retourna au côté de sa femme et, comme un simple être humain, lui exprima son besoin d'amour, de confiance et de conseil. Comme un simple être humain, comme un exemple pour tous les êtres humains.

Le respect des pactes

Les musulmans étaient revenus à Médine, et la vie quotidienne avait repris son cours dans un climat bien moins tendu désormais. La trêve permettait de diminuer la vigilance vis-à-vis de l'extérieur et de se consacrer davantage aux affaires internes de la communauté musulmane. Le nombre de convertis ne cessait d'augmenter et il fallait constamment penser et organiser leur intégration et leur formation islamique. De fortes personnalités de la péninsule allaient venir s'ajouter aux centaines d'anonymes acceptant l'islam à Médine ou qui venaient s'installer dans la ville, à l'exemple du frère de 'Aïsha, 'Abd al-Ka'ba, qui émigra après la mort de sa mère, Um Rûmân, l'épouse d'Abû Bakr, lequel en fut d'ailleurs très affecté. Le Prophète changea le nom de 'Abd al-Ka'ba et l'appela désormais 'Abd ar-Rahmân : sa pratique était de modifier un prénom lorsque l'ancien pouvait avoir une signification malheureuse ou se référer à une attitude désormais considérée comme illicite par l'islam. Ainsi, 'Abd al-Ka'ba (l'adorateur de la Ka'ba) avait un sens qui s'opposait au principe de l'islam de n'adorer que Dieu seul. Dans les autres situations, les musulmans pouvaient décider de garder ou non leur ancien prénom, ce que très majoritairement ils choisirent de faire. L'idée qu'il pouvait exister des « prénoms islamiques » et, *a fortiori*, d'origine exclusivement arabe, n'a jamais effleuré la conscience des premiers musulmans. C'était le contraire qui les préoccupait somme toute. Il s'agissait pour eux d'éviter les quelques prénoms dont le sens pouvait clairement être en opposition avec les enseignements islamiques, et de laisser grande ouverte la porte du choix pour tous les prénoms, de toutes les langues et origines, que rien n'interdisait de choisir. Ils avaient d'ailleurs des prénoms très variés, dont l'origine était arabe, persane ou byzantine, sans que cela pose un problème à l'Envoyé et à ses compagnons.

Pendant ces mois de gestion interne et de structuration, les musulmans eurent à faire face à une nouvelle affaire d'extradition. En effet, Abû Basîr se présenta à Médine en provenance de La Mecque et demanda asile à Muhammad. Le Prophète, scrupuleusement attaché aux termes des pactes qu'il signait, ne pouvait point lui donner refuge et lorsque l'émissaire des Quraysh, accompagné d'un esclave du nom de Kawthar, vint exiger qu'Abû Basîr leur fût remis, Muhammad ne put que s'exécuter. Ils repartirent donc, avec Abû Basîr comme prisonnier, et le Prophète et les compagnons exhortèrent ce dernier à la patience. Alors qu'ils étaient encore au début de leur trajet, Abû Basîr profita d'un moment d'inattention de ses gardes et tua l'émissaire des Quraysh. L'esclave s'enfuit et, terrorisé, il revint à Médine, où il fut bientôt rejoint par son ancien prisonnier. Muhammad voulait qu'ils repartent à nouveau à La Mecque, mais Kawthar eut tellement peur que le Prophète n'avait plus, pour tenir sa parole, qu'à renvoyer Abû Basîr de Médine (le pacte lui interdisait d'y rester), mais il n'avait point à vérifier s'il se rendrait effectivement à La Mecque puisqu'il n'y avait plus de gardien pour l'accompagner. Le Prophète exigea qu'il s'en aille conformément au traité et, à l'adresse des autres compagnons, il fit une remarque elliptique : « *Si seulement il avait d'autres compagnons avec lui*[1] *!* » Abû Basîr ne rentra bien sûr pas à La Mecque, mais alla s'installer sur l'une des routes du nord que traversaient fréquemment les caravanes, notamment celles des Quraysh. Il fut bientôt rejoint par d'autres musulmans qui avaient fui La Mecque et avaient eu vent de son histoire : ils décidèrent d'attaquer les caravanes mecquoises qui prenaient la route du nord. Le groupe des musulmans était devenu si nombreux et leurs attaques si fréquentes et si efficaces que ce furent les Quraysh qui finirent par demander au Prophète d'accueillir Abû Basîr et ses hommes de même que, à l'avenir, l'ensemble des émigrés mecquois. Leur stratagème avait réussi, et le Prophète les accueillit conformément au souhait des Quraysh de surseoir à l'application de cette clause. Il est à noter que Muhammad refusa, en toutes circonstances, de renvoyer les femmes, à l'instar d'Um Kulthûm bint 'Uqbah, car le traité mentionnait exclusivement les hommes, ce que les Quraysh acceptèrent sans protester.

À tous les souverains

Pendant l'année qui suivit le traité, le nombre des musulmans allait doubler. C'est pendant ces mois de

1. Ibn Hishâm, *op. cit.*, vol. 4, p. 291.

trêve que le Prophète décida d'adresser une missive à tous les souverains des empires, des royaumes et des nations alentour.

Ainsi, le Négus d'Abyssinie (Éthiopie) reçut une nouvelle lettre du Prophète avant sa conversion à l'islam et l'acceptation de son rôle de représentant du Prophète lors de la cérémonie de mariage avec Um Habîba dont nous avons déjà parlé. Il en fut de même de Chosroès, roi de Perse, d'Héraclius, empereur de Byzance, de Muqawqis, gouverneur d'Égypte (qui fera don au Prophète d'une esclave copte nommée Mâriya[1]), de Mundhir ibn Sâwâ, roi de Bahrayn, et enfin d'al-Hârith ibn Abî Shimr al-Ghassânî, qui régnait sur une partie de l'Arabie jusqu'aux confins de la Syrie. La teneur des lettres était sensiblement toujours la même : le Prophète se faisait connaître comme « Envoyé de Dieu » par les destinataires des différentes lettres, leur rappelait l'unicité divine, puis les invitait à accepter l'islam. En cas de refus, il les rendait responsables devant Dieu de l'égarement de la totalité de leur peuple.

Les réactions des rois et des chefs à ces différentes missives furent très variées : de l'acceptation du message (le Négus, Mundhir ibn Sâwâ), au respect sans volonté de conflit ou de conversion (Muqawqis, Héraclius), jusqu'au refus et à la menace d'une attaque (Hârith ibn Abû Shimr). Le message néanmoins était connu de tous, et la communauté musulmane était désormais installée à Médine, reconnue dans son identité religieuse et respectée en tant que puissance régionale. Son chef, Muhammad ibn 'Abd Allah, était considéré

1. Mâriya donnera au Prophète un fils, Ibrahîm, mais celui-ci mourut en bas âge, à la grande tristesse de Muhammad (voir chapitre suivant).

soit comme un Prophète dont Dieu destinait donc le règne à une inévitable expansion, soit comme un Roi puissant et redoutable, qu'il fallait respecter et dont il convenait de se méfier.

La trêve d'al-Hudaybiyya fut bien une victoire et une ouverture (*fath*) vers le monde : la situation de guerres et de conflits avait occupé l'énergie entière de la communauté qui cherchait à se protéger, à résister et à survivre. Les choses avaient changé désormais et, en situation de paix, il était possible au Prophète de transmettre enfin la teneur du message de l'islam : le fondement du Dieu unique (*at-tawhîd*) qui libère les êtres humains de la possible aliénation vis-à-vis des intérêts ou des pouvoirs temporels, pour les situer dans l'horizon du respect à un enseignement spirituel, à une éthique et à des valeurs auxquels ils doivent s'efforcer d'être fidèles. Colonisés par le souci de se défendre et embourbés par la nécessité de réagir, les musulmans défendaient leur vie, leur intégrité mais ils n'avaient point les moyens d'exprimer le contenu et le sens de ce qu'ils croyaient. La paix qui désormais s'était installée sur l'ensemble de la Péninsule avait transformé et changé la donne : de plus en plus de clans, de femmes et d'hommes pouvaient désormais appréhender l'essence du message de l'islam. Certains se convertirent, d'autres le respectèrent sans y adhérer, et d'autres le combattirent, mais en connaissance de cause et non seulement pour des questions de pouvoir, de richesse et/ou de rapport de forces.

Khaybar

Un dernier bastion menaçait néanmoins de façon tangible la sécurité de la communauté musulmane après la signature du pacte d'al-Hudaybiyya : il s'agissait de la ville de Khaybar, qui avait accueilli un grand nombre de réfugiés issus des différentes conquêtes préalables des musulmans. Khaybar était une puissance régionale redoutée de tous, et il paraissait inimaginable de s'en prendre à elle, tant ses forteresses, son armement et ses richesses dépassaient de loin ce que leurs ennemis – et à plus forte raison les Médinois – pouvaient espérer combattre et vaincre. Les chefs de Khaybar, conseillés par d'anciens habitants des Banû Qaynuqa', des Banû Nadîr ou des Banû Qurayza, étaient hostiles à la présence de Muhammad dans la région, et ne manquaient ni de le faire savoir ni de s'en prendre aux intérêts de sa communauté ou à des individus isolés chaque fois qu'ils en avaient l'occasion.

Le Prophète décida d'organiser une expédition contre Khaybar, mais il tint jusqu'au bout à la garder secrète et à tromper son rival. Alors que la puissance de l'adversaire aurait dû mobiliser la quasi-totalité des combattants musulmans (Khaybar pouvait compter, avec ses alliés, sur près de quatorze mille soldats), Muhammad décida de s'y rendre avec un contingent de mille quatre cents hommes. Il arriva à proximité des forteresses et, en s'appuyant sur les services d'un guide, bon connaisseur de la région, il vint installer son campement, pendant la nuit, entre deux des forteresses de Khaybar : cela lui permettait de couper de fait la communication entre les gens de Khaybar et leur alliés des Ghatafân. Lorsque le jour se leva, les habitants des deux forts furent surpris et impressionnés, et la peur s'installa immédiatement dans leurs rangs. Le siège dura plusieurs jours, durant lesquels Muhammad et les siens glanèrent les informations qui leur permettraient d'user de la meilleure stratégie pour faire plier leurs adversaires. Ils décidèrent de s'attaquer aux citadelles, une à une, en commençant par les plus exposées et les plus vulnérables. Cette méthode fonctionna à merveille, et les premières forteresses cédèrent assez rapidement. Les conditions de reddition étaient discutées au cas par cas, mais, dans la majorité des situations, il était exigé que les vaincus délaissent leurs biens et s'exilent avec leurs femmes et leurs enfants.

La dernière forteresse importante, Qamûs, résista quatorze jours, et elle céda finalement, tant le siège des musulmans l'étouffait et ne lui laissait plus espérer de victoire. Puis les deux derniers forts se rendirent également, et ils négocièrent à leur tour les termes de leur capitulation : le Prophète accepta que les habitants demeurent sur place, exercent leurs compétences dans la gestion des fermes et des vergers, et versent régulièrement aux musulmans un impôt sur leurs productions. La totalité des forteresses étaient désormais tombées, et le Prophète venait de neutraliser son dernier ennemi d'envergure dans la région.

Parmi les captives de guerre se trouvait la fille de Huyay (lequel avait été responsable de la trahison des Banû Qurayza). Safiyya ne ressemblait en rien à son père et, depuis longtemps, elle avait cherché à connaître la teneur du message du nouveau Prophète. Elle était pieuse et ne partageait guère l'animosité des siens à l'égard de ce dernier. Safiyya fut présentée au Prophète comme captive lors de la répartition du butin de guerre. Il avait entendu parler de cette femme, de sa spiritualité, et elle n'hésita pas à lui raconter un de ses rêves qui associait son destin à la ville de Médine.

Muhammad l'écouta et lui offrit le choix : rester juive et retourner chez les siens, ou entrer en islam et devenir son épouse. Elle s'exclama : *« Je choisis Dieu et Son Envoyé ! »*, et le mariage fut célébré quelque temps plus tard.

Une nouvelle étape venait donc d'être franchie en cette septième année de l'Hégire (en 628). La paix régnait désormais dans la région, et les musulmans n'avaient plus à craindre d'attaques venant du nord. Des pactes avaient été scellés, et des accords régulant les relations de tribus, de clans, ou plus largement du commerce, permettaient à la communauté musulmane de s'établir de façon durable et avec un maximum de sécurité. Les mariages du Prophète n'étaient pas non plus étrangers à cet état de fait : certaines de ses épouses provenaient de clans qui, *de facto*, étaient désormais en relation de famille avec Muhammad et se considéraient comme ses alliés naturels. C'était la communauté musulmane qui, dès lors, semblait être devenue inébranlable et inattaquable : en l'espace de huit ans, elle s'était non seulement installée dans une nouvelle cité, Médine, mais elle s'était assuré un statut et un prestige régional à nul autre pareil.

13

REVENIR

La communauté musulmane de Médine avait accueilli les femmes et les hommes qui s'étaient exilés en Abyssinie et y avaient vécu près de quinze ans, à l'instar de Ja'far ibn Abû Tâlib (qui revint marié à Asmâ' bint 'Umays et père de trois enfants). Um Habîba, dont le mariage avec le Prophète avait été célébré par le Négus (en tant que mandataire de Muhammad), était également du voyage et vint s'installer dans son appartement à proximité de la mosquée. La vie quotidienne se poursuivait, le nombre des musulmans devenait de plus en plus important, et cela exigeait de la part du Prophète de multiplier les occasions d'enseignements et de déléguer cette tâche à ses compagnons les plus fidèles et les plus compétents.

Des expressions d'hostilité survenaient ici et là, et Muhammad continuait d'envoyer de petits contingents d'éclaireurs pour régler les choses, mais il fallait parfois combattre des tribus qui étaient encore bien décidées à s'opposer à la suprématie de la cité de Médine.

Usâma ibn Zayd

Muhammad avait envoyé une expédition auprès des tribus de Bédouins au nord, et notamment des Banû Murra, qui ne cessaient d'attaquer les fermiers juifs travaillant dans l'oasis de Fadak, laquelle était sous l'autorité du Prophète. L'opposition fut rude, et presque tous les hommes envoyés dans cette expédition (ils étaient au nombre de trente) furent tués. Le Prophète décida d'envoyer un second convoi de deux cents hommes, parmi lesquels se trouvait Usâma ibn Zayd[1], qui n'était âgé que de dix-sept ans.

La bataille fut difficile, car de nombreuses tribus s'étaient alliées en vue de défaire les troupes musulmanes et de soumettre l'oasis de Fadak et ses richesses à leur autorité. Les choses tournèrent néanmoins à l'avantage des musulmans. Un des membres de la tribu des Banû Murra se moqua d'Usâma et de son jeune âge. Celui-ci ne put se contenir et décida d'en découdre directement avec celui qui l'insultait. En position de faiblesse, le Bédouin décida de fuir et il fut poursuivi par Usâma qui, dans la colère, n'avait pas même respecté l'ordre donné par le chef de l'expédition de toujours rester groupé. Il parvint à rejoindre son ennemi, le renversa en le blessant. Le Bédouin s'écria alors : « *J'atteste qu'il n'est de dieu que Dieu !* » (*Lâ ilâh illâ Allah*), mais Usâma n'en tint point compte et tua le Bédouin. Il s'en revint au camp et raconta son histoire : le chef du convoi de même que les autres soldats furent choqués de son geste et Usâma prit

---

1. Il s'agissait du fils de l'ancien esclave Zayd ibn Hâritha, que le Prophète avait longtemps considéré comme son fils adoptif.

conscience de la gravité de sa faute et s'isola jusqu'à son retour à Médine.

Il alla alors directement voir le Prophète qui l'accueillit d'abord très chaleureusement, heureux de l'annonce de la victoire. Lorsqu'il lui eut raconté l'épisode du duel, le Prophète manifesta une désapprobation sévère et lui demanda : *« Usâma, l'as-tu tué alors qu'il avait dit : "Il n'est de dieu que Dieu" !? »* Usâma répondit que le Bédouin n'avait prononcé ces mots que pour éviter d'être tué, à quoi le Prophète rétorqua : *« As-tu donc fendu son cœur pour savoir s'il disait la vérité ou s'il mentait ? »* Usâma était défait et eut peur que jamais sa faute ne soit pardonnée. Le Prophète lui pardonna néanmoins, non sans lui avoir transmis un enseignement fondamental quant à la façon d'agir avec les hommes et les secrets de leur cœur, en situation de guerre comme en situation de paix.

Le Bédouin qui avait prononcé l'attestation de foi avait lancé un message à Usâma qui, dans les deux cas de figure qui se présentaient à lui, lui imposait de ne pas le tuer. S'il était sincère, il était clair que sa vie devait être épargnée, alors que s'il ne l'était point, c'est que son exclamation s'apparentait à un appel à la paix et à la mansuétude. Or la Révélation, dans ce cas de figure, avait déjà commandé aux musulmans de faire preuve de discernement, de réserve, et de chercher la pacification :

> *Ô vous les porteurs de la foi, lorsque vous sortez pour lutter dans la voie de Dieu, restez clairvoyants et ne dites point à quiconque vous offre la paix : « Tu n'es pas croyant », convoitant les biens de la vie d'ici-bas*

alors que c'est auprès de Dieu qu'il y a abondance de butin. C'est ainsi que vous vous comportiez auparavant, puis Dieu vous a accordé sa grâce. Restez donc clairvoyants [sachez distinguer] *car Dieu est certes parfaitement Connaisseur de ce que vous faites*[1].

Le Bédouin, sentant venir la mort, appela à la paix, et Usâma aveuglé par sa volonté de défendre son honneur ici-bas (puisqu'il avait été moqué), était revenu à des pratiques tribales que sa compréhension de l'islam aurait dû réformer en profondeur. Quelle qu'ait été son interprétation des intentions qui avaient motivé la prononciation de l'attestation de foi par son ennemi, rien ne pouvait justifier son attitude. Usâma se promit de ne jamais plus se laisser emporter de la sorte et d'agir avec discernement et respect. C'est à lui, comme nous le verrons, que le Prophète confiera trois ans plus tard – au moment de quitter ce monde – les recommandations et les enseignements qui constitueront l'essence de l'éthique islamique en matière de guerre.

Au demeurant, le secret des cœurs dépasse les limites de la connaissance des hommes, et le Prophète a été lui-même un exemple de prudence et d'humilité quand il s'agissait de se prononcer et d'agir vis-à-vis d'individus dont la sincérité ou les intentions étaient sujettes à caution. Il savait et connaissait la présence et les agissements de nombreux hypocrites dans son entourage, mais il ne prenait aucune mesure particulière à leur intention. Il restait prudent, parfois méfiant, mais se gardait de tout jugement définitif.

1. Coran, 4, 94.

L'exemple le plus édifiant était celui de 'Abd Allah ibn Ubayy qui lui avait plusieurs fois menti, puis avait fait sécession juste avant la bataille d'Uhud et continuait à entretenir des relations avec les ennemis de la communauté musulmane. Le Prophète ne prit aucune mesure de rétorsion contre lui et ses amis, si ce n'est de l'éloigner des situations ou des expéditions délicates. Il dirigea même la prière du mort, lorsque celui-ci décéda peu après le retour de l'expédition de Tabûk, et ce malgré la forte réprobation de 'Umar. La Révélation lui commanda par ailleurs de ne point prier sur les hypocrites notoires : « *Et ne prie jamais* [la prière des morts] *sur l'un d'eux lorsqu'il meurt, ni te tiens près de sa tombe, car, certes, ils ont renié Dieu et Son Envoyé, et ils sont morts dans l'iniquité*[1]. »

Ce verset – apparemment ferme et tranché quant à l'attitude attendue de la part du Prophète à l'égard des hypocrites au moment de leur mort – transmet, *a contrario*, un message très exigeant quant à la façon dont il faut agir avec eux dans la vie quotidienne et jusqu'aux derniers instants de leur vie. Rien ne permet de juger définitivement de leur hypocrisie pendant qu'ils sont encore en vie, et le seul comportement qui sied correspond à celui du Prophète, qui ne s'est jamais donné le droit de prononcer une parole définitive au sujet d'un hypocrite alors que ce dernier vivait encore car tout, jusqu'à la fin, était encore possible quant à la conversion et à la sincérité de son cœur. Dieu lui commande uniquement de ne point prier sur eux une fois morts, quand la situation est irréversible

1. Coran, 9, 84.

et qu'il est désormais clair qu'ils vécurent et moururent dans l'hypocrisie, la trahison et le mensonge[1].

Mâriya

Le Prophète continuait de mener une vie privée qui exigeait de lui une présence et une attention particulières, tant les tensions pouvaient être parfois fortes et problématiques entre ses épouses ou avec leur entourage familial. Lui, de son côté, restait de nature particulièrement conciliante et détestait contrarier l'une ou l'autre de ses épouses. 'Aïsha raconte que la présence du Prophète dans le foyer était d'une grande qualité, qu'il était très attentif, aidait au ménage, « *cousait ses vêtements, réparait ses chaussures*[2] », et ne cessait que lorsqu'il entendait l'appel à la prière, car alors il se rendait à la mosquée. En toutes circonstances, et même pendant le mois du Ramadân, il était doux, tendre et particulièrement affectueux. De nombreux récits, notamment rapportés par 'Aïsha, mettent en évidence cet aspect de son caractère que ses épouses appréciaient et louaient abondamment.

L'installation à Médine, où les femmes étaient bien plus présentes et entreprenantes qu'à La Mecque, puis la situation économique (qui s'améliorait grandement)

---

1. Dans le cas de 'Abd Allah ibn Ubayy, certaines traditions relèvent qu'il avait changé et que le verset cité ne le concernait point. Al-Bukhârî rapporte un *hadîth* (23, 78) qui relève que le Prophète eut une attitude singulière envers lui, eu égard à son comportement vis-à-vis de son oncle 'Abbâs. Il aurait donc changé, et sa conversion semblait sincère dans les derniers moments de sa vie. Quelle que soit la réalité des faits, ce qui demeure est bien la profondeur de l'enseignement que nous avons essayé de mettre en évidence.
2. *Hadîth* rapporté par Muslim.

amenèrent de nombreux changements dans le comportement des femmes du Prophète. ‘Umar s’en alarma quand il fut lui-même confronté, comme nous l’avons vu, aux remontrances de sa femme qui n’hésita pas à lui répondre sèchement, contrairement aux habitudes des femmes mecquoises. Aux reproches de ‘Umar, sa femme répondit que leur propre fille, Hafsa, répondait de la sorte au Prophète, son mari, et que celui-ci le supportait, et qu’il devait donc bien, lui aussi, accepter une attitude similaire. Choqué, ‘Umar alla s’enquérir de la réalité de ces faits auprès de sa fille, qui lui confirma qu’elle-même et les autres épouses n’hésitaient jamais à s’exprimer et à argumenter avec le Prophète, qu’elles lui répondaient librement et que celui-ci acceptait cet état de fait. ‘Umar se rendit auprès du Prophète afin de lui conseiller de remettre immédiatement de l’ordre dans ses affaires privées. Le Prophète l’écouta, sourit, mais ne réagit point.

Muhammad avait habitué ses épouses à l’écoute et au dialogue : il écoutait leurs conseils et avait gardé la même attitude respectueuse qu’il avait déjà partagée avec Khadîdja tout au long de sa vie. Ses épouses savaient faire la différence entre son statut de Prophète et sa vie de mari et d’être humain ordinaire. Même ‘Aïsha, après l’affaire de la calomnie, en avait voulu au Prophète et à ses doutes, et lorsque sa mère l’invita à aller remercier le Prophète d’avoir obtenu le pardon de Dieu, elle refusa et affirma qu’elle remercierait Dieu et non le Prophète qui, somme toute, avait douté d’elle. Muhammad n’avait jamais exigé un traitement particulier, et il essayait de répondre aux nombreuses attentes de ses épouses. Depuis peu, la situation avait changé car les différentes victoires, la trêve et l'accumulation de butin avaient apporté quelques richesses dans la demeure du Prophète, et les femmes commençaient à exiger davantage de biens, ce qui leur paraissait être juste en compensation du fait que leur statut imposait des restrictions (quant à l'attitude publique et à la nécessaire discrétion).

C'est l'arrivée de l'esclave Mâriya, offerte au Prophète par Muqawqis, qui allait précipiter les événements[1]. Cette dernière était d'une exceptionnelle beauté, et le Prophète se rendait fréquemment chez elle. La jalousie s'empara des épouses du Prophète, et 'Aïsha et Hafsa n'hésitèrent point à critiquer Mâriya et l'attitude du Prophète lors de leurs discussions en l'absence de ce dernier. Le Prophète décida d'abord d'éloigner la demeure de Mâriya qui souffrait de ces critiques puis, la situation continuant à empirer, il fit la promesse de se séparer de Mâriya. La Révélation vint contredire la décision que s'était imposée le Prophète en exprimant ensuite une potentielle menace de répudiation vis-à-vis de l'ensemble des épouses[2]. Cette situation de crise alarma ces dernières ainsi que de nombreux compagnons, dont 'Umar. Le Prophète s'était isolé et avait refusé de voir ses épouses pendant près d'un mois afin qu'elles décident, selon le commandement du Coran, si elles voulaient rester à ses côtés ou si elles désiraient divorcer. Toutes choisirent « Dieu et Son Envoyé », selon la formule qui avait été utilisée par 'Aïsha au moment

1. Les traditionnistes musulmans ne sont pas d'accord sur le statut de Mâriya : certains affirment qu'elle devint son épouse, alors que pour d'autres elle resta sa concubine, une pratique que les enseignements islamiques avaient d'abord acceptée tout en menant par étapes, mais de façon très claire, vers la cessation de l'esclavage.
2. Coran, 66, 1 ; puis voir la totalité de la sourate 66.

où le Prophète la questionna (en citant les versets coraniques qui lui avaient été révélés concernant ses épouses et leur avenir[1]).

L'esclave Mâriya avait été une épreuve et une révélation pour toutes les épouses du Prophète. Elles pouvaient certes, dans la vie privée, faire la différence entre son statut de Prophète et le fait qu'il restait un être humain qui pouvait être conseillé et avec qui elles pouvaient argumenter, voire se disputer. Mais elles ne pouvaient point ensuite chercher, de façon contradictoire, à utiliser, dans la vie publique, son statut de Prophète pour obtenir des droits et des traitements singuliers quant à la richesse ou au respect de ce qui était considéré comme licite par la collectivité. La Révélation leur rappelait de surcroît qu'il ne suffisait point d'être la femme d'un Prophète ou d'un homme pieux pour prétendre avoir acquis les qualités de la foi et se considérer comme élue de fait : ainsi, les femmes respectives de Noé et de Loth furent perdues alors qu'à l'inverse, la femme de Pharaon fut sauvée pour sa piété, et ce même si elle avait vécu aux côtés d'un négateur de Dieu imbu d'arrogance et d'orgueil[2]. Au sein même du couple, c'est la responsabilité, les choix et le comportement de chacun qui déterminent son destin. Sur ce plan, les femmes du Prophète ne pouvaient se prévaloir d'aucun privilège, et l'humilité s'imposait. Pour ajouter à l'épreuve des épouses, Mâriya allait devenir mère du seul garçon qui soit né après Qâsim et 'Abd Allah (fils de Khadîdja qui étaient morts très tôt). Le Prophète appellera son enfant Ibrahîm, du

1. Coran, 33, 28-29.
2. Coran, 66, 10-11.

nom du Prophète également reconnu comme le père du monothéisme par la tradition copte de sa concubine Mâriya.

Le petit pèlerinage (‘umra)

Une année s’était passée depuis le pacte d’al-Hudaybiyya, et il était temps de faire les préparatifs pour effectuer la visite à La Mecque qui était stipulée dans l’accord. Deux mille musulmans se mirent donc en route avec le Prophète dans l’intention de faire la *‘umra*, le petit pèlerinage qui, à la différence du *Hajj*[1], peut s’effectuer n’importe quand dans l’année lors de la visite des lieux saints. Parmi eux se trouvait un pauvre qui venait d’arriver de La Mecque quelque temps après le retour des musulmans de Khaybar et s’était installé avec les *ahl as-suffa* (les gens du banc). Il était pauvre, humble et le Prophète le surnomma « le père de la petite chatte », tant il aimait et chérissait les chattes : il s’agissait d’Abû Hurayra, qui était entré assez tard en islam et qui allait devenir l’un des rapporteurs de traditions prophétiques (*ahâdîth*) les plus fiables et les plus respectés.

Les pèlerins se rendirent donc à La Mecque et s’arrêtèrent à la limite du territoire sacré afin d’attendre que les Quraysh libèrent les lieux et leur permettent de pratiquer librement leurs rites. Les musulmans étaient vêtus de l’humble tenue consacrée pour le pèlerinage, et ils entrèrent dans La Mecque alors que

1. Le grand pèlerinage, *al-Hajj*, est le cinquième pilier de l’islam. Chaque musulmane et musulman doit se rendre à La Mecque une fois au moins dans sa vie s’il/elle en a les moyens, durant les jours déterminés du mois de *Dhû al-Hijja*.

les gens des Quraysh épiaient leurs mouvements depuis les collines avoisinantes. Abû Hurayra effectua les sept tournées autour de la Ka'ba, puis le même nombre d'allées et venues entre les collines de as-Safâ' et al-Marwa. Il sacrifia ensuite un chameau et se fit raser la tête : ainsi avait-il accompli, suivi par l'ensemble des pèlerins, les rites du petit pèlerinage. Il voulut entrer dans la Ka'ba elle-même, mais les Quraysh refusèrent en affirmant que cela ne faisait point partie de leur accord. Le Prophète ne les contredit point et resta pendant tout son séjour dans l'enceinte de la « Maison de Dieu » (*Bayt Allah*), où Bilâl appelait de sa belle et puissante voix les pèlerins à la prière, cinq fois par jour. Des collines d'où ils observaient ce spectacle, de nombreux Qurayshites furent impressionnés, comme ils l'avoueront plus tard, par la simplicité et la dignité de la pratique religieuse et du comportement des musulmans.

L'oncle du Prophète, 'Abbas, était resté auprès du Prophète et manifestait désormais publiquement son entrée en islam alors qu'il avait toujours vécu à La Mecque et qu'il avait été parmi les prisonniers de Badr. Il offrit au Prophète de se marier avec sa belle-sœur Maymûna, devenue veuve, ce que le Prophète accepta. Il aurait aimé célébrer le mariage à La Mecque et offrir à tous le repas traditionnel qui ponctue un mariage, mais les Quraysh furent intraitables : les trois nuits étaient écoulées, il fallait que les pèlerins quittent les lieux selon les termes de l'accord conclu une année auparavant. Le Prophète s'exécuta, interdit à ses compagnons de tenir le moindre propos inconvenant à l'égard des Quraysh, et quitta immédiatement La Mecque pour s'en retourner à Médine. En contractant son mariage avec la veuve Maymûna, Muhammad avait également établi une relation de parenté avec de farouches opposants, les Makhzûm, qui étaient désormais liés au Prophète.

Alors que Muhammad était déjà arrivé à Médine et que la vie quotidienne avait repris son cours, il apprit la visite inattendue dans la cité de trois hommes qui s'étaient étonnamment retrouvés sur la route et qui arrivaient ensemble à sa rencontre. Il s'agissait de 'Uthmân ibn Talha, de Khâlid ibn al-Walîd et de 'Amr ibn al-'As. Tous trois venaient se convertir à l'islam et prêter allégeance au Prophète qu'ils avaient si farouchement combattu pendant tant d'années. Celui-ci en fut très heureux, ainsi que l'ensemble des compagnons qui connaissaient les qualités des trois hommes. L'avenir n'allait point les démentir tant leur engagement fut sincère, entier et jalonné de succès. Ces conversions, comme celle d'Abû Hurayra auparavant, étaient également pleines d'enseignements. Non seulement le passé des pires ennemis de l'islam était oublié au moment même où ils reconnaissaient l'unicité de Dieu, mais le temps qu'avaient pris les uns ou les autres pour accomplir le chemin de cette reconnaissance ne présageait en rien de leur sincérité, de leurs qualités morales ainsi que de leur statut ultérieur dans la communauté de foi. Hostiles pendant près de vingt ans au Prophète et à son message, ils avaient vécu une profonde conversion et, dans la proximité des seules deux dernières années de la vie de l'Envoyé, ils allaient devenir des références de foi, d'abnégation et d'intégrité pour leurs compagnons autant que pour l'ensemble des musulmans à travers les âges. Ainsi la foi – son intensité et sa force de conversion et de transformation des cœurs – ne se mesure pas à l'aune du temps ou des paramètres de la logique ou de la rationalité. Ce sont sa sincérité et son intensité mêmes qui témoignent de sa nature et qui font qu'un converti d'hier peut atteindre une illumination intérieure plus profonde et pleine qu'un pratiquant de longue date. L'inverse est également vrai et impose donc aux hommes, une fois encore, le silence quant aux jugements du cœur des hommes.

Mu'ta

Quelques mois s'étaient écoulés et le Prophète décida d'envoyer des émissaires vers le nord afin de s'assurer de la solidité des alliances établies et de la possibilité pour les musulmans de se rendre en Syrie pour entretenir leurs commerces. Quinze hommes furent envoyés et quatorze d'entre eux furent tués alors qu'au même moment, un autre émissaire, envoyé à Busra, était également intercepté et exécuté par un chef de la tribu des Ghassân. Il était clair que la menace s'amplifiait du côté de la Syrie et que ces assassinats d'émissaires pacifiques devaient obtenir réparation. Le Prophète décida d'envoyer une armée de trois mille hommes à la tête de laquelle il installa – à la surprise de beaucoup de compagnons – l'ancien esclave Zayd ibn Hâritha. Il précisa que si celui-ci devait être tué, le commandement incomberait à Ja'far ibn Abî Tâlib, récemment revenu d'Abyssinie, et si ce dernier devait mourir, alors 'Abd Allah ibn Rawâha prendrait sa succession.

Ils se mirent en route, et lorsqu'ils parvinrent à proximité de la Syrie, ils apprirent qu'une majorité de tribus arabes s'étaient unies et qu'elles étaient parvenues à obtenir le soutien des troupes impériales byzantines, ce qui portait leur nombre à plus de cent mille hommes. Avec trois mille hommes à disposition, les musulmans ne pouvaient rien espérer : une consultation eut lieu afin de décider s'il fallait retourner à Médine, envoyer un émissaire pour demander au Prophète du renfort, ou simplement aller de l'avant et mener le combat malgré la disproportion des forces en présence. Poussés par la confiance et la fougue de certains compagnons (au premier rang desquels se trouvait 'Abd Allah ibn Rawâha qui, sur la route, avait confié avoir pressenti sa mort en martyr), ils décidèrent d'aller de l'avant selon les premiers plans établis et sans rien en dire au Prophète. Ils arrivèrent à proximité de l'ennemi, l'observèrent, puis changèrent brusquement de route vers Mu'ta. Les troupes arabes et byzantines les poursuivirent, croyant qu'ils battaient en retraite. Arrivés vers Mu'ta, dont la topographie était plus favorable, Zayd commanda néanmoins à ses troupes d'attaquer subitement l'adversaire en cherchant l'effet de surprise. Cette stratégie ébranla un instant l'ennemi, mais ne suffit pas à renverser un rapport de forces si défavorable pour les musulmans. Zayd fut tué, puis son successeur Ja'far, puis enfin 'Abd Allah. Les troupes musulmanes étaient en déroute, et ce fut finalement Khâlid ibn al-Walîd qui prit le commandement des opérations, réunit les troupes musulmanes et leur permit de se protéger de toute nouvelle attaque. Ils avaient perdu huit hommes, avaient dû battre en retraite, et la défaite était certes au rendez-vous, mais Khâlid ibn al-Walîd avait réussi à limiter les dégâts et à éviter une confrontation qui aurait pu se solder par un massacre.

Les compagnons restés à Médine avec le Prophète vécurent une expérience particulièrement étrange. Ils savaient que celui-ci avaient des rêves et des visions qui se réalisaient bien souvent, ils le savaient inspiré, et ils avaient été témoins des Révélations qui lui parvenaient par fragments. Ils étaient donc habitués à ces dimensions étranges et surréelles de sa vie parmi eux. Il vint un jour à eux et, alors qu'aucun émissaire n'était revenu du nord et qu'aucune information ne leur était parvenue sur l'expédition, il se mit à leur narrer la bataille comme s'il avait été présent parmi les combattants. Les larmes aux yeux et avec une douloureuse émotion, il leur annonça la mort de Zayd, de Ja'far et de 'Abd Allah. Il salua l'exploit de Khâlid ibn al-Walîd, à qui il donna le surnom de « *sayf al-islâm* » (l'épée de l'islam), mais il ne pouvait cacher sa profonde tristesse à l'évocation des morts qui lui étaient si chers. Il se rendit auprès d'Asmâ', la femme de Ja'far et de ses enfants, pour leur annoncer la nouvelle et les consoler. Il se mit à pleurer avant d'avoir pu s'exprimer, et Asmâ' éclata en sanglots à l'annonce de la mort de son mari. Il se rendit ensuite auprès d'Um Ayman et d'Usâma et leur annonça la mort de Zayd, les yeux noyés de larmes : il l'avait aimé comme un fils, et sa famille lui était particulièrement chère. Alors qu'il venait de quitter leur demeure, la plus jeune fille de Zayd sortit de chez elle et se précipita dans les bras du Prophète, qui chercha à la consoler alors que lui-même avait le visage inondé de larmes et qu'il sanglotait. Un des compagnons, Sa'd ibn 'Ubâda, qui passait par là fut surpris par cette scène, et particulièrement par les larmes du Prophète, et il demanda à ce dernier des explications. Celui-ci lui répondit qu'il s'agissait d'« *un être qui aime et qui pleure son bien-aimé*[1] ». Le Prophète avait appris à ses compagnons à oser exprimer l'amour et la tendresse et, devant la mort et la séparation, il leur enseignait à cet instant la fragilité des hommes et la dignité des larmes qui expriment l'amour et la souffrance, la souffrance de ceux qui aiment.

Les combattants revinrent de Mu'ta sous la direction de Khâlid, et ils confirmèrent en tous points la vision qu'avait eue le Prophète. Les choses s'étaient passées comme il les avait racontées et les trois compagnons avaient été tués au combat. Pour l'ensemble de la communauté, ces visions et ce savoir étaient autant de signes de la prophétie de Muhammad. Il était singulier, agissait singulièrement, il possédait une intelligence et des qualités qui ne ressemblaient à celles de nul autre, et pourtant il restait humble, fragile et, comme eux, il pleurait.

La situation restait donc difficile au nord, et les tribus arabes pensaient certainement que la défaite des musulmans à Mu'ta pouvait être utilisée à leur avantage. Des bruits parvinrent à Muhammad lui indiquant que des tribus préparaient une expédition de grande envergure contre Médine. Il décida de mobiliser trois cents hommes sous la direction de 'Amr ibn al-'As – qui était lié par sa famille à quelques tribus du nord – afin qu'il aille étudier le terrain et lui dise ce qu'il en était, et il lui commanda d'établir des alliances avec autant de clans que possible. Il lui envoya deux cents hommes supplémentaires, car il apparaissait que l'adversité était plus forte que prévu. Il n'en fut rien néanmoins, et le convoi des musulmans put avancer dans les territoires syriens, consolider ses alliances et

1. Ibn Hishâm, *op. cit.*, vol. 5, p. 31.

en établir de nouvelles qui permettaient de sécuriser ce front jusqu'alors si aléatoire.

Rupture du pacte

Le pacte d'al-Hudaybiyya concernait la communauté de Médine et les Quraysh ainsi que tous leurs alliés. Les Khuzâ'a étaient les alliés de Muhammad, et l'un de leurs clans, les Banû Ka'b, fut traîtreusement attaqué de nuit par les Banû Bakr, alliés des Quraysh, qui tuèrent un de leurs hommes. Les Banû Ka'b envoyèrent immédiatement un émissaire au Prophète pour lui faire part de cette trahison. Il s'agissait d'une rupture du pacte, et Muhammad décida que ce crime ne devait point rester sans suite : il se devait de venir en aide à ses alliés de Khuzâ'a.

De leur côté, les Quraysh comprirent la gravité de la situation, et ils décidèrent d'envoyer leur homme le plus influent afin de persuader Muhammad de ne point réagir à cet acte isolé. Depuis la signature du pacte, les Quraysh n'avaient pourtant jamais cessé de jouer avec les termes et les limites du traité, et ils n'hésitaient jamais à inciter d'autres clans à s'en prendre à la communauté des musulmans pour les affaiblir, voire les attaquer. Cette fois, la limite avait été franchie, et c'est pourquoi Abû Sufyân en personne se rendit à Médine pour parlementer avec le Prophète. Celui-ci fut sec et garda ses distances : Abû Sufyân tenta de passer par l'intermédiaire de sa fille, Um Habîba, la femme du Prophète, puis de 'Alî, mais il ne trouva aucune possibilité de négocier. Le Prophète restait silencieux, de même que ses compagnons, et Abû Sufyân ne savait que penser de la situation.

Dans les semaines qui suivirent, le Prophète demanda aux musulmans de se préparer à une expédition dont il tint l'objectif secret. Seuls quelques proches savaient ce qu'il en était, et il leur demanda de faire courir plusieurs bruits contradictoires : il fallait laisser entendre que le convoi allait se diriger vers la Syrie, ou encore vers Thaqîf ou contre les Hawâzin. Le Prophète voulait que l'incertitude régnât dans l'ensemble de la péninsule, et il garda le silence sur ses intentions même pour la majorité de ses compagnons.

Après une invocation dans la mosquée, le Prophète eut une vision qui l'informait que le secret allait être trahi et qu'une femme se rendait auprès des Quraysh avec une missive leur annonçant une attaque imminente. Il fit intercepter cette femme alors qu'elle se dirigeait vers La Mecque, et elle remit le message aux émissaires de Muhammad. Ce dernier décida de pardonner au traître, Hâtib, qui avait donné la lettre à cette femme, et ce malgré le désir de 'Umar de l'exécuter : protégé par l'Unique, l'Envoyé restait bon et plein de largesses vis-à-vis des hommes. Hâtib, dont les motivations étaient d'ordre familial, resta libre (le Prophète ne prit aucune mesure contre lui), et Muhammad se concentra sur les préparatifs de guerre en envoyant des émissaires auprès de tous les clans alliés afin qu'ils se préparent à rejoindre les musulmans pour une expédition dont ils ne connaissaient point l'exacte destination.

L'expédition se mit en route pendant le mois du Ramadân, et le Prophète laissa d'abord les musulmans décider s'ils voulaient jeûner ou non. Il jeûna lui-même jusqu'au camp de Marr az-Zahrân où il exigea que l'on rompe le jeûne, car les soldats auraient besoin de toute leur énergie. Sur la route, il demanda à un musulman de faire en sorte qu'une portée de chiens, qu'il aperçut sur le bord de la route, soit protégée des piétinements de leur armée : il exprimait le souci de la vie, quelle qu'elle soit, et si la survie de quelques chiens pouvait paraître dérisoire aux yeux des musulmans à cet instant précis, il tenait à protéger les chiots de l'inconscience des soldats. Le camp de Marr az-Zahrân était situé à la croisée de plusieurs chemins : la destination pouvait bien encore être le Najd, vers l'est, ou encore Ta'if ou La Mecque. 'Abbâs, qui avait quitté La Mecque pour venir s'installer à Médine, eut vent du mouvement des musulmans et vint les rejoindre. Quand ceux-ci s'installèrent, le Prophète demanda à chaque soldat d'allumer un feu pour impressionner l'adversaire : dix mille feux furent ainsi allumés, qui faisaient croire à la présence d'une extraordinaire armée, puisque chaque feu était supposé satisfaire les besoins de cinq à dix soldats. Les Quraysh, comme les autres tribus craignant d'être attaquées, décidèrent d'envoyer des émissaires pour connaître les intentions du Prophète.

Du côté des Quraysh, ce fut Abû Sufyân qui, cette fois encore, vint trouver le Prophète accompagné de deux autres émissaires, Hakîm et Budayl, afin de le persuader de ne point attaquer La Mecque. Ils parlementèrent longtemps, mais comprirent que la détermination du Prophète était inébranlable. Ils observaient également les compagnons, leur comportement et l'atmosphère de sérénité qui se dégageait du camp. Hakîm et Budayl décidèrent de se convertir à l'islam, et Abû Sufyân affirma qu'il acceptait la première partie du témoignage (*« Il n'est de dieu que Dieu »*), mais qu'il demeurait en lui encore quelques doutes quant au statut de Muhammad : il désirait du temps avant de prononcer la seconde partie du témoignage (« *Muhammad est Son Envoyé*[1] »). Il passa la nuit au camp et, à la suite de la prière du matin, après avoir observé la dévotion des musulmans et leur comportement avec le Prophète, il décida, sur les conseils de 'Abbâs, de prononcer entièrement l'attestation de foi. Le Prophète savait que ce mouvement du cœur restait très fragile, et il demanda à 'Abbâs d'accompagner Abû Sufyân à l'extrémité de la vallée afin que celui-ci observe l'armée musulmane alors qu'elle passerait à proximité. Cette décision opéra son effet, et Abû Sufyân fut grandement impressionné par l'armée musulmane. Auparavant, 'Abbâs avait murmuré et rappelé au Prophète qu'Abû Sufyân aimait les honneurs, et il lui conseilla de ne point l'oublier. Muhammad, en psychologue, n'oublia pas ce conseil et lui fit savoir que toute personne qui, à La Mecque, chercherait refuge chez Abû Sufyân, ou dans le sanctuaire de la Ka'ba ou qui resterait simplement enfermée chez elle, serait protégée et aurait la vie sauve. Abû Sufyân se précipita à La Mecque avant que l'armée musulmane y parvienne et conseilla à tous (sous les moqueries de sa propre femme Hind – qui le traitait de fou et de lâche – et d'autres notables, comme 'Ikrima, fils d'Abû Jahl, qui l'insultaient) de se rendre et de ne pas opposer de résistance à l'extraordinaire armée du Prophète.

Muhammad avait transformé Abû Sufyân en allié objectif de son opération. Non seulement parce que celui-ci s'était converti à l'islam, mais aussi parce qu'il avait su être à l'écoute de son caractère et de sa

1. *Ibid.*, p. 59.

personnalité. Abû Sufyân avait d'abord reconnu Dieu, mais il répugnait à accorder un statut particulier à un homme qu'il avait combattu et qu'il considérait comme son égal. Muhammad l'avait compris et n'avait rien précipité en lui donnant le temps d'observer et de comprendre par lui-même. Alors même qu'il était entré en islam, le Prophète savait qu'il demeurait en lui cette attirance pour le pouvoir et la gloire, et il en tint compte lorsqu'il exposa Abû Sufyân à la force de son armée et lui octroya un rôle singulier quant à la possible résolution du conflit. Muhammad affirmait les principes communs et savait tenir compte des caractères particuliers : il avait pour mission de réformer ces derniers par les premiers, mais il n'était jamais question pour lui de négliger les tempéraments, les aspirations et les spécificités qui façonnaient la personnalité de chacun. Son message imposait les principes de l'égalité de tous dans la justice, en même temps que la psychologie de la différence et de la singularité de chacun dans la foi.

Retour

La majorité des traditionnistes rapportent que l'entrée à La Mecque eut lieu le 20 ou le 21 du mois du Ramadân de l'année 630 (8e année de l'Hégire). Muhammad avait divisé son armée en sections qui encerclaient la ville et qui, ensemble, firent route vers le centre de la cité. Quelques groupes des Quraysh se postèrent sur les collines avec à leur tête Suhayl, 'Ikrima et Safwân, mais, après les premières confrontations, ceux-ci se rendirent compte qu'il était inutile de résister : Suhayl se réfugia chez lui et ses deux compères s'enfuirent. Le Prophète avait exigé que tout conflit ou bataille soit évité en ce jour qu'il appela *« le jour de la miséricorde*[1] *»*.

Quelque huit ans plus tôt, le Prophète avait quitté La Mecque en cachette, mais la tête haute et digne, alors qu'il était victime des persécutions et qu'il était obligé de fuir son peuple. Aujourd'hui, il revenait à La Mecque, à la lumière du jour, en vainqueur, mais, cette fois, il était prosterné sur sa monture en guise de remerciement envers l'Unique et il récitait les versets de la sourate de « La victoire » (*al-Fath*) :

> *En vérité, Nous t'avons accordé une victoire éclatante. Afin que Dieu te pardonne tes péchés, passés et futurs, qu'il parachève sur toi Son bienfait et te guide sur la voie droite, et que Dieu t'octroie un puissant secours. C'est Lui qui a fait descendre la quiétude dans les cœurs des croyants afin qu'ils ajoutent une foi à leur foi*[2]*...*

Il pénétra dans La Mecque en exprimant la plus haute humilité et demanda à ce que l'on fasse preuve de la plus grande bonté envers ces anciens ennemis. Il fit ses grandes ablutions et pria huit cycles de prières rituelles surérogatoires avant de se reposer quelques heures. Il enfourcha ensuite Qaswâ' et se rendit à proximité du sanctuaire de la Ka'ba, fit les sept tournées puis, à l'aide de son bâton, il détruisit les idoles en les renversant à terre et en répétant le verset coranique : *« La Vérité est venue et l'erreur s'est dissipée.*

---

1. *Ibid.*, p. 66.
2. Coran, 48, 1-4.

Certes l'erreur était destinée à se dissiper[1]. » Il se fit apporter les clefs du sanctuaire et exigea que toutes les images fussent effacées afin de réconcilier la « Maison de Dieu » avec son essence, qui était de célébrer le culte de l'Unique que l'on ne représente point et qui ne peut être associé à aucune image : « *Rien ne Lui est semblable, et Il est le Très Audient et le Très Clairvoyant*[2]. »

Ce geste de destruction du Prophète était apparemment l'exacte antithèse de ce qu'il avait eu l'habitude de faire en quittant La Mecque, puisque alors il faisait construire des mosquées – vierges de toutes images – pour marquer l'espace sacré du culte du Dieu unique. Sur le plan du message spirituel, ce geste était néanmoins exactement de même essence car, en brisant les idoles déposées dans et à proximité de la Ka'ba, il détruisait ce qui était venu, siècle après siècle, pervertir le culte du Transcendant, et il transformait ainsi la Ka'ba en une vraie « mosquée » (*masjid*, où l'on se prosterne) dans laquelle désormais seul l'Un allait être adoré.

Peu à peu, les Quraysh sortaient de chez eux et se massaient dans l'enceinte du sanctuaire. Après avoir détruit les idoles, le Prophète s'exclama : « *Il n'y a d'autre dieu que Dieu, l'Unique qui n'a point d'associé, Il a accompli Sa promesse, a porté secours à Son serviteur et a mis en déroute les clans ennemis, Lui seul* [a fait cela][3]. » Puis il se tourna vers les Quraysh, leur parla des règles de l'islam et récita le verset : « *Ô vous les Hommes ! Nous vous avons créés d'un mâle et d'une*

1. Coran, 17, 81.
2. Coran, 42, 11.
3. Ibn Hishâm, *op. cit.*, vol. 5, p. 73.

femelle, et Nous vous avons répartis en peuples et en tribus, pour que vous vous entre-connaissiez. En vérité, le plus noble d'entre vous auprès de Dieu est celui dont la conscience de Dieu [la piété] *est la plus profonde. Dieu est Omniscient et le Bien informé*[1]. » Il leur demanda ensuite ce qu'« *ils pensaient qu'il allait faire d'eux*[2] ». Ils lui répondirent qu'en tant que « *noble frère, fils d'un noble frère*[3] », il allait sûrement les traiter avec bonté. Sur ce, le Prophète récita le verset qui ponctue l'histoire de Joseph lors des retrouvailles avec ses frères qui avaient voulu le tuer : « *Il ne vous sera fait ce jour ni blâme ni reproche. Dieu vous pardonne, Il est le plus Miséricordieux des Miséricordieux*[4] », puis il s'exclama : « *Allez ! Vous êtes libres*[5] *!* » Le Prophète offrit son pardon à toutes celles et tous ceux qui se présentèrent à lui ou à un compagnon. Hind, la femme d'Abû Sufyân, qui avait mâché le foie de Hamza, vint à lui, comme Suhayl, puis Safwân, et tant d'autres membres des Quraysh qui l'avaient persécuté puis combattu. Wahshî ibn Harb, qui avait tué Hamza, fut également pardonné, mais le Prophète lui demanda d'éviter désormais de se présenter devant lui. De nombreux Quraysh se convertirent à l'islam sur le mont as-Safâ' auprès de 'Umar : quelques années auparavant, le Prophète avait été traité de menteur dans ce même lieu. Lorsque 'Ikrima ibn Abî Jahl s'approcha du Prophète, ce dernier avertit ses compagnons : « *'Ikrima, le*

---

1. Coran, 49, 13.
2. Ibn Hishâm, *op. cit.*, vol. 5, p. 74.
3. *Ibid.*
4. Coran, 12, 92.
5. Ibn Hishâm, *op. cit.*, vol. 5, p. 74.

fils d'Abû Jahl, vient à vous en croyant. N'insultez point son père, car insulter les morts blesse les vivants sans atteindre les morts. » Il leur rappelait ainsi non seulement de pardonner, mais également de ne jamais oublier que nul ne peut être tenu pour responsable des fautes d'un autre, fût-ce de son père, selon le sens du verset coranique : « *Nul ne portera le fardeau d'un autre*[1]. » La prudence était de rigueur, en même temps que la grandeur d'âme.

Le Prophète resta quinze jours à La Mecque, et la situation commençait à se normaliser. Il envoya des expéditions pour s'assurer de la solidité des alliances avec les tribus alentour et de la fin du culte des idoles pour ceux qui avaient annoncé qu'ils acceptaient l'islam. Khâlid ibn al-Walîd s'était vu confier une mission auprès des Banû Jadhîma qui finirent par se rendre mais il décida, contre l'avis de 'Abd ar-Rahmân ibn 'Awf, d'exécuter les prisonniers vis-à-vis desquels il semblait avoir un ressentiment particulier. Il en abattit certains puis s'arrêta devant l'insistance de 'Abd ar-Rahmân, qui lui signifiait que ses agissements étaient motivés par d'autres intentions que la foi en Dieu et la justice. Le Prophète fut très en colère quand il apprit le comportement de Khâlid. Il décida de payer le prix du sang pour chacun des morts et il ne cessa de répéter à voix haute : « *Ô Dieu, je suis innocent de ce qu'a fait Khâlid ibn al-Walîd !*[2] »

Le chemin de l'éducation des cœurs et des consciences était encore long. D'anciennes habitudes et de vieux sentiments affleuraient à la surface des

---

1. Coran, 17, 15.
2. Ibn Hishâm, *op. cit.*, vol. 5, p. 96.

comportements et prenaient encore possession des émotions parmi les musulmans de Médine et de La Mecque. L'entrée en masse des Mecquois dans la religion musulmane nécessitait de fait un surcroît d'engagement dans l'éducation religieuse. Le Prophète demanda à Mu'âdh ibn Jabal de s'occuper de cela prioritairement : il fallait éduquer les nouveaux convertis et leur enseigner les principes de leur nouvelle religion. L'unité dans l'adversité qui avait prévalu jusqu'alors était une conquête paradoxalement plus aisée somme toute que l'unité dans la foi, l'amour et le respect qui devait s'établir désormais alors qu'il n'y avait plus d'ennemis d'envergure dans la région.

Le Prophète était revenu au lieu d'origine de sa mission. Il avait connu la persécution, puis l'exil, puis la guerre, et il revenait à la source dans la paix et auréolé par la victoire. Plus que le chemin physique d'une vie, il s'agissait du parcours initiatique d'un cœur et d'une conscience qui ont vécu les étapes du grand *jihâd*, qui mène l'homme de la tension naturelle des passions à la paix de l'éducation spirituelle. Il était parti pour revenir, *différent* par l'intensité de ses efforts et de sa patience, et pourtant *semblable* à lui-même, fidèle aux exigences du même message. En partant, il avait prié l'Un, assuré qu'il ne pouvait que revenir, un jour, prier au pied de la Maison de l'Un. Ainsi avait-il quitté La Mecque comme l'être humain s'engage dans le voyage de sa vie, intimement persuadé qu'un jour ou l'autre, il aura à revenir à l'origine, au centre, à proximité de son cœur. Pour y retrouver la source de Vie, le souffle du Divin.

14

CHEZ SOI, LÀ-BAS

Le Prophète était revenu à La Mecque en vainqueur, et il avait fait preuve d'une bonté qui avait surpris jusqu'à ses plus farouches adversaires. Alors que certains l'avaient insulté, combattu, et étaient allés jusqu'à tuer des membres de sa famille et ses compagnons les plus chers, il leur offrait son pardon, l'oubli du passé et la protection. Le Coran avait parlé de ceux « *qui ont été injustement expulsés de leurs demeures simplement parce qu'ils disaient : "Dieu est notre Seigneur"*[1] », et la Révélation annonçait déjà que ces mêmes persécutés, une fois victorieux, se distingueraient par leur dignité humaine et leur comportement, car « *ce sont ceux qui, si Nous leur accordons le pouvoir* [si Nous consolidons leur position sur la terre], *accomplissent la prière, paient la taxe sociale purificatrice* (zakât), *ordonnent le bien, interdisent le mal*[2] ».

Le Messager fut l'exemple vivant de cette noblesse. Il ne manifesta aucun intérêt pour la vengeance, la

1. Coran, 22, 40.
2. Coran, 22, 41.

richesse ou le pouvoir. Il entra, prosterné, à La Mecque, alla prier dans le sanctuaire de la Ka'ba, détruisit les idoles (dans un geste qui rappelait celui d'Abraham), multiplia les invocations qui exprimaient sa confiance en Dieu l'Unique et ses remerciements, puis établit enfin la paix dans la cité de La Mecque.

Hunayn

Muhammad était conscient qu'il fallait encore faire face à un certain nombre de dangers qui menaçaient la communauté musulmane. Toutes les tribus n'avaient point reconnu l'autorité du Prophète, et certains pensaient qu'il était l'heure de le renverser. Des rumeurs persistantes indiquaient que les tribus des Hawâzin et leurs alliés avaient rassemblé plus de vingt mille hommes à l'est de La Mecque et s'apprêtaient à attaquer les musulmans. Le Prophète envoya des éclaireurs qui confirmèrent la véracité de ces bruits ; il fallait donc se préparer au plus vite. Tous les musulmans qui étaient venus de Médine furent mobilisés, et deux mille Qurayshites s'ajoutèrent à ce nombre[1]. Muhammad se mit donc en route à la tête de douze mille hommes – la plus grande armée qu'il ait jamais commandée – et d'aucuns, à l'instar d'Abû Bakr, exprimèrent une fière assurance quant à leur nombre et à leur probable victoire[2], ce qui déplut au Prophète.

L'armée des Hawâzin était dirigée par un jeune guerrier du nom de Mâlik ibn 'Awf an-Nasrî, qui avait déjà

1. La plupart de ces Mecquois s'étaient récemment convertis, mais d'autres, comme Suhayl ou Safwân, combattirent auprès des musulmans à Hunayn sans avoir accepté l'islam.
2. Ibn Hishâm, *op. cit.*, vol. 5, p. 111 (note 1) et p. 128.

acquis une solide réputation dans la péninsule. Il avait demandé à ses soldats de se faire accompagner de leurs femmes et de leurs enfants afin d'impressionner l'ennemi par le nombre et de galvaniser les troupes. Il se rendit dans la vallée de Hunayn, par laquelle les musulmans venant de La Mecque devaient nécessairement passer et, à la faveur de la nuit tombante, il posta un grand nombre de ses soldats dans les ravins sur les deux côtés de la vallée. Ceux-ci étaient invisibles depuis cette dernière, mais il déploya le reste de l'armée en face du défilé, de sorte que les soldats faisaient face aux musulmans qui arrivaient du fond de la vallée et étaient ainsi, et volontairement, parfaitement visibles. Ils avançaient dans la lumière du petit matin quand, tout à coup, Mâlik donna l'ordre aux soldats cachés dans les ravins d'attaquer l'armée du Prophète par les deux flancs. L'effet de surprise fut total, et Khâlid ibn al-Walîd, qui était à l'avant-garde, ne put contenir cette charge : la débandade fut générale, les guerriers musulmans cherchèrent à se protéger, battirent en retraite dans une grande confusion. Coincés dans les parties étroites du défilé, ils voyaient s'amplifier parmi eux l'effet de panique. Le Prophète, un peu à l'arrière, dans un espace plus ouvert, observa cette déroute. Il réunit immédiatement ses compagnons les plus proches et se mit à appeler les musulmans avec l'aide de 'Abbâs, dont la voix portait davantage que la sienne. Tous deux s'exclamèrent : *« Ô compagnons de l'arbre, ô compagnons de l'acacia ! »* afin de rappeler aux combattants leur serment d'allégeance au moment du pacte d'al-Hudaybiyya. Peu à peu, ceux-ci comprenaient ce qui se passait et répondaient à l'appel du Prophète : *« Labbayk !*

Labbayk ! » (« Nous voici ! Nous voici ![1] ») Ils étaient de plus en plus nombreux à venir le rejoindre et à se réorganiser pour contre-attaquer.

Le Prophète se fit donner quelques pierres et, comme à Badr, il les lança en direction des Hawâzin, puis il invoqua Dieu : *« Ô Dieu, je Te demande de tenir Ta promesse. »* Les musulmans se mirent alors à avancer sur l'ennemi avec une telle fougue que les soldats de Mâlik furent totalement stupéfaits : ils ne pouvaient s'attendre à une contre-attaque aussi brusque et massive. Parmi les musulmans se trouvait une femme, Um Sulaym ar-Rumaysâ', qui s'était engagée dans la lutte avec son mari et faisait preuve d'une détermination partagée par tous[2]. C'étaient leurs ennemis qui étaient désormais dans l'obligation de reculer puis de fuir. Les troupes musulmanes les poursuivirent, et Mâlik finit par se réfugier dans la ville de Tâ'if chez les Banû Thaqîf, tandis que d'autres durent se cacher dans les montagnes. Ils avaient perdu beaucoup d'hommes, et la défaite était cuisante après un retournement de situation aussi inattendu qu'extraordinaire. La Révélation rappellera plus tard aux musulmans les étapes et les différents états (factuels, émotionnels ou spirituels) de ce combat :

> *Dieu vous a déjà secourus dans bien des endroits* [dans bien des situations de guerre]. *Et* [souvenez-vous] *le jour de Hunayn, quand vous étiez fiers de votre grand nombre et que cela ne vous a servi à rien. La terre malgré son étendue, vous devint bien étroite.*

1. *Ibid.*, p. 113.
2. *Ibid.*, p. 114.

Puis vous avez tourné le dos en fuyards. Dieu a alors fait descendre Sa quiétude (sakîna) [Son Esprit] *sur Son Messager et sur les croyants*[1].

La victoire, malgré une perte importante d'hommes, était totale, et le butin amassé particulièrement copieux. Le Prophète fit organiser la reddition, plaça ensemble les femmes et les enfants et demanda à ce qu'on les surveille et les entretienne de la meilleure des façons. Il fit également garder les montures et les richesses sans d'abord les distribuer. Il ne perdit pas de temps et mobilisa immédiatement ses hommes pour se rendre à Tâ'if chez les Banû Thaqîf, où Mâlik s'était réfugié, et qui semblait être le dernier bastion sérieux de résistance dans la région. Ces derniers étaient néanmoins bien équipés en vivres et en armes : l'armée musulmane fit le siège de leur forteresse, mais il apparut clairement qu'elle ne parviendrait point à les déloger au moyen de cette stratégie. Après deux semaines, les musulmans décidèrent de lever le camp et de s'en retourner à Ji'râna, où se trouvaient les prisonniers et le butin de Hunayn.

Butins

Les femmes et les enfants qui avaient été faits prisonniers avaient été maintenant placés dans un vaste enclos protégé du soleil, et ils avaient été normalement nourris jusqu'au retour du Prophète. Quand ce dernier revint et qu'il vit que la majorité d'entre eux étaient assez misérablement vêtus, il exigea que l'on

1. Coran, 9, 25-26.

prît de l'argent du butin et que l'on achetât au marché un vêtement neuf pour chaque prisonnier. Il décida ensuite de partager le butin, mais en ne répartissant point les prisonniers devenus captifs de guerre, car il pensait que les Hawâzin ne manqueraient pas d'envoyer une délégation pour demander qu'ils leur soient remis.

Il commença donc la distribution des biens et, à la surprise des *Ansâr*, il remit aux Quraysh, au premier rang desquels Abû Sufyân et Hakîm (le neveu de Khadîdja), qui venaient de se convertir à l'islam, une part importante du butin. Il en fit de même pour Safwân et Suhayl, qui avaient tous deux combattu à Hunayn, mais qui hésitaient encore à se convertir. La Révélation avait recommandé au Prophète de garder une partie du butin *« à l'intention de ceux dont les cœurs doivent être ralliés* [affermis dans la foi][1] *»* : il ne s'agissait point d'un moyen de conversion mais, bien plutôt, d'affermir par un don matériel une foi qui, s'étant plus ou moins déjà exprimée, restait néanmoins fragile. Le Prophète savait que Safwân et Suhayl étaient sensibles à la foi et qu'ils s'étaient battus avec bravoure aux côtés des musulmans : il leur fit don de biens en nombre et n'exigea pas leur conversion. C'est son attitude pleine de pardon lors de la conquête de La Mecque, puis son courage et sa détermination durant la guerre, et, enfin, sa générosité après la bataille qui finirent par les convaincre qu'ils avaient bien affaire à un Prophète. Quant à Abû Sufyân, le Prophète savait, nous l'avons vu, combien la reconnaissance sociale et les honneurs étaient importants à ses yeux : Muhammad ne l'oublia

1. Coran, 9, 60.

pas et le conforta dans son statut. Hakîm, de son côté, manifesta quelque fierté lorsqu'il reçut sa part de butin : elle était importante, et il semblait se réjouir du gain matériel beaucoup plus que de toute autre chose. Muhammad accompagna ce don d'un enseignement spirituel essentiel, en lui rappelant de résister à l'orgueil de celui qui possède et en ajoutant : « *La main du haut est meilleure que la main du bas*[1]. » Il lui signifiait ainsi que la générosité de celui qui possède, son souci du pauvre, le don qu'il doit faire de soi et de ses biens est, spirituellement, un statut plus noble que celui de l'individu qui simplement reçoit ou qui mendie. Il lui conseilla enfin de donner de ses biens aux siens et à tous ceux qui dépendaient de lui : il lui apprit à recevoir plus dignement, pour donner plus humblement.

Sept jours s'étaient déjà écoulés et les Hawâzin ne s'étaient pas manifestés pour demander que leur soient remis les femmes et les enfants. Pensant qu'ils ne viendraient plus, Muhammad décida de répartir les captifs entre les musulmans de Quraysh (qui reçurent cette fois encore un nombre plus important de captifs) et les *Ansâr* de Médine. À peine avait-il terminé la répartition qu'une délégation des Hawâzin se présenta à lui. Le Prophète leur expliqua qu'il les avait attendus, qu'il avait déjà procédé à la répartition, mais qu'il allait intercéder en leur faveur en demandant à ceux qui le voulaient de restituer leurs prisonniers. Après quelques hésitations, tous les combattants les remirent à la délégation des Hawâzin. Au moment de partir, le Prophète s'enquit du destin de Mâlik, leur chef, et on l'informa qu'il s'était réfugié chez les Banû Thaqîf. Il leur

1. *Hadîth* rapporté par al-Bukhârî et Muslim.

transmit un message à son intention : s'il venait à lui en tant que musulman, sa famille lui serait remise, ainsi que tous ses biens et une centaine de chameaux[1]. Tout se passa comme si le Prophète avait déjà sondé le cœur de Mâlik lorsqu'il lui avait fait face à Hunayn : dès que ce dernier entendit l'offre du Prophète, il s'échappa de la forteresse de Tâ'if, de nuit, et vint à la rencontre de Muhammad, devant lequel il prononça immédiatement l'attestation de foi. À peine était-il entré dans l'islam que le Prophète lui témoigna une incroyable confiance. Il le mit à la tête de tous les Hawâzin qui s'étaient déjà convertis à l'islam, en leur commandant de se rendre à Tâ'if et de mettre un terme à la résistance des Banû Thaqîf. Les Hawâzin se mirent en route sur-le-champ : Mâlik, qui, moins d'un mois auparavant, avait failli causer la perte de l'armée de Muhammad, se trouvait désormais converti à l'islam et à la tête d'une expédition musulmane chargée de renverser ses anciens alliés. La confiance que lui avait témoignée le Prophète était peu ordinaire, mais les jours puis les années donnèrent raison à son intuition et Mâlik, non seulement accomplit sa mission avec succès, mais demeura fidèle, et profondément spirituel, dans son attachement à l'islam.

Les *Ansâr* avaient observé avec quelque stupéfaction l'attitude du Prophète car, au bout du compte, la quasi-totalité du butin avait été distribuée aux gens de Quraysh. D'aucuns commencèrent à exprimer publiquement leur déception, voire leur désapprobation : il leur apparaissait que Muhammad privilégiait les siens et qu'après avoir eu besoin des Médinois, son cœur

1. Ibn Hishâm, *op. cit.*, vol. 5, p. 166.

penchait maintenant pour son peuple. Sa'd ibn 'Ubâda vint à lui en tant qu'émissaire des *Ansâr* et lui exposa leurs griefs : le Prophète l'écouta et lui demanda de rassembler tous les Auxiliaires afin qu'il puisse s'adresser à eux[1]. Il leur tint un discours sur leur dette respective car enfin, leur dit-il, ils lui devaient d'avoir été guidés comme il leur devait d'avoir trouvé un refuge alors qu'il était persécuté. Muhammad déclara qu'il n'oubliait rien de cela, et il leur demanda de ne pas être perturbés par la distribution des biens qui, au fond, était destinée à affermir la foi de certains. Ni plus ni moins. Il ne fallait surtout pas qu'ils mesurent son amour pour eux à l'aune de la quantité de butin qu'ils avaient reçue. Leur amour des biens de ce monde leur avait fait oublier le sens du véritable amour pour Dieu, en Dieu, au-delà des richesses et de la vie d'ici-bas. Les Qurayshites repartaient avec un butin, des moutons et des chameaux, alors que les *Ansâr* s'en retourneraient avec le Prophète qui avait décidé de s'établir auprès d'eux, à Médine, sa cité d'adoption. Et il ajouta : « *Si tous les hommes prenaient un chemin et que les* Ansâr [auxiliaires] *en prenaient un autre, je prendrais le chemin des* Ansâr[2]. » L'émotion était intense, et beaucoup parmi les Auxiliaires se mirent à pleurer, car ils comprenaient combien ils s'étaient mépris sur l'attitude du Prophète et sur l'interprétation des signes de sa loyauté. Sa présence était signe de son amour, alors que les biens qu'il avait distribués étaient simplement la preuve qu'il savait que certains cœurs étaient encore attachés aux illusions de ce monde.

1. *Ibid.*, p. 176.
2. *Ibid.*, p. 177.

Le Prophète décida de quitter Ji'râna et d'effectuer le petit pèlerinage avant de retourner à Médine. Muhammad avait choisi de ne point s'établir à La Mecque, sa ville natale, mais de s'en retourner avec les *Ansâr*. Médine, la ville de son exil, était devenue sa ville. Il y avait trouvé refuge, il y avait établi sa demeure et la mosquée, et avait fait sienne cette cité dont la culture et les habitudes étaient pourtant bien différentes de celles de La Mecque, où il avait vécu près de cinquante-deux ans avant de se voir obligé de la quitter. Il s'était intégré à son nouvel environnement en observant et en respectant les us et coutumes de ses habitants, leur psychologie et leurs espérances puis, peu à peu, il avait lui-même intimement intégré ces dimensions devenues constitutives de sa personnalité : il était devenu Médinois, et il aimait les *Ansâr* d'un profond amour spirituel qui transcendait les appartenances tribales, claniques ou culturelles.

Le Prophète s'était de nouveau installé à côté de la mosquée. Il poursuivait ses enseignements quand il eut la surprise de voir venir à lui le poète Ka'b ibn Zuhayr, celui-là même qui avait utilisé ses talents d'écriture pour se moquer de lui et ridiculiser ses prétentions d'« Envoyé de Dieu ». Ka'b s'était depuis quelque temps clandestinement installé chez une connaissance de Médine et observait la vie quotidienne des musulmans. Il savait que sa vie pouvait être en danger et que, si des compagnons l'identifiaient, ils n'hésiteraient pas à le tuer. Il avait entendu que le Prophète pardonnait à qui se présentait à lui, quels que soient son passé et la gravité de son comportement. Un matin, après la prière de l'aube, il se rendit auprès du Prophète et lui demanda s'il pardonnerait à Ka'b ibn Zuhayr si celui-ci venait à lui. Le Prophète lui répondit par l'affirmative, et Ka'b déclina alors son identité. L'un des *Ansâr* se précipita sur lui dans l'intention de le tuer, mais le Prophète le retint et lui dit que Ka'b, venu à lui repentant, n'était plus le même. Le poète récita alors au Prophète quelques vers dont le contenu exprimait le respect, l'amour, en même temps qu'il s'agissait d'une demande de pardon. Muhammad fut profondément ému en écoutant ce poème, et lorsque Ka'b eut terminé sa récitation, il l'enveloppa de sa tunique afin d'exprimer non seulement qu'il lui avait pardonné, mais qu'il lui rendait hommage pour la maîtrise de son verbe poétique. Muhammad avait le goût de l'esthétique et il aimait l'éloquence autant que la musicalité de la langue : le vers poétique qui exprimait le beau, qui traduisait la profondeur des sentiments et de la spiritualité, la grâce de l'Un autant que l'amour des êtres faisait partie de son univers naturel, de son horizon culturel le plus profond. Cet art, cette spiritualité du verbe, fut, tout au long de sa vie, une façon de dire les profondeurs de l'être dans l'espoir de s'élever naturellement vers l'Être.

Tabûk

Mâriya avait donné naissance à Ibrahîm, et le Prophète avait manifesté une joie particulière lors de l'annonce de sa naissance. Il organisa un repas, puis l'enfant, comme c'était la coutume, fut confié à une nourrice au nord de la ville de Médine. Pendant toutes ces semaines, le Prophète venait très régulièrement rendre visite à son fils. La vie à Médine était désormais bien plus calme, même s'il fallait encore organiser quelques expéditions dans la région. Il fallait notamment veiller à ce que les tribus converties à l'islam n'entretiennent pas les sanctuaires destinés aux idoles et ne versent pas dans un syncrétisme auquel le Prophète s'était toujours opposé. Il le combattait de façon plus déterminée encore, comme nous l'avons vu, après que la Révélation lui eut commandé de dire à ses opposants ou à ceux qui niaient la vérité de l'islam : *« À vous votre religion, à moi la mienne*[1]. *»*

Les mois passaient, et l'annonce de la victoire des Byzantins sur les Perses eut un effet particulier sur les musulmans, car la Révélation avait prédit cette victoire quelques années avant les événements. En effet, dans la sourate révélée avant l'Hégire, « Les Romains » (*ar-Rûm*), il est fait mention d'une défaite (qui avait donc eu lieu avant leur départ de La Mecque), puis d'une victoire qui allait se réaliser *« dans quelques années »* (*fî bid'i sinîn*[2]) :

> *Les Byzantins ont été vaincus, dans la contrée voisine, et après leur défaite, ils seront les vainqueurs ; dans quelques années. La décision finale, avant comme après, appartient à Dieu et, ce jour-là, les croyants se réjouiront du secours de Dieu qui accorde la victoire à qui Il veut. Il est certes le Tout Puissant, l'Infiniment Bon*[3].

Non seulement la Révélation coranique se voyait confirmée par les faits, mais l'annonce du recul des

1. Coran, 109, 6.
2. Le mot arabe *« bid' »* exprime une période de temps allant de trois à neuf ans.
3. Coran, 30, 2-5.

Perses laissait présager de possibles accords avec les chrétiens du nord. Les musulmans allaient s'en rendre compte après quelques semaines seulement car, dans l'immédiat, les nouvelles qui provenaient du nord étaient plutôt alarmantes : tout portait à croire que les armées byzantines de Héraclius s'étaient alliées aux tribus arabes et qu'ils préparaient ensemble une attaque massive contre « Muhammad, le nouvel Empereur des Arabes ». Il fallait donc réagir tout de suite, et l'enjeu était tellement important et l'expédition tellement périlleuse que pour la première fois le Prophète indiqua sa destination à l'ensemble des compagnons. Ils devaient se rendre dans le nord de façon préventive pour empêcher l'avancée des troupes ennemies et, le cas échéant, les surprendre sur leur propre territoire. La saison n'était point favorable, et l'armée allait devoir supporter les grandes chaleurs jusqu'à son arrivée dans le nord. La mobilisation fut générale, et le Prophète demanda aux compagnons de contribuer du plus qu'ils pouvaient afin de couvrir les frais de l'expédition. 'Umar remit la moitié de sa fortune et comprit comme une leçon d'abnégation le geste d'Abû Bakr qui, lui, mit toute sa fortune à la disposition du Prophète. 'Uthmân se distingua de la même façon en pourvoyant de montures la moitié des cavaliers. Tous les chameaux et tous les chevaux furent réquisitionnés, mais ils ne suffisaient pas à couvrir les besoins de tous les cavaliers. Le Prophète dut refuser à quelques compagnons leur participation à l'expédition, et certains en pleurèrent, tant ils la supposaient cruciale. La puissance annoncée de l'ennemi était telle que la survie de la communauté était clairement en jeu. L'armée se mit en route à la fin de l'année 630

(9e année de l'Hégire) : les hommes étaient au nombre de trente mille et le Prophète en prit la tête. Il demanda à 'Alî de rester auprès de sa famille : celui-ci fut moqué par les hypocrites, ce qu'il ne supporta pas, et il alla finalement rejoindre l'armée à son premier campement. Le Prophète le renvoya néanmoins, et lui demanda d'être pour lui comme Aaron pour son frère Moïse lorsqu'il demeura le gardien de son peuple pendant son absence.

La chaleur, comme prévu, était intense, et l'avancée vers le nord était très éprouvante. Pendant ce temps, quatre fidèles compagnons du Prophète avaient préféré rester à Médine, pressentant les difficultés du voyage. L'un deux, Abû Khaythama, eut de profonds remords et décida, après une dizaine de jours, de rejoindre l'expédition. Il y parvint lorsque celle-ci avait déjà établi son camp à Tabûk. Le Prophète fut particulièrement heureux de le voir venir, tant il avait été attristé par la défection des quatre compagnons qui ne pouvait être interprétée que comme de la lâcheté ou de la trahison. Abû Khaythama se fit pardonner lorsqu'il expliqua au Prophète ses remords et le besoin impératif qu'il avait ressenti de rejoindre l'armée. Ce ne fut pas le cas des trois autres croyants, parmi lesquels se trouvait le fidèle Ka'b ibn Mâlik : ils n'apparurent point et firent le choix de s'occuper de leurs affaires à Médine[1].

L'armée musulmane resta vingt jours à Tabûk mais, peu à peu, il apparaissait que les rumeurs d'attaques venant du nord étaient infondées. Aucune tribu n'était sur le pied de guerre, et il n'y avait nulle trace de

---

1. Ibn Hishâm, *op. cit.*, vol. 5, p. 214.

présence byzantine dans la région. L'expédition, quoique très éprouvante, n'allait cependant pas s'avérer inutile. Le nombre imposant de soldats fit impression dans toute la péninsule, et les tribus du nord comprirent quelle était la capacité de mobilisation du Prophète en même temps que son incroyable mobilité. Depuis Tabûk, le Prophète en profita pour établir des alliances avec une tribu chrétienne et une autre juive. Ces dernières gardaient leur religion respective et acceptaient de payer une taxe (*jizya*) en échange de leur protection qui, en cas d'agression, serait désormais assurée par la communauté musulmane. Ainsi, la *jizya* était entendue comme une taxe militaire collective, prélevée auprès de tribus qui n'avaient pas à s'engager militairement aux côtés des musulmans mais dont la contrepartie était l'obligation, pour l'autorité musulmane, d'assurer leur défense, leur protection et leur survie le cas échéant[1]. Depuis Tabûk, Muhammad envoya Khâlid ibn al-Walîd plus au nord encore pour faire le siège d'une forteresse chrétienne et établir une alliance similaire, dans le but de sécuriser la route menant vers l'Iraq et la Syrie. Toutes ces opérations furent couronnées de succès, et le Prophète regagna Médine avec l'armée musulmane.

À son retour, il apprit la mort de sa fille Um Kulthûm. Sa tristesse fut profonde, de même que celle de 'Uthmân ibn 'Affân, qui perdait ainsi sa seconde

1. 'Umar ibn al-Khattâb l'entendra exactement ainsi quelques années plus tard lorsque, devenu Calife, il rendra à des tribus chrétienne et juive la totalité de la taxe (*jizya*) prélevée en annonçant à leur chef, avant le début d'un conflit, qu'il était dans l'impossibilité d'assurer leur protection.

épouse (il avait épousé deux des filles du Prophète). Ce dernier exigea que les trois musulmans qui étaient restés en arrière ne se présentent pas devant lui et qu'aucun compagnon ne leur adresse la parole jusqu'à ce que Dieu décidât de leur sort. Ce n'est qu'après cinquante jours qu'une Révélation vint annoncer leur pardon : « *Lorsque la terre, malgré toute son étendue, se fut resserrée pour eux et lorsque leur âme se fut resserrée, et qu'ils eurent compris qu'il n'est de refuge contre Dieu qu'en Dieu, Il se tourna vers eux afin qu'ils puissent se tourner vers Lui dans leur repentir*[1]. » Lorsqu'il apprit la nouvelle, Ka'b demanda au Prophète, dont le visage était alors jovial et lumineux, si ce pardon provenait de lui ou de Dieu, et le Prophète lui indiqua qu'il s'agissait d'une Révélation. Ce pardon avait été accueilli avec joie par tous les compagnons qui s'étaient obligés à boycotter leurs trois frères : il était fort d'un enseignement également profond, puisqu'il mettait en évidence la gravité du fait de préférer égoïstement entretenir ses affaires personnelles plutôt que de s'engager, corps, âme et biens, dans la défense de la communauté spirituelle musulmane. Une autre dimension s'ajoutait néanmoins à cette conclusion : la faiblesse de l'engagement frileux et paresseux – confinant à la potentielle trahison – peut obtenir le pardon lorsque les cœurs reviennent à l'Unique dans la sincérité[2].

1. Coran, 9, 118.
2. Ibn Hishâm, *op. cit.*, vol. 5, p. 219.

Les députations

La neuvième année[1] de l'Hégire fut baptisée *« l'année des députations[2] »* : la puissance et la reconnaissance de la communauté musulmane étaient devenues telles que des émissaires venaient de toute la péninsule pour conclure des alliances ou signer des pactes. Les premiers à se rendre auprès du Prophète furent les Banû Thaqîf, car Mâlik avait en effet établi un tel siège autour de leur cité qu'il leur était impossible de réaliser une quelconque alliance avec les tribus alentour (dont la plupart étaient d'ailleurs soit devenues musulmanes, soit avaient conclu un pacte avec Muhammad). Ils affirmèrent vouloir accepter l'islam, mais ils voulaient négocier les éléments de leur foi et de leur pratique : il s'agissait pour eux de préserver le culte de la déesse al-Lât et d'être exemptés de la prière. Le Prophète refusa, comme chaque fois que la proposition lui fut faite, de négocier sur ces points : accepter l'islam voulait dire n'adorer que le Dieu unique et Le prier selon les normes établies par la Révélation et l'exemple du Prophète. Ils finirent par accepter les termes de l'accord.

D'autres émissaires de tribus juives ou chrétiennes se présentèrent au Prophète, et il ne les obligea pas à accepter l'islam. Pour eux, comme il l'avait fait pour les deux tribus du nord, il établit un pacte d'assistance : ils paieraient la taxe militaire collective (*aj-jizya*), et Muhammad et son armée assureraient leur protection et leur défense. Ainsi, dans toute la péninsule, le

1. Il s'agissait en fait très vraisemblablement de la neuvième et du début de la dixième année de l'Hégire (fin 630, début 631).
2. Ibn Hishâm, *op. cit.*, vol. 5, p. 248.

message était clair : les tribus qui acceptaient l'islam devaient oublier toute idée de syncrétisme, car le Prophète ne négociait point sur les fondements de la foi. Dès l'attestation de foi formulée (*ash-shahâda*), les statues devaient être détruites, les pratiques respectées dans leur totalité, de la prière au jeûne jusqu'au paiement de la taxe sociale purificatrice (*zakât*) et au pèlerinage. Quant aux tribus qui désiraient rester fidèles à leurs traditions, elles établissaient un pacte dont les termes étaient non moins clairs : le paiement d'une taxe contre l'assurance de leur protection. Le Prophète laissait les clans et les chefs libres de choisir devant cette alternative, ce qu'ils firent en grand nombre durant les mois qui suivirent le retour de Tabûk.

L'époque du Pèlerinage (*Hajj*) approchait, et Muhammad demanda à Abû Bakr de conduire les pèlerins à La Mecque[1]. Ceux-ci se mirent en route dans les semaines qui suivirent, et c'est alors que le Prophète reçut une Révélation importante concernant La Mecque, et particulièrement les rites à proximité de la Ka'ba. Il envoya 'Alî rejoindre les pèlerins, et celui-ci accomplit avec eux le pèlerinage et fit l'annonce du message que lui avait demandé de transmettre le Prophète : il s'agissait des premiers versets de la sourate 9, la seule du Coran qui ne commence pas par la formule rituelle[2], et dont le contenu marque la fin d'une ère. Ces versets

1. *Ibid.*, p. 229.

2. *BismilLLah ar-Rahmân ar-Rahîm* (*Je commence par* [Au nom de] *Dieu, l'Infiniment Bon, le Très Miséricordieux*). Les raisons de cette absence sont interprétées différemment par les savants musulmans : d'aucuns affirment que cela s'explique par le contenu même de cette sourate qui parle des idolâtres et de la guerre, alors que d'autres pensent qu'il s'agit simplement de la suite de la sourate 8.

annonçaient d'abord très fermement que les anciens rites autour de la Ka'ba (où certains pèlerins allaient nus) ne seraient plus tolérés désormais, et que les idolâtres avaient quatre mois pour faire un choix quant à leur avenir, après quoi les musulmans seraient libres de les combattre, à l'exception de ceux qui soit auraient établi un pacte (dont les termes seraient bien sûr respectés), soit auraient expressément demandé une protection (qui leur serait alors accordée).

Le message était ferme et établissait de surcroît que la Ka'ba, la Mosquée sacrée, était désormais réservée au culte de l'Unique, et que seuls les musulmans pouvaient y pénétrer. C'est effectivement en relation au sanctuaire de la Ka'ba et à son périmètre sacré que fut majoritairement compris le verset explicitant cette prescription : « *Seuls ont le droit de fréquenter les mosquées de Dieu ceux qui croient en Dieu et au Jugement dernier, qui accomplissent la prière et s'acquittent de la* zakât *et n'ont de crainte révérencielle qu'envers leur Seigneur. Ceux-là ont une chance d'obtenir leur salut*[1]. » Le Prophète avait laissé entrer les chrétiens de Najrân[2] dans sa mosquée et la majorité des compagnons, et après eux des savants, ont compris que l'interdiction de pénétrer dans la mosquée concernait exclusivement le périmètre sacré de La Mecque et non les autres mosquées, qui pouvaient accueillir les femmes et les hommes qui

1. Coran, 9, 18.
2. Certains traditionnistes placent d'ailleurs la visite de la délégation chrétienne de Najrân dans cette année des députations, donc bien après Badr. D'autres, comme Ibn Hishâm, considèrent qu'il y a eu une seconde rencontre à cette époque et que les chrétiens de Najrân se sont ensuite convertis à l'islam.

n'étaient pas de confession musulmane[1]. Ce qui ressortait de ce message était le clair établissement du culte de l'Unique, du *tawhîd,* comme seul culte possible au centre, à proximité de la « Maison de Dieu », vers laquelle se tournaient les musulmans de toutes les périphéries.

Ibrahîm

Durant cette dixième année de l'Hégire, le petit Ibrahîm, alors âgé de près d'une année et demie, tomba gravement malade. Au moment même où la religion de l'Unique s'établissait sur l'ensemble de la péninsule, où l'adversité ne cessait de diminuer, et où le nombre de conversions ne cessait de se multiplier, le Prophète voyait son unique garçon quitter la vie et le quitter. Il venait le voir tous les jours et restait de longues heures à son chevet. Quand l'enfant finalement rendit son dernier souffle, le Prophète le prit dans ses bras et le serra contre sa poitrine alors que des larmes coulaient sur son visage et qu'il sanglotait, tant était profonde sa tristesse. 'Abd ar-Rahmân ibn 'Awf, son fidèle compagnon, fut surpris de ces larmes et de ces sanglots parce qu'il pensait que le Prophète en avait auparavant interdit l'expression. Muhammad ne put d'abord parler, puis il lui expliqua qu'il avait interdit les manifestations exagérées de détresse par les cris ou les comportements hystériques, mais non l'expression naturelle de la tristesse et de la souffrance. Puis il exprima verbalement sa peine qui devenait, de

1. Certains savants, notamment de l'école juridique mâlikite, sont d'avis que cette prohibition concerne toutes les mosquées.

fait, un enseignement spirituel, en affirmant que ses larmes *« étaient des signes de tendresse et de miséricorde ».* Il ajouta une réflexion qui naissait de son expérience personnelle, mais qui valait somme toute pour le quotidien de chaque musulman : *« Qui n'est point miséricordieux, il ne lui sera point fait miséricorde*[1]. » Dans les moments difficiles de la vie, la bonté, la clémence, la miséricorde et les expressions d'empathie que les êtres humains s'offrent les uns aux autres sont des qualités humaines qui les rapprochent des qualités de l'Unique, d'*ar-Rahmân* (l'Infiniment Bon, le Très Miséricordieux) : par elles, Dieu se rapproche du cœur du croyant et lui offre et lui offrira ce qu'il a lui-même offert à son frère en humanité.

Le Prophète était intimement affecté et n'hésitait point à manifester et à exprimer son chagrin. Il ajouta : *« L'œil pleure, ô Ibrahîm, le cœur est infiniment triste et il ne faut exprimer que ce qui satisfait Dieu*[2]. » Dieu l'avait, une fois encore, mis à l'épreuve de son humanité et de sa mission. Il avait perdu tant d'êtres chers, de compagnons, sa femme Khadîdja, trois de ses filles[3] et ses trois fils : sa vie avait été traversée de larmes, mais il restait à la fois doux en son cœur et ferme dans sa mission. C'était cette chimie de la douceur et de la fermeté qui trouvait la satisfaction du Très Rapproché. Au moment où, en cette dixième année de l'Hégire, le monde semblait s'ouvrir à sa mission, son destin d'être

1. *Hadîth* rapporté par al-Bukhârî et Muslim.
2. *Hadîth* rapporté par al-Bukhârî et Muslim.
3. Sa fille Zaynab était également décédée de son vivant, et le Prophète avait personnellement veillé au bon déroulement de sa toilette mortuaire.

humain semblait se réduire à cette petite tombe d'enfant, dans laquelle le corps d'Ibrahîm fut d'abord déposé et sur laquelle le Prophète conduisit ensuite la prière des morts. Le Prophète était un élu, le Prophète restait un être humain.

Quelques heures après son retour du cimetière, une éclipse de soleil se produisit. Les musulmans furent prompts à associer cette éclipse à la disparition de l'enfant du Prophète et à y percevoir un miracle, une sorte de message de Dieu à Son Prophète. Ce dernier coupa court à toutes ces interprétations et affirma avec force : « *Le soleil et la lune sont deux signes parmi les signes de Dieu. Leur lumière ne s'obscurcit pour la mort de personne*[1]. » Muhammad rappelait ainsi à ses compagnons l'ordre des choses et la nécessité de ne pas se tromper dans l'interprétation des signes afin de ne point verser dans la superstition. C'était, pour eux comme pour lui, un enseignement spirituel de mesure et d'humilité : les êtres humains, tous les êtres humains et le Prophète parmi eux, devaient apprendre à partir et à voir partir les leurs dans le silence, la discrétion et l'indifférence de l'ordre des choses. L'épreuve de la foi et de l'humain, celle qui fit couler les larmes du Prophète, était bien d'apprendre à trouver, au cœur de l'éternité de la Création et des cycles qui jamais ne changent, la force de faire face à la finitude de l'humain, aux soudains départs, et à la mort. Le signe de la Présence de l'Unique à l'instant de la mort d'un homme n'est point dans l'apparition d'un quelconque miracle, mais bien plutôt dans la permanence de l'ordre naturel, dans l'éternité de Sa création traversée

1. *Hadîth* rapporté par al-Bukhârî et Muslim.

çà et là par le passage des êtres créés, qui passent puis s'en vont.

Pardon et sincérité

Au moment où s'établissait clairement l'accomplissement de la mission, le Prophète continuait à manifester une grandeur d'âme qui surprenait autant qu'elle attirait ses anciens ennemis, qu'ils soient des individus isolés ou des clans entiers qui venaient à lui en grand nombre désormais. Il restait ouvert, mais savait devoir être méfiant vis-à-vis de certaines personnes ou de certains groupes. Son expérience avec les Banû Ghanam ibn 'Awf, et la Révélation coranique qui s'en était suivie, lui avaient enseigné la prudence : les Banû Ghanam lui avaient demandé, avant son départ à Tabûk, de venir inaugurer une mosquée qu'ils voulaient construire à Qubâ'[1]. Il avait été occupé par l'expédition et avait décidé de s'y rendre après son retour. Il apprit par la suite que ce projet était le fait d'un hypocrite notoire, Abû 'Âmir, et la Révélation vint confirmer ses appréhensions : « *Quant à ceux qui ont édifié une mosquée, agissant par esprit de rivalité et en toute impiété, dans l'intention d'en faire un repaire de celui qui, auparavant, avait combattu Dieu et Son Envoyé. Ce sont ces gens-là qui, aujourd'hui, viennent jurer de toute leur force qu'ils ne voulaient faire que du bien, alors que Dieu est témoin qu'ils sont vraiment menteurs. Ne fréquente jamais une telle mosquée*[2]. » Abû 'Âmir voulait construire une mosquée avec l'intention

1. Ibn Hishâm, *op. cit.*, vol. 5, p. 211.
2. Coran, 9, 107-108.

d'attirer les fidèles d'une autre mosquée de la région, dans le simple but de répandre la division et d'exercer sur eux son influence. Derrière une façade de foi et de sincérité, certains individus cherchaient donc à obtenir des prérogatives, du pouvoir, et n'hésitaient point à essayer d'utiliser le Prophète pour ce faire. Ce type de situations se multipliait à mesure que la communauté s'établissait et s'élargissait.

Muhammad n'en demeurait pas moins très accessible et toujours disposé à accueillir les femmes et les hommes qui cherchaient à comprendre l'islam et étaient en quête de sa vérité. Il avait beaucoup pardonné à celles et à ceux qui s'étaient opposés à lui en situation de conflit ou de guerre, et il exprimait maintenant une grande patience et beaucoup d'affection vis-à-vis de celles et de ceux qui, en situation de paix, luttaient désormais avec eux-mêmes, avec leur propre cœur, pour vivre leur quête spirituelle et trouver le chemin qui pouvait les mener à l'Unique. Il les observait, répondait à leurs questions et accompagnait leur cheminement parfois fulgurant, parfois très hésitant, voire parfois rebelle. Au retour de l'expédition de Hunayn, le Prophète avait confié : « *Nous voilà revenus du petit* jihâd [effort, résistance, lutte pour la réforme] *vers le grand* jihâd. » Un compagnon demanda : « *Qu'est-ce que le grand* jihâd*, ô Envoyé de Dieu ?* », et ce dernier répondit : « *C'est la lutte contre le moi* [l'ego][1]. » Pour les musulmans, comme pour tous les êtres humains, c'était bien cette lutte intérieure qui était la plus difficile, la plus noble, et qui exigeait le plus de compréhension, de pardon et, bien sûr, de soi à soi, le

1. *Hadîth* rapporté par al-Bayhaqî.

plus de sincérité. La guerre, avec son petit *jihâd*, avait montré combien il était difficile de mourir pour Dieu ; la vie quotidienne, avec son grand *jihâd*, montrait désormais aux musulmans combien il est plus difficile encore de vivre pour Dieu, dans la lumière, la transparence, la cohérence, l'exigence spirituelle, la patience et la paix.

À tous ceux qui, autour de lui, n'étaient point convaincus de la véracité de son message, il demandait de chercher, d'observer les signes, et de se mettre en quête du sens en luttant contre les illusions de l'ego et de sa suffisance. Aux musulmans, à celles et à ceux qui avaient reconnu la Présence de l'Un, il enseignait à poursuivre la lutte intérieure, à demeurer humbles, conscients de leur fragilité, en cherchant à se nourrir spirituellement par le *dhikr* (le rappel de Dieu) et, comme le leur recommandait le Coran, à demander à Dieu d'affermir leur cœur : « *Ô Notre Seigneur, ne fais point dévier nos cœurs après que Tu nous as mis sur la voie*[1]. » Le Prophète avait coutume d'invoquer Dieu en s'exclamant : « *Ô Toi qui tournes et retournes les cœurs, affermis mon cœur dans ta religion !*[2] » Ainsi, en situation de paix, d'aucuns étaient en quête de vérité et d'autres en quête de sincérité, et tous vivaient une nouvelle forme de conflit intérieur qui exigeait d'eux des efforts, de la patience, et une conscience en perpétuel éveil. À l'heure où l'horizon semblait s'ouvrir quant à l'établissement définitif de la dernière religion, chacun était renvoyé à son univers intérieur afin de chercher la lumière ou le pardon, afin de trouver la

1. Coran, 3, 8.
2. *Hadîth* rapporté par Ahmad et at-Tirmidhî.

paix et la clémence de Celui qui revient en permanence auprès de qui vient ou revient à Lui. La Révélation apprenait au Prophète : « *Lorsque vient le secours de Dieu ainsi que la victoire, et que tu vois les Hommes embrasser en masse Sa religion, célèbre alors les louanges de ton Seigneur* [Rabb-*Éducateur*] *et implore Son pardon. Car c'est Lui qui est le grand Accueillant au* [qui revient accueillir le] *repentir*[1]. »

Ces versets exprimaient l'exigence du retour vers l'Unique quand les hommes semblaient enfin reconnaître la vérité du message. Comme s'il s'agissait d'une initiation à la perpétuelle lutte contre les apparences, le Prophète devait, une fois encore, assumer la gestion des tensions contradictoires qui, seule, lui permettrait le dépassement et la rencontre avec le Divin. Alors que la multitude venait à lui et de partout, il lui était demandé de retrouver la solitude de son cœur et de poursuivre son dialogue avec le Très Rapproché. Alors que la victoire venait à lui dans le monde d'ici-bas, il comprenait qu'il fallait qu'il se prépare à s'en aller, à quitter cette vie, pour se rendre là-bas, près de l'Unique, chez soi. 'Abd Allah ibn Mas'ûd affirmera plus tard que la Révélation de cette sourate annonçait la fin de la mission du Prophète et, en fait, son imminent départ.

Le pèlerinage de l'Adieu

Durant le mois du Ramadân de cette dixième année, le Prophète reçut un autre signe de la part de Dieu. Il en parla à sa fille Fâtima : « *L'ange Gabriel me récite chaque année le Coran une fois et je le lui récite*

1. Coran, 110, 1-3.

une fois ; mais cette année, il me l'a récité deux fois et je pense que c'est l'annonce de mon heure[1]. » Parmi les cinq piliers de l'islam, un seul n'avait pas encore été réalisé par le Prophète, et il était bientôt temps de s'y préparer. L'annonce fut largement diffusée que le Prophète dirigerait le prochain pèlerinage à La Mecque et, dans les semaines qui suivirent, il se mit en route à la tête de trente mille pèlerins médinois. Ceux-ci allaient être rejoints par un nombre trois fois plus important provenant de toute la péninsule.

Arrivé à La Mecque, Muhammad accomplit les différents rites du pèlerinage en expliquant aux compagnons qui étaient à ses côtés qu'ils renouaient ainsi avec le culte pur et monothéiste d'Abraham, leur père. Le pèlerinage, comme la vie entière du Prophète, était un retour à la Source, à l'origine : un retour à Dieu, à l'Unique, un retour sur les traces de Son Prophète Abraham qui, le premier, avait construit la Ka'ba, la « Maison de Dieu », pour adorer l'Unique, sans associé ni image. Les compagnons observaient chacun des gestes du Prophète qui, de fait, fixaient très exactement le rituel du pèlerinage : le Prophète leur avait dit : *« Prenez de moi vos rites*[2]. » Le 9e jour de Dhû al-Hijja de la dixième année de l'Hégire[3], le Prophète s'adressa aux cent quarante-quatre mille pèlerins[4] sur le « Mont de la Miséricorde » (*Jabal ar-rahma*) : il parlait par petites tranches, et des hommes autour de lui

1. *Hadîth* rapporté par al-Bukhârî.
2. *Hadîth* rapporté par Muslim.
3. Vers les mois de mars-avril de l'année 632.
4. Le nombre de pèlerins varie entre cent vingt-quatre et cent quarante-quatre mille selon les traditionnistes.

répétaient son propos afin que tous, à travers la vallée, entendent son sermon.

Le contenu du message était fort et intense, et le Prophète commença par indiquer qu'il ne savait pas s'il rencontrerait encore les pèlerins « *en cet endroit, passé cette année*[1] ». Puis il leur rappela la sacralité du lieu et du mois, de même que celle de leur vie, de leur honneur et de leurs biens. Une époque, disait-il, celle de l'ignorance, était révolue et, avec elle, ses pratiques et ses rivalités et ses conflits basés sur le pouvoir et le gain. Désormais, les musulmans étaient unis par la foi, la fraternité et l'amour qui devaient les transformer en témoins du message de l'islam. Ils ne devaient, en aucune circonstance, accepter d'être « *soit des oppresseurs soit des opprimés*[2] »; ils devaient apprendre l'égalité des hommes devant Dieu et la nécessaire humilité de chacun parce que « *vous descendez tous d'Adam et Adam a été créé de terre. Le plus noble auprès de Dieu est celui qui est le plus pieux. Aucun Arabe n'est supérieur à un non-Arabe, sinon par l'intime conscience de Dieu* [la piété][3]. » Le Prophète rappela aux musulmans de traiter les femmes avec douceur et ajouta : « *Ayez une conscience intime de Dieu en ce qui concerne les femmes, et veillez à leur vouloir du bien*[4]. » Puis il ajouta, comme pour indiquer la Voie et ses conditions à tous les fidèles présents et à tous ceux qui allaient suivre ses enseignements à travers les âges : « *J'ai laissé parmi vous ce qui, si vous vous y tenez fermement,*

1. Ibn Hishâm, *op. cit.*, vol. 6, p. 9.
2. *Ibid.*
3. *Ibid.*
4. *Ibid.*, p. 10.

vous préservera de l'égarement, une ori[illegible] *le Livre de Dieu et la Tradition de Son Prophète* »[1].
À chacun des enseignements rappelés, le Prophète ajoutait : « *Ai-je fait parvenir le Message ? Ô Dieu, sois témoin !* » Au terme de son sermon, les fidèles lui répondirent : « *Nous témoignons que tu as fait parvenir fidèlement le message, que tu as accompli ta mission, et que tu as conseillé la communauté.* » Et le Prophète de conclure : « *Ô Dieu, sois témoin !... que les présents fassent parvenir ce message aux absents.* »

Le Prophète était bien un témoin devant la communauté spirituelle des musulmans. En communion avec eux, au cœur du pèlerinage qui, en soi, exige le dépouillement et l'unité des êtres humains devant leur Créateur, l'Envoyé rappelait le point essentiel du message de l'Un : égalité absolue des hommes devant Dieu, au-delà des races, des classes sociales ou du sexe car la seule chose qui, au fond, les différencie, réside dans ce qu'ils font d'eux-mêmes, de leur intelligence, de leurs qualités et, surtout, de leur cœur. D'où qu'il vienne, Arabe ou non ; quelle que soit sa couleur, noir, blanc ou autre ; quel que soit son statut social, riche ou pauvre ; qu'il soit une femme ou un homme... l'être humain se distingue par l'attention qu'il porte à son cœur, à son éducation spirituelle, à la maîtrise de son ego et à l'épanouissement de sa foi, de sa dignité, de sa bonté, de sa grandeur d'âme et, dans un souci de cohérence, à son engagement parmi ses semblables au nom de ses principes. Devant des milliers de pèlerins, de toutes les origines, des esclaves comme des chefs de tribus, des femmes comme des hommes, le Prophète et

---

1. *Ibid.*

[illegible] témoignage qu'il avait accompli sa [illegible]re du message de l'Unique. Et tous, [illegible] une seule voix, attestaient qu'ils en [illegible] compris le sens et le contenu.

[illegible] heures plus tard, le Prophète reçut la [illegible] Révélation du verset confirmant que sa mis-[illegible] touchait à sa fin : « *Aujourd'hui, J'ai parachevé pour vous votre religion, Je vous ai accordé Ma grâce pleine et entière et J'ai agréé l'islam pour vous comme religion*[1]. » Le dernier cycle de la Prophétie parvenait à son terme, et le Messager devait s'en retourner au lieu de son élection, chez lui, au-delà de cette vie, dans la proximité de l'Un.

1. Coran, 5, 3.

15

SANS DETTE

La fête qui ponctuait le grand pèlerinage était terminée, le Prophète avait accompli l'ensemble des rites et désirait retourner à Médine. Il se mit donc en route avec les pèlerins qui l'avaient accompagné. Ils parvinrent enfin à Médine, et la vie reprit son cours. De nombreux musulmans enseignaient ou apprenaient les principes de l'islam et le Coran, de même que les éléments de la pratique avec leurs règles et leurs conditions. La taxe de la *zakât* était prélevée selon les normes qui avaient été récemment fixées par la Révélation et la pratique du Prophète[1]. Ainsi, l'ensemble des rites des cinq piliers de l'islam (*arkân al-islâm*) étaient, avec le pèlerinage qui venait de s'achever, désormais codifiés, et la communauté musulmane avait reçu les informations nécessaires pour vivre l'islam au quotidien et faire face aux nouvelles questions de l'avenir.

À Mu'âdh ibn Jabal, qu'il avait mandaté comme juge dans le nouvel environnement du Yémen, le Prophète

1. Durant la neuvième année, selon l'avis de la majorité des traditionnistes et des savants du droit et de la jurisprudence islamiques (*fuqahâ'*).

demanda : *« Au moyen de quoi jugeras-tu ? »* Et Mu'âdh répondit : *« Au moyen du Livre de Dieu. » « Et si tu ne trouves rien dans le Livre de Dieu ? »* Mu'âdh poursuivit : *« Je jugerai selon la tradition* (Sunna) *du Messager de Dieu. » « Et si tu ne trouves rien dans la tradition du Messager ? »* Alors Mu'âdh ajouta avec confiance : *« Je ne manquerai pas de faire un effort* (ajtahidu) *pour dégager une opinion. »* Le Prophète fut satisfait de cette réponse et conclut : *« Louange à Dieu qui a guidé le messager de Son Messager au point de satisfaire le Messager de Dieu*[1]. » La gradation des réponses de Mu'âdh ibn Jabal contenait l'essence de l'enseignement du Prophète et offrait les moyens pour la communauté de suivre ce dernier et de lui rester fidèle à travers les âges. Le Livre de Dieu, le Coran, et l'ensemble des traditions (*ahâdîth*) du Prophète (*as-Sunna*) étaient les deux références fondamentales. Face à de nouvelles situations, les garants de ces enseignements devaient utiliser leur intelligence critique, leur bon sens et leur créativité juridique pour trouver de nouvelles réponses, fidèles aux principes islamiques, mais adaptées aux nouveaux contextes. Les fondements du credo (*'aqîda*) et de la pratique rituelle (*'ibadât*) n'avaient pas à changer, ni les principes essentiels de l'éthique, mais la mise en application de ces derniers et le traitement de situations nouvelles, à propos desquelles les sources scripturaires étaient restées vagues ou silencieuses, nécessitaient des réponses circonstanciées. Les compagnons du Prophète l'avaient compris, et ce dernier leur avait transmis autant le savoir que la confiance nécessaires pour aller de l'avant et observer le monde et ses vicissitudes, avec

1. *Hadîth* rapporté par at-Tirmidhî et Abû Dâwud.

l'assurance d'avoir désormais les moyens spirituels et intellectuels de pouvoir rester fidèles au message de leur Créateur.

Une expédition, et la Nature

Quelques mois après son retour à Médine (11e année de l'Hégire), le Prophète décida d'envoyer une expédition vers le nord, à proximité de Mu'ta et de la Palestine, là où, quelques années auparavant, Ja'far, Abd Allah et Zayd avaient été tués. Il choisit, à la surprise générale, d'en confier la direction au jeune Usâma, le fils de Zayd, âgé de vingt ans seulement, alors que se trouvaient, dans cette armée grosse de trois mille soldats, des hommes tels que 'Umar et d'autres compagnons particulièrement expérimentés [1]. Ce choix fut critiqué, mais le Prophète réagit très vite et mit un terme aux conciliabules des uns et des autres en proclamant : « *Vous critiquez le choix d'Usâma pour le commandement de l'armée, comme jadis vous avez critiqué celui de son père Zayd. Or Usâma est vraiment digne du commandement que je lui confie comme l'avait été son père avant lui* [2]. » Hier, certains musulmans avaient réagi au choix de Zayd, car celui-ci n'était finalement à leurs yeux qu'un ancien esclave affranchi ; aujourd'hui, les mêmes ou d'autres s'opposaient au choix de son fils, peut-être pour sa filiation, mais surtout pour sa jeunesse. Le Prophète, par la

---

1. Certains traditionnistes mentionnent, parmi les compagnons du Prophète qui devaient prendre part à cette expédition, les noms d'Abû Bakr, 'Alî et Uthmân. Mais les avis ne sont point unanimes sur les participants effectifs.
2. Ibn Hishâm, *op. cit.*, vol. 6, p. 12 (note 3).

confirmation de ses choix, les informait que ni l'origine sociale d'un homme ni son âge ne devaient l'empêcher d'accéder à l'autorité et au pouvoir s'il en avait les compétences spirituelles, intellectuelles et morales. Ainsi s'agissait-il de faire preuve de discernement en offrant une réelle égalité de chances aux plus démunis de la société et en faisant confiance aux plus jeunes, afin que tous puissent exprimer leurs compétences et leurs talents. Sur un plan plus global, il s'agissait d'une belle leçon d'humilité adressée aux plus anciens : ils devaient vivre le *jihâd* intérieur, le grand *jihâd*, obéir à un homme qui aurait pu être leur fils et, ce faisant, se souvenir que leur temps, comme celui de tout homme, était compté. Par ce simple choix, le Prophète leur enseignait qu'il faut avoir la sagesse d'apprendre à passer la main, à déléguer, à restituer l'autorité à ceux qui ont la jeunesse et la force de créer et de construire, quand le temps a naturellement érodé l'énergie de ceux qui, désormais, doivent aussi apprendre à s'en aller.

Le Prophète fit ses recommandations au jeune Usâma et lui demanda de se mettre en route au plus vite. La soudaine maladie du Prophète allait empêcher ce départ, et l'expédition resta en attente à proximité de Médine durant toutes ces journées de doute quant à l'évolution de son état de santé. C'est Abû Bakr qui, quelques semaines plus tard, et selon le souhait du Prophète, demanda à Usâma de mener à bien cette expédition. Il lui rappela les enseignements du Prophète en matière d'éthique de la guerre, car ce dernier n'avait eu de cesse d'insister sur les principes que les musulmans devaient respecter vis-à-vis du camp ennemi : « *Ne tuez pas les femmes, les enfants et les vieillards*[1], ordonna Abû Bakr. *Ne vous livrez pas à des actions perfides. Ne vous égarez pas du droit chemin. Ne mutilez jamais. Ne détruisez pas les palmiers, ne brûlez pas les habitations, les champs de blé, n'abattez jamais les arbres fruitiers et ne tuez le bétail que lorsque vous serez contraints à le manger… À mesure que vous avancerez, vous rencontrerez des religieux qui vivent dans des monastères et qui servent Dieu dans la retraite. Laissez-les seuls, ne les tuez point et ne détruisez pas leurs monastères*[2]. » Ces enseignements étaient fondamentaux et étaient transmis à Usâma à la lumière des divers propos que le Prophète avait tenus ici et là en matière de conflit ou en relation avec le respect de la Nature et le traitement des animaux. Abû Bakr synthétisait dans ces quelques lignes l'essence du message de l'Envoyé en la matière.

Ainsi, à la fin de la bataille de Hunayn, le Prophète, qui passait à proximité d'un groupe attroupé auprès d'une femme étendue sur le sol, apprit qu'elle avait été tuée par Khâlid ibn al-Walîd (dont la conversion à l'islam était, rappelons-le, assez récente). Il en fut profondément fâché et demanda que l'on aille transmettre à Ibn al-Walîd le message suivant : *« L'Envoyé de Dieu interdit de tuer les enfants, les femmes et les esclaves*[3]. » Il était également intervenu à son encontre lorsque celui-ci avait tué des hommes qui s'étaient déjà rendus après une bataille. Au demeurant, le message était le même dans les deux cas : il ne fallait s'en

1. Littéralement : *« Que le sang des femmes, celui des enfants et des vieillards ne souille jamais vos mains. »*
2. Ibn Jarîr at-Tabarî, *Tarîkh ar-Rusul wal-Mulûk*, al-Matba'a al-Husaniyya, Le Caire, 1905, tome 3, p. 213-214 (en arabe).
3. Ibn Hishâm, *op. cit.*, vol. 5, p. 127.

prendre qu'aux combattants adverses et laisser la vie sauve à toutes celles et à tous ceux qui ne participaient pas directement aux conflits armés ou qui n'étaient plus en état de nuire. Le Prophète, au moment d'envoyer l'expédition de Mu'ta, avait très clairement précisé : « *Vous ne serez pas perfides, vous ne tromperez pas, vous ne mutilerez pas, vous ne tuerez ni les enfants ni les habitants des ermitages* (*ashâb as-sawâmi'*)[1]. » La guerre n'était jamais désirable, mais lorsque les musulmans y étaient contraints parce qu'ils étaient attaqués, agressés ou menacés dans leur survie, ils devaient s'en tenir à la stricte nécessité du combat contre les forces ennemies qui étaient armées et/ou déterminées à combattre. Et si ces dernières désiraient la paix ou se rendaient, il fallait cesser la guerre, selon la recommandation coranique : « *Et s'ils inclinent à la paix, incline vers celle-ci* [toi aussi, de la même façon] *et place ta confiance en Dieu, car c'est Lui l'Audient, l'Omniscient*[2]. »

Nous avons vu que le Prophète avait exceptionnellement abattu des palmiers lors du siège des Banû Nadîr. Cette exception, mentionnée dans la Révélation, confirmait la règle et les principes islamiques du respect de la Nature, et notamment en situation de guerre. La Création est pleine de signes qui disent la bonté et la générosité de son Créateur et, en cela, elle est un espace sacré dont le respect s'apparente à une aumône (*sadaqa*) et à une invocation. La protection des palmiers, des arbres fruitiers et de la végétation, en situation de guerre, est la conséquence d'un enseignement plus global transmis par le Prophète à

---

1. *Hadîth* rapporté par Ibn Hanbal.
2. Coran, 8, 61.

tous les musulmans. Alors qu'il passait un jour à côté de Sa'd ibn Abî Waqqâs en train de faire ses ablutions rituelles, le Prophète l'interpella : « *Qu'est-ce que ce gaspillage, ô Sa'd ?* » « *Y a-t-il gaspillage même dans les ablutions ?* » lui demanda Sa'd. Et le Prophète de répondre : « *Oui et ce, même en utilisant l'eau courante d'une rivière*[1]. » L'eau est un élément central dans tous les enseignements et toutes les pratiques rituelles, car elle représente la purification du corps comme celle du cœur, de l'extériorité physique comme de l'intériorité spirituelle[2]. Mais le Prophète enseignait à Sa'd et à ses compagnons de ne jamais considérer l'eau, ni aucun élément de la Nature, comme un simple « moyen » de leur édification spirituelle : au contraire, leur respect et la mesure de leur usage était déjà, en soi, un exercice et une élévation spirituels, une « finalité » dans leur quête du Créateur.

Le fait que le Prophète insiste sur le refus du gaspillage « même avec l'eau courante d'une rivière » indique qu'il place le respect de la Nature au niveau d'un principe premier qui doit réguler les comportements quelles que soient la situation et les conséquences de l'agir humain. Il ne s'agit point d'une écologie née du pressentiment des catastrophes (qui sont engendrées par les actions des hommes), mais d'une sorte d'« écologie en amont », qui fait reposer les rapports de l'homme avec la

1. *Hadîth* rapporté par Ahmad et Ibn Mâjah.
2. Le Prophète dira en ce sens : « *Quand le croyant fait ses ablutions et se lave le visage, tous les péchés qu'il a commis avec ses yeux partent avec l'eau, et quand il se lave les mains, tous les péchés qu'il a commis avec ses mains partent avec l'eau. Et quand il lave ses pieds, tous les péchés vers lesquels il s'est dirigé partent avec l'eau* » (*hadîth* rapporté par Abû Dâwud).

Nature sur un socle éthique associé à la compréhension des enseignements spirituels les plus profonds[1]. Le rapport du croyant avec la Nature ne peut être fondé que sur la contemplation et le respect. Ce dernier est d'ailleurs tel que le Prophète avait un jour affirmé : « *Si l'un de vous tient dans sa main un plant* [de palmier] *et qu'il entend que sonne l'heure du Jour du Jugement, qu'il s'empresse donc de le mettre en terre*[2]. » La conscience croyante devrait donc, jusqu'au bout, se nourrir de cette intime relation avec la Nature au point que son dernier geste soit celui qui s'associe au renouveau de la vie et de ses cycles.

C'est ce même enseignement qui parcourt la vie du Prophète vis-à-vis des animaux. Nous avons vu qu'au moment de mettre son armée en marche en direction de La Mecque, il avait expressément exigé que l'on protégeât une portée de chiots qui se trouvait sur le bord de la route. Les situations limite de guerre durant lesquelles le Prophète a montré et rappelé qu'il fallait bien traiter les animaux sont, encore une fois, des conséquences directes de ses enseignements plus fondamentaux en la matière. Muhammad avait un amour tout à fait particulier pour les chats mais, plus généralement, il n'avait jamais cessé de rendre ses compagnons conscients de la nécessité de respecter toutes les espèces animales. Il leur conta un jour cette histoire : « *Un homme marchait sur la route, sous une chaleur étouffante ; il vit un puits et y descendit pour étancher sa soif. Lorsqu'il en remonta, il aperçut un*

1. Les préoccupations des deux écologies finissent par se rejoindre, par la force des choses, même si leurs sources diffèrent.
2. *Hadîth* rapporté par Ahmad.

chien tout haletant de soif et se dit : "La soif de ce chien est aussi grande que l'était la mienne." Il redescendit alors dans le puits, remplit sa chaussure d'eau, et remonta, la tenant par les dents. Il en fit boire le chien, et Dieu l'en récompensa et lui pardonna ses péchés. » On posa alors la question suivante au Prophète : « *Ô Prophète, avons-nous une récompense si nous traitons bien les animaux ?* » Et le Prophète répondit : « *Tout bien fait à toute créature vivante est récompensé*[1]. » En une autre occasion, il affirma : « *Une femme a été châtiée pour une chatte qu'elle avait emprisonnée jusqu'à ce qu'elle mourût. À cause de cette chatte, elle est entrée en enfer. Elle ne l'a ni nourrie, ni abreuvée alors qu'elle la tenait enfermée, et elle ne lui a pas laissé la possibilité de consommer ses proies*[2]. » C'est à travers des traditions de ce type, et son propre exemple, que l'Envoyé rappelait que le respect des animaux participait de l'enseignement islamique le plus essentiel. Toutes les occasions étaient bonnes pour insister sur cette dimension.

Ainsi, en parlant du sacrifice des animaux à consommer, le Prophète ne s'en tenait point à commander le respect du rituel et de la prononciation de la formule « *BismiLLah, Allahu Akbar !* » (Au nom de [Je commence par] Dieu, Dieu est le plus grand !) qui permettait de mettre à mort l'animal pour le consommer. Il exigeait que ce dernier soit traité de la meilleure des façons et qu'on le protège de toute souffrance inutile. Alors qu'un individu avait immobilisé sa bête puis aiguisait son couteau devant elle, le Prophète intervint

1. *Hadîth* rapporté par al-Bukhârî et Muslim.
2. *Hadîth* rapporté par al-Bukhârî et Muslim.

et lui dit : *« Tu veux donc la faire mourir deux fois ? Pourquoi n'as-tu pas aiguisé ton couteau avant de l'immobiliser*[1] *? »* Muhammad avait demandé à chacun de chercher à maîtriser au mieux son champ de compétences[2] : pour l'homme s'occupant du sacrifice des animaux, cela consistait clairement à respecter leur vie, leur nourriture, leur dignité d'êtres vivants, et à ne les sacrifier que pour ses besoins en leur évitant absolument toute souffrance inutile. La formule accompagnant le sacrifice ne devait être comprise que comme la formule ultime qui, dans les faits, témoignait que l'animal avait, de son vivant, été traité à la lumière des enseignements de Dieu et de Son Messager. Cette formule, en aucun cas, ne suffisait à prouver que ces enseignements étaient respectés : un animal correctement sacrifié selon le rituel islamique mais maltraité de son vivant restait donc, au regard des principes islamiques transmis par l'Envoyé, une anomalie et une trahison du message. Le Prophète avait menacé : *« Celui qui tue un moineau ou un animal plus gros sans Son droit devra rendre des comptes à Dieu le Jour du Jugement*[3]. *»* Muhammad enseignait ainsi que le droit de l'animal d'être respecté, de ne point souffrir, de recevoir la nourriture dont il a besoin et d'être bien traité n'était point négociable : il participait des devoirs de l'être humain et devait être compris comme l'une des conditions de son élévation spirituelle.

---

1. *Hadîth* rapporté par al-Bukhârî.
2. *« Lorsque vous faites quelque chose, faites-le en le maîtrisant* [de la meilleure des façons qui soit] *»* (*hadîth* rapporté par al-Bukhârî et Muslim).
3. *Hadîth* rapporté par an-Nasâ'î.

La maladie

Quelques semaines après le mois du Ramadân de la 11e année de l'Hégire, le Prophète se rendit à Uhud, où avait eu lieu la seconde bataille entre les musulmans et les Quraysh, et il fit une prière d'adieu à l'intention des hommes qui y avaient été tués. Il s'en retourna à la mosquée de Médine, s'installa sur le *minbar*[1], et s'adressa aux fidèles. Il commença par leur dire : « *Je vous devance* [dans l'Au-delà] *et je serai témoin de vos actes* », puis il les conseilla et conclut son intervention en affirmant : « *Je ne crains pas que vous redeveniez polythéistes après moi, mais que vous vous querelliez au sujet des richesses de ce monde*[2]. » Ces mots exprimaient clairement qu'il sentait qu'il devait se préparer à quitter cette vie. Dans le même souffle, il exprimait une crainte pour l'avenir de sa communauté spirituelle : ce n'est point la foi qui vous quittera, leur disait-il, c'est le monde avec ses illusions qui vous colonisera, et les deux malheureusement coexisteront en vous. Le Prophète leur disait en substance, en exprimant une crainte qui avait l'allure d'une prédiction : vous continuerez à prier Dieu, l'Unique, mais vous serez divisés à cause des honneurs, de l'argent, du pouvoir ou de vos différentes appartenances qui vous feront oublier la fraternité qui vous unit.

Lors de la nuit qui suivit, le Prophète se rendit au cimetière d'*al-Baqî'*, à Médine, afin d'aller saluer ses occupants, et il ponctua ses invocations en disant :

---

1. Chaire surélevée d'où l'imam s'adresse aux fidèles dans les mosquées.
2. *Hadîth* rapporté par al-Bukhârî.

« *Vous êtes les premiers* [vous nous avez devancés], *nous vous suivons* [nous vous rejoignons]. » C'est sur le chemin du retour que le Prophète ressentit à la tête une douleur intense qui n'allait plus le quitter durant près de quinze jours et nécessita son alitement pendant les derniers jours de sa vie[1]. Il continua d'abord à diriger la prière en commun, malgré un mal de tête et une fièvre qui le faisaient beaucoup souffrir. Les jours passaient, la maladie empirait, et le Prophète devait rester de plus en plus longtemps allongé. Il se trouvait alors chez son épouse Maymûna (il se rendait chez ses épouses à tour de rôle), et il demanda avec insistance chez laquelle il devait aller le lendemain, puis le surlendemain. Maymûna comprit qu'il désirait se rendre chez 'Aïsha, et elle en parla aux autres épouses : il fut décidé que le Prophète serait immédiatement transféré chez cette dernière et 'Abbâs et 'Alî l'y conduisirent, tant il était devenu faible.

Il était depuis quelques jours chez elle quand la fièvre grimpa, et sa tête lui fit soudain intensément mal. Il s'évanouit puis, quand il reprit connaissance, il demanda à ce qu'on lui verse sept outres d'eau sur le visage. Après quelques heures, il allait un peu mieux et décida de se rendre à la mosquée la tête bandée. Il s'assit sur le *minbar*, s'adressa aux compagnons présents et leur parla des tombeaux, en leur ordonnant avec insistance de ne jamais transformer sa propre tombe en lieu d'adoration : « *Ne commettez point d'actes d'idolâtrie sur*

1. Tous les faits rapportés ici sont effectivement recensés par l'ensemble des traditionnistes de référence, mais c'est leur chronologie ou le moment de leur effective réalisation qui parfois diffèrent : intervention à la mosquée, transfert chez 'Aïsha, prières à la mosquée, etc.

ma tombe[1]. » Il était le Messager, mais il demeurait un homme : il savait combien l'amour des compagnons était profond à son égard, et il leur rappelait de ne point commettre l'erreur de ceux qui les avaient précédés et qui avaient idéalisé jusqu'à l'adoration leurs Prophètes ou leurs guides[2]. Dieu seul est digne d'être adoré.

Pour ajouter à ce rappel de son humanité, le Prophète se leva et demanda s'il était en dette de quoi que ce soit vis-à-vis de l'un ou l'autre des compagnons. Devait-il quelque chose à l'un d'entre eux, avait-il offensé ou frappé quelqu'un, alors il fallait que celui-ci se manifeste pour que la situation soit réglée. Un homme se leva et rappela au Prophète que celui-ci lui devait trois dirhams : le Prophète demanda qu'on lui restitue immédiatement son bien. L'Envoyé, selon les recommandations de la Révélation, ne priait point sur la tombe d'un croyant avant que ses dettes sur la terre ne soient réglées, et il savait que, même pour celui qui a donné sa vie pour Dieu, la dette restait un fardeau que Dieu n'effaçait point. Il fallait donc partir sans dette, libre vis-à-vis des hommes : ne rien emporter avec soi d'offenses non pardonnées, de

1. *Hadîth* rapporté par Mâlik.
2. C'est cette injonction de ne jamais verser dans l'adoration de l'homme qui explique la non-représentation des Prophètes dans la tradition islamique classique. L'image, comme la statue sculptée, est par essence de nature à fixer l'imagination humaine sur un objet ou un être que l'on peut finir par idéaliser ou par adorer par et à travers sa représentation. C'est l'enseignement des Prophètes que l'on suit, non leur personne : ceux-ci sont autant de voies qui guident et rapprochent de Dieu. Le croyant s'approche de l'être et de l'amour de Dieu, mais l'Être et Sa Présence dépassent tout ce que l'humain peut représenter ou se représenter. La foi est ainsi une disposition du cœur, non de l'imagination et de ses images.

blessures non pansées, de dépôts non restitués ou de messages non entendus.

Le Prophète se rassit sur le *minbar* et confia : « *Dieu, le Très Noble, a offert à l'un de Ses serviteurs la possibilité de choisir entre les biens de ce monde et ce qui est auprès de Lui, et il a choisi ce qui est auprès de Dieu*[1]. » À ces mots, Abû Bakr fondit en larmes, car il avait le premier compris, du plus profond de son amour pour le Prophète, que ce dernier parlait de lui-même et de son imminent départ. L'Envoyé l'apaisa et, tout en continuant à s'adresser à l'assemblée, il parla directement et personnellement au cœur d'Abû Bakr, à l'égard duquel il réglait publiquement une intime dette d'amour, à la fois profonde et intense : « *Le compagnon qui me fut le plus généreux de par sa compagnie et ses biens est Abû Bakr. Si je devais avoir un ami intime, en dehors de Dieu, ce serait Abû Bakr, mais les sentiments de fraternité et d'affection islamiques sont préférables*[2]. » Leur communication était publique mais, au fond, tellement singulière, tellement personnelle, tellement secrète. Les larmes d'Abû Bakr disaient l'amour et effaçaient la dette : il aimait et, à ce moment précis, il avait compris.

S'en aller

Le Prophète revint chez 'Aïsha et s'allongea à nouveau. Il fit savoir aux compagnons qui vinrent le visiter plus tard qu'il voulait faire écrire ses dernières recommandations. 'Umar, constatant l'état de souffrance du

1. Ibn Hishâm, *op. cit.*, vol. 6, p. 64.
2. *Ibid.* (*hadîth* également rapporté par al-Bukhârî).

Prophète, émit des réserves, tandis que d'autres soutinrent cette idée. Le ton s'éleva alors qu'ils étaient en présence du Prophète : il leur demanda de se retirer, tant leur dispute lui était insupportable. Le projet n'eut point de suite. L'Envoyé fit encore quelques recommandations orales sur la foi, la pratique et l'entretien de la Ka'ba. Il voulut ensuite se rendre à la mosquée, mais la douleur était si intense que, lorsqu'il essaya de se lever, il finit par s'évanouir. À son réveil, il demanda si les gens avaient déjà prié, et 'Aïsha l'informa que ceux-ci l'attendaient. Il tenta de se lever à nouveau, mais il s'évanouit encore. Lorsqu'il reprit connaissance pour la seconde fois, il posa la même question, et il fut informé que les musulmans l'attendaient toujours. Il dit à 'Aïsha de faire en sorte que les gens prient, et que ce soit Abû Bakr qui dirige la prière.

Il en fut de même pendant les jours qui suivirent, et 'Aïsha intervint à plusieurs reprises pour exempter son père de diriger la prière. Elle mettait en avant sa trop grande sensibilité et le fait qu'il pleurait en récitant le Coran. À chacune de ses interventions, 'Aïsha reçut la même réponse ferme et déterminée : Abû Bakr devait diriger la prière commune ! La sensibilité et les larmes d'Abû Bakr avaient un secret, et le Prophète resta ferme sur son choix. Le surlendemain, alors que sa maladie lui laissait quelque répit, il put se rendre à la mosquée pendant que les musulmans priaient le *zuhr* (la prière de midi) derrière Abû Bakr. Ce dernier voulut reculer et laisser la place au Prophète, mais il l'en empêcha et vint simplement s'asseoir à sa gauche : le Prophète dirigea ainsi le reste de la prière tandis qu'Abû Bakr répétait d'une voix plus forte les formules accompagnant les changements de position.

Ce fut là la dernière apparition du Prophète dans la mosquée. Durant la journée du lendemain, il fit distribuer l'ensemble de ses biens, ses derniers dinars comme sa cotte de maille, et continua à formuler quelques conseils aux uns et aux autres : il répéta à plusieurs reprises qu'il fallait se montrer bienveillant à l'égard des esclaves, des démunis et des pauvres. Le lendemain matin, un lundi, à l'heure de la prière de l'aube, le Prophète souleva le rideau qui lui permettait, depuis sa demeure, d'observer les musulmans dans la mosquée, et on le vit esquisser un sourire. Les musulmans furent surpris par ce geste et pensèrent que le Prophète allait les rejoindre, mais le rideau se baissa et le Prophète ne réapparut point. Pendant les heures qui suivirent, Fâtima, sa fille, vint lui rendre visite et fit une remarque pleine de compassion devant l'intensité de la souffrance que ressentait l'Envoyé, et celui-ci lui confia : « *Il n'y aura plus, après ce jour-ci, de souffrance pour ton père*[1]. » Il lui murmura également à l'oreille, comme nous l'avons vu, qu'elle le rejoindrait bientôt ce qui, à travers ses larmes, la fit sourire. La douleur devenait de plus en plus intense, et l'Envoyé ne put bientôt plus s'exprimer.

'Aïsha vint alors s'asseoir au côté du Prophète, le serra contre elle et posa sa tête sur sa poitrine tout en la caressant pour apaiser ses souffrances. 'Abd ar-Rahmân, le fils d'Abû Bakr et le frère de 'Aïsha, entra dans la pièce avec un *siwâk*[2] à la main et le Prophète l'observa de telle manière que 'Aïsha comprit qu'il le

---

1. *Hadîth* rapporté par al-Bukhârî.
2. Un petit bâtonnet dont se servaient les musulmans pour se frotter les dents et les préserver propres et blanches.

voulait. Elle l'humidifia en le mâchant et le donna au Prophète, qui se frotta les dents avec une vigueur étonnante compte tenu de son état de faiblesse générale. Le souci de l'hygiène accompagna l'Envoyé de Dieu jusqu'à ses derniers instants, tant il savait l'importance de préserver son corps sain et en bonne santé. Ce corps, tout au long de la vie, avait des droits sur l'être et la conscience à qui il avait été offert comme un don de Dieu, un cadeau. Il fallait répondre à son besoin de tendresse, de douceur ou d'attention sexuelle, comme il fallait l'entretenir, l'entourer d'une hygiène irréprochable et d'une protection attentive vis-à-vis de tout ce qui pouvait atteindre son équilibre ou provoquer sa maladie. L'écoute et l'entretien du corps comme l'hygiène sont deux dimensions et deux conditions de l'élévation spirituelle et le Prophète, durant les derniers instants de sa vie, reçut de la tendresse et se brossa énergiquement les dents : une ultime attention pour ces dernières dont aucun être humain sur la terre ne verrait plus les conséquences, mais dont Dieu savait l'intention et les raisons. Ainsi le Prophète avait-il un jour rappelé que l'une des premières questions posées au croyant le Jour du Jugement concernerait le traitement que celui-ci avait octroyé à son corps[1]. Contre toutes les illusions de la propriété personnelle, le corps est au fond un dépôt temporairement offert à la conscience et au cœur de chaque être et, une fois encore, avant de partir, il faut avoir soldé sa dette.

Le Prophète ferma les yeux. 'Aïsha le tenait tout contre elle, et elle l'entendit murmurer : *« Au Paradis, dans l'union suprême... »*, puis il récita la fin du

1. *Hadîth* rapporté par at-Tirmidhî.

verset : « ... *avec ceux que Dieu aura comblés de Sa grâce, les prophètes, les saints, les martyrs et les justes ; que ce sont d'excellents compagnons !* [1] » Il répéta encore trois fois : « *Dans l'union suprême !* [2] » Son avant-bras flancha soudain, et sa tête se fit plus lourde : 'Aïsha comprit que le Prophète, le sceau de la Prophétie, venait de rendre son dernier souffle. Il était parti rejoindre son Seigneur, son Éducateur, son Ami, qui l'avait rappelé à Lui pour qu'il trouve enfin la Paix au-delà de l'humanité des Hommes auxquels il avait été envoyé afin de porter le dernier Message de l'Infiniment Bon. Depuis ce jour, la communauté spirituelle des croyants n'a cessé, à travers les horizons et les âges, de saluer le dernier Prophète et de réciter de tout son cœur et de tout son amour : « *En vérité, Dieu et Ses Anges prient sur le Prophète. Ô vous qui portez la foi, appelez sur lui les prières et les salutations de Paix* [3]. »

Comme un vide

L'annonce de son décès se répandit à travers Médine, et la tristesse était infinie. Les visages étaient consternés, les larmes, les sanglots et parfois ici et là des cris disaient l'intensité de la douleur. Le Prophète avait recommandé d'apprendre à exprimer sa peine sans débordements, sans hystérie, avec mesure et dignité. Un lourd silence, traversé de soupirs et de sanglots, régnait à proximité de la demeure du Prophète. C'est 'Umar ibn al-Khattâb qui, soudain, brisa ce silence et s'exclama avec force, comme nous

1. Coran, 4, 69.
2. Ibn Hishâm, *op. cit.*, vol. 6, p. 73 (note 1).
3. Coran, 33, 56.

l'avons vu, que le Prophète n'était point mort, qu'il allait revenir comme Moïse l'avait fait après quarante jours. Il menaça d'ailleurs de tuer qui oserait affirmer que le Prophète était mort. Son amour était tel, le sentiment de vide tellement intense, que 'Umar ne pouvait concevoir l'avenir sans celui qui les avait guidés, accompagnés, et dont le Coran lui-même avait révélé l'amour et l'attention : « *Certes il vous est venu un Envoyé, issu de vous. Il compatit à ce que vous endurez, il est plein de sollicitude pour vous, car il est toute bonté et toute compassion pour les croyants*[1]. » L'émotion avait pris possession de son être.

C'est alors qu'Abû Bakr arriva dans la demeure du Prophète, vint s'asseoir à son chevet, et leva la couverture déposée sur le corps et le visage du Prophète. Son visage était couvert de larmes, et il comprit que l'Envoyé les avait quittés. Il sortit et tenta de faire taire 'Umar qui, toujours en état de choc émotionnel, refusa. Abû Bakr se mit de côté, s'adressa à la foule, et c'est à ce moment qu'il prononça les paroles pleines de sagesse que nous rapportions dans l'introduction, et qui synthétisaient l'essence même du credo de l'islam : « *Que ceux d'entre vous qui adoraient Muhammad sachent que Muhammad est mort, quant à ceux qui adoraient Dieu, qu'ils sachent que Dieu est le Vivant, qui jamais ne meurt*[2]. » Puis il récita le verset : « *Muhammad n'est qu'un Messager avant lequel des Messagers sont déjà passés. Est-ce que, s'il meurt ou s'il est tué, vous reviendriez sur vos pas ? Quiconque reviendra sur ses pas ne nuira pas à Dieu ; et Dieu*

1. Coran, 9, 128.
2. Ibn Hishâm, *op. cit.*, vol. 6, p. 75-76.

récompense ceux qui sont reconnaissants[1]. » Lorsque 'Umar entendit ce verset, il s'effondra et ce fut, il le confiera plus tard, comme si c'était la première fois qu'il l'entendait alors qu'il avait été révélé longtemps auparavant. Il comprit, comme tous les musulmans, que le Prophète était définitivement parti, qu'il les avait quittés. Ce vide qui s'était soudain installé devait désormais être empli par leur foi en l'Un, « *le Vivant, qui jamais ne meurt* », et ils devaient Lui demander de les aider à trouver en eux la force, la patience et la persévérance de continuer à vivre sans l'Envoyé, mais toujours à la lumière de son exemple.

'Umar, au caractère fort et à la personnalité imposante, avait faibli, l'espace d'un instant, et ses émotions l'avaient envahi au point de laisser s'extérioriser une fragilité insoupçonnable et de le faire réagir comme un enfant qui refuse la sentence de Dieu, du réel et de la vie. Abû Bakr, si sensible, qui pleurait tellement et si intensément en lisant le Coran, avait accueilli la nouvelle de la mort du Prophète avec à la fois une profonde tristesse et un calme extraordinaire, une force intérieure insoupçonnable également. À cet instant précis, les rôles étaient inversés, et le Prophète à travers son départ nous offrait – en miroir – un ultime enseignement : dans les profondeurs lumineuses de la spiritualité, la fragilité de la sensibilité peut offrir une force d'être que rien ne peut ébranler. *A contrario*, la plus forte des personnalités, s'il lui arrive un instant de s'oublier, peut se transformer en la plus vulnérable et la plus fragile des intelligences. Le chemin qui mène à la sagesse et à la force en Dieu passe inévitablement par

1. Coran, 3, 144.

la conscience et la reconnaissance de nos fragilités. Jamais elles ne nous quittent, et le Très Rapproché nous recommande de les assumer avec confiance, comme Abû Bakr, et avec exigence, comme ‘Umar, mais, toujours, avec humilité.

Dans l'Histoire, pour l'éternité

La Révélation avait averti les compagnons comme elle en informe aujourd'hui, et pour l'éternité, les musulmanes et les musulmans à travers l'histoire des hommes et au sein de la multitude des sociétés et des cultures : *« Il y a certes pour vous, dans le Messager de Dieu, le meilleur des modèles pour qui désire* [aspire à s'approcher de] *Dieu et l'Au-delà et se souvient de Dieu intensément*[1]. » L'Envoyé est le maître dont on étudie les enseignements, le guide que l'on suit sur la Voie, le modèle auquel on aspire à ressembler et, surtout, l'élu dont on est invité à méditer les paroles, les silences et les actions.

Un modèle, un guide

Pendant les vingt-trois années de sa mission, Muhammad a cherché la voie de la liberté et de la libération spirituelles. Il recevait la Révélation, étape par étape, aux détours des circonstances de la vie, comme si le Très-Haut dialoguait avec lui dans l'Histoire, pour l'éternité.

1. Coran, 33, 21.

Le Prophète L'écoutait, Lui parlait, et contemplait Ses signes le jour comme la nuit, dans l'entourage chaleureux de ses compagnons comme dans la solitude du désert d'Arabie. Il priait quand le monde des Hommes dormait, invoquait Dieu quand ses frères désespéraient, et restait patient et persévérant devant l'adversité et l'insulte quand tant d'êtres tournaient le dos. Sa spiritualité profonde l'avait libéré de la prison du moi, et il ne cessait de voir et de rappeler les signes du Très Rapproché aussi bien dans l'oiseau qui vole que dans l'arbre qui se dresse, le crépuscule qui s'installe ou l'étoile qui brille.

Il a su exprimer et répandre l'amour autour de lui. Ses épouses furent comblées par sa présence, sa tendresse et son affection, et ses compagnons l'aimaient d'un amour intense, profond, et extraordinairement généreux. Il donnait et offrait sa présence, ses sourires, son être, et si, d'aventure, une esclave s'adressait à lui ou voulait l'emmener à l'autre bout de la ville, il allait, il écoutait, il aimait. Appartenant à Dieu, il n'était la possession de personne et offrait son amour à tous, simplement, et avec simplicité. Quand il donnait sa main à un individu qui le saluait, il ne la retirait jamais le premier, et il savait la lumière et la paix qui peuvent jaillir dans le cœur d'un être à qui l'on offre un mot tendre qui le rassure, un nom affectueux qu'il apprécie, un réconfort auquel il aspire. Des détails, les choses de la vie : libéré de son moi, il ne négligeait le moi de personne. Sa présence était un refuge, il était l'Envoyé.

Il aimait, il pardonnait. Pas un jour ne passait sans qu'il demande pardon à Dieu pour ses propres insuffisances et ses oublis, et lorsqu'une femme ou un homme venait à lui avec le poids d'une faute, aussi grave soit-elle, il recevait cette conscience et lui indiquait les voies du pardon, de l'allégement, du dialogue avec Dieu et de la protection du Très Doux. Il couvrait les fautes d'autrui aux yeux d'autrui, tout en apprenant à chacun l'impératif de l'exigence et de la discipline personnelles. À celui, paresseux, qui venait lui demander le minimum de la pratique, il répondait toujours positivement et l'invitait à user de son intelligence et de ses qualités pour comprendre, s'améliorer, et enfin se libérer de ses propres contradictions tout en acceptant ses fragilités. Il enseignait la responsabilité sans la culpabilité, et l'exigence de l'éthique comme condition de la liberté.

La justice est une condition de la paix, et le Prophète ne cessait de rappeler qu'il est impossible de goûter au parfum de l'équité si l'on ne sait respecter la dignité des individus. Il libérait les esclaves et recommandait que les musulmans s'y engagent de façon permanente : la communauté de foi des croyants devait être une communauté d'êtres libres. La Révélation lui montra la voie, et il ne cessa, nous l'avons vu maintes fois, de prêter une attention particulière aux esclaves, aux pauvres et aux laissés-pour-compte de la société. Il les invitait à affirmer leur dignité, à exiger leurs droits, et à se départir de tous complexes : le message était un appel à la libération religieuse, sociale et politique. Au terme de sa mission, dans la plaine qui se situe au pied du mont de la Miséricorde (*Jabal ar-Rahma*), les riches et les pauvres, les femmes et les hommes de toutes les races, de toutes les cultures et de toutes les couleurs étaient là, et ils écoutaient ce message affirmant que le meilleur d'entre les hommes l'est par le cœur que ne détermine ni la classe, ni la couleur ni la culture. *« Le meilleur d'entre vous est celui qui est le meilleur pour les hommes*[1] », avait-il confié un jour. Au nom de la fraternité des hommes – en s'adressant « aux gens » (*an-nâs*) comme il le fit lors du sermon d'adieu –, il apprenait à chaque conscience à dépasser les apparences qui pourraient parasiter son chemin vers le Juste (*al-'adl*). Dans la proximité de Dieu, rien ne pouvait justifier la discrimination, l'injustice sociale ou le racisme. Dans la communauté musulmane, un Noir appelait à la prière et un fils d'esclave dirigeait l'armée : la foi avait libéré les croyants des jugements sur les trompeuses apparences (de l'origine et du statut social) qui stimulent les passions et déshumanisent l'Homme.

Il avait écouté la voix des femmes de sa société qui, souvent, vivaient le déni de droit, l'exclusion et les mauvais traitements. La Révélation elle-même rappelle cette écoute et cette disponibilité : « *Dieu a entendu les propos de celle qui discutait avec toi au sujet de son mari, au moment où elle adressait sa plainte à Dieu. Et Dieu entendait parfaitement votre conversation. Dieu est Audient et Clairvoyant*[2]. » Comme il écouta cette femme qui voulait divorcer car son mari ne lui plaisait plus : il l'entendit, entra en matière et les sépara[3]. Il

1. *Hadîth* rapporté par al-Bayhaqî.
2. Coran, 58, 1.
3. Plusieurs femmes vinrent le voir pour demander le divorce (*khul'*) comme, notamment, Jamîla bint Ubayy ibn Salul, Habîba bint Sahl al-Ansaria, Barîra, ou encore la femme de Thâbit ibn Qays. Dans ce dernier cas, Ibn 'Abbâs rapporte que la femme de Thâbit vint voir le Prophète et affirma qu'elle n'avait rien à lui reprocher en matière de religion, mais qu'elle ne voulait point être coupable d'une infidélité concernant l'islam. Le Prophète lui demanda si elle était prête à rendre le jardin (qu'elle avait reçu comme douaire), et elle accepta. Le Prophète demanda à Thâbit d'accepter la séparation (*hadîth* rapporté par al-Bukhârî).

reçut de même cette autre femme qui se plaignait que son père l'avait mariée sans lui demander son avis : il était prêt à séparer le couple quand elle l'informa qu'elle était en fait satisfaite du choix de son père, mais que sa démarche consistait à faire savoir *« aux pères » « que ce n'était point leur affaire*[1] *»*, et qu'ils ne pouvaient agir sans demander son avis à leur fille. L'Envoyé transmit aux femmes la double exigence de la formation spirituelle et de l'affirmation d'une féminité qui ne soit pas emprisonnée dans le miroir du regard masculin ou aliénée au sein de rapports de force ou de séduction malsains. Leur présence dans la société, dans l'espace public et dans l'engagement social, politique, économique et même militaire était une donnée objective que le Prophète, non seulement n'a jamais niée ni rejetée, mais qu'il a clairement encouragée. À la lumière des enseignements spirituels, il les aida à s'affirmer, à être présentes, à s'exprimer et à revendiquer la vraie liberté du cœur et de la conscience. Elles avaient à la choisir par elles-mêmes et à en dessiner les contours pour elles-mêmes dans la confiance de l'Infiniment Bon.

L'Envoyé aimait les enfants, leur innocence, leur douceur et leur présence. Proche de Dieu, proche de son cœur, il restait attentif à celles et à ceux qui d'abord comprenaient le langage du cœur. Il les embrassait, les portait sur ses épaules, jouait avec eux en allant à la rencontre de leur innocence qui, par essence, était l'expression d'une perpétuelle

1. Il s'agit d'un *hadîth* rapporté par Ahmad. Dans un autre *hadîth* rapporté par al-Bukhârî, an-Nasâ'î et Ibn Mâjah, il est indiqué que le Prophète a tout simplement annulé un mariage établi sans le consentement de la femme.

prière à l'Infiniment Bon. Les enfants, comme les anges, sont pleinement à Dieu. Ils sont signes. L'attitude du Prophète en était un constant rappel : ainsi, si sa prière rituelle pour Dieu était perturbée par les pleurs d'un bébé – qui, somme toute, priait Dieu en invoquant sa mère –, alors l'Envoyé écourtait sa prière d'adulte comme s'il s'agissait d'une réponse à la prière de l'enfant[1]. L'Envoyé avait en outre le sens du jeu, de l'innocence et de l'esthétique : les enfants lui enseignaient à entretenir ce regard toujours émerveillé sur les hommes et les éléments. Face à la beauté, il pleurait, s'émouvait et parfois sanglotait, et il était souvent envahi de bien-être par la musicalité poétique d'un vers ou par l'appel spirituel d'un verset offert par le Très Généreux, l'Infiniment Beau.

Liberté et Amour

Le Prophète est venu aux Hommes avec un Message de foi, d'éthique et d'espérance. L'Unique y rappelle à l'humanité entière Sa Présence, Ses exigences, et le Jour ultime du Retour et de la Rencontre. Il est venu avec un Message et pourtant, tout au long de sa vie, il n'a eu de cesse d'écouter les femmes, les enfants, les hommes, les esclaves, les riches, les pauvres comme les exclus. Il écoutait, accueillait, réconfortait. Élu parmi les Hommes, il ne cachait ni ses fragilités ni ses doutes. Au demeurant, Dieu l'a fait douter très tôt de lui-même afin qu'il ne doutât point ensuite de son besoin de Lui, et Il

1. « *Parfois,* avait dit le Prophète, *je me prépare à la prière avec l'intention de la faire durer mais lorsque* [au cours de celle-ci] *j'entends les pleurs d'un enfant, je l'écourte par crainte de causer du désagrément à sa mère* » (*hadîth* rapporté par Abû Dâwud).

lui montra la réalité de ses imperfections afin qu'il se mette en quête de Sa parfaite Grâce et demeure indulgent à l'égard de ses semblables. Il ne fut point un modèle par ses seules qualités, mais également par ses doutes, ses blessures et, parfois, ses erreurs d'appréciation que, comme nous l'avons vu, tantôt la Révélation tantôt des compagnons relevaient.

Tout, néanmoins, absolument tout dans sa vie était un instrument de renouveau et de transformation : du moindre détail aux plus grands événements qui ont jalonné son existence, l'observateur, le fidèle, le croyant, tire des enseignements et s'approche de l'essence du message et de la lumière de la foi. Le Prophète priait, méditait, se transformait et transformait le monde. Guidé par Son Éducateur, il résistait au pire de soi et offrait le meilleur de son être parce que tel était le sens du *jihâd*, tel était le sens de l'injonction appelant à *« promouvoir le bien et à prévenir le mal*[1] ». Sa vie était la personnification de cet enseignement.

Au cours de ce voyage d'une vie, de cette initiation offerte à chacune des étapes d'une existence vouée à l'adoration de Dieu, le cœur entre forcément en communion avec un être, un élu, qui parcourait le chemin de sa libération et de la liberté. Non point seulement la liberté de penser ou d'agir, pour laquelle il s'était d'ailleurs battu avec dignité, mais la liberté de l'être qui s'est libéré de ses attachements aux émotions superficielles, aux passions destructrices ou aux dépendances aliénantes. Tous l'ont aimé, chéri et respecté, car il avait l'exigence d'une spiritualité qui lui permettait de transcender son ego, de faire don de soi

1. *« Al-amr bil-ma`rûf wa an-nahy 'an al-munkar »* (voir par

et, à son tour, d'aimer sans être lié. Un amour divin sans dépendance humaine. Il était soumis et libre. Soumis dans la Paix du Divin et libre des illusions de l'humain. Il avait dit un jour à l'un de ses compagnons le secret du véritable amour des Hommes : « *Éloigne-toi de* [N'envie point] *ce que les hommes aiment et les hommes t'aimeront*[1] », et Dieu lui avait inspiré l'autre chemin de l'Amour prolongeant cet amour : « *Mon serviteur ne cesse de s'approcher de Moi par des dévotions librement décidées jusqu'à ce que Je l'aime ; et lorsque Je l'aime, Je suis l'ouïe par laquelle il entend, et la vue par laquelle il voit, et la main par laquelle il saisit, et le pied avec lequel il marche*[2]. » L'Amour de Dieu offre le don de la proximité et du dépassement de soi. L'Amour de Dieu est un Amour sans dépendance, un Amour qui libère et qui élève. Alors, dans l'expérience de ce rapprochement, se manifeste en l'être la présence de l'Être, du Divin.

Il avait suivi un chemin et s'était arrêté en différents lieux : l'appel de la foi, l'exil, le retour, puis enfin le départ vers la Demeure première, le dernier Refuge. Il y avait eu une initiation et ses différentes étapes que Dieu avait accompagnées de Son amour et fait accompagner de l'amour des Hommes. Le Prophète portait un message universel, autant par cette expérience de l'amour qui traversa sa vie que par cette exigence d'une éthique qui transcendait les clivages, les appartenances et les identités recroquevillées. Il rappelait aux Hommes l'impératif d'une éthique universelle à laquelle ils devaient être loyaux d'abord au-delà de toutes appartenances

---

1. *Hadîth* rapporté par Ibn Mâjah.
2. *Hadîth* rapporté par al-Bukhârî.

partisanes. Telle était au fond la vraie liberté de l'être qui aime avec justice et qui ne se laisse pas emprisonner par ses passions raciales, nationalistes ou identitaires : son amour illuminant son sens éthique le rend bon ; son sens éthique orientant ses amours le rend libre. Profondément bon parmi les Hommes et extraordinairement libre à leur égard, telles étaient les deux qualités que tous les compagnons ont reconnues chez le dernier Prophète.

Il était l'aimé de Dieu et un exemple parmi les Hommes. Il priait, il contemplait. Il aimait, il donnait. Il servait, il transformait. Le Prophète était cette lumière qui mène à la Lumière et dans la proximité de sa vie, le croyant revient à la Source de la Vie et trouve Sa lumière, Sa chaleur et Son amour. L'Envoyé a quitté les hommes et, pour l'éternité, il leur a enseigné de ne jamais L'oublier, Lui, le Suprême Refuge, le Témoin, le Très Rapproché. Attester qu'il n'est de dieu que Dieu, c'est au fond se mettre en route vers la profonde et authentique liberté ; reconnaître Muhammad comme l'Envoyé, c'est apprendre à l'aimer en son absence et apprendre à L'aimer en Sa Présence. Aimer, et apprendre à aimer. Dieu, le Prophète, la Création et l'Humanité.

Remerciements

Aux heures de l'aube durant lesquelles ce livre a été écrit, il y avait du silence, une solitude méditative et l'expérience d'un voyage, au-delà du temps et de l'espace, vers le cœur, l'essence de la quête spirituelle et l'initiation au sens. Des moments de plénitude et, souvent, de larmes. De contemplation et de vulnérabilité. J'en avais besoin.

Au fil du temps et de l'écriture de cet ouvrage, la liste des femmes et des hommes qui ont permis la réalisation de ce projet s'est allongée, et je suis presque sûr, au moment où je pense aux uns et aux autres, que de précieux noms vont m'échapper, sans pourtant que l'importance de leur présence ou de leur contribution soit minimisée d'une façon ou d'une autre. Il en est d'autres à qui la discrétion ou quelque autre raison a fait choisir l'anonymat : je les comprends et mon cœur les remercie au-delà de ces pages avec l'affection et la reconnaissance qu'ils leur savent offertes.

J'aimerais d'abord remercier Faris Kermani et Neil Cameron qui, il y a deux ans, m'avaient demandé de présenter un film, « Sur les traces du Prophète de l'islam », pour une chaîne de télévision britannique.

Des considérations politiques (deux gouvernements arabes m'ayant interdit d'entrer sur leur territoire) ont malheureusement rendu impossible ce projet. J'ai donc décidé de faire quelque chose de tout à fait différent et d'écrire une biographie de Muhammad en essayant de mettre en évidence les enseignements spirituels et contemporains de la vie du dernier Prophète. Beaucoup, autour de moi, m'ont encouragé à aller au bout de cette écriture. Je dois à Iman, Maryam, Sami, Moussa et Najma un accompagnement et un soutien permanents, et à ma mère quelques idées originales disséminées ici et là au cours de nos discussions. J'aimerais très chaleureusement remercier Cynthia Read, d'Oxford University Press (New York), pour son enthousiasme permanent, sa fidélité et son humanité. Auprès de ses collaboratrices et ses collaborateurs, basés à Oxford, j'ai également trouvé des êtres attentionnés et pleins de gentillesse. Joseph Vebret et Jean-Daniel Belfond ont été à la fois courageux, fidèles et particulièrement bienveillants : je leur sais gré de cette détermination à lutter contre les faux procès, les simplismes et les atteintes indirectes et injustes à la liberté d'expression. Merci de cette « témérité » en ces temps difficiles, et également à leur collaboratrice Sandrine… pour sa gentillesse toujours chaleureuse.

Pendant cette année académique, mon travail a été accompagné par la présence de Gwen Griffith-Dickson et de Vicky Mohammed de la Lokahi Foundation, basée à Londres. À l'université d'Oxford, au Collège Saint Antony's, Walter Armbrust et Eugène Rogan (Middle East Center), de même que Timothy Garton Ash et Kalypso Nicolaidis (European Studies Center), ont également permis que cet ouvrage soit réalisé dans les meilleures conditions en me témoignant leurs académiques et amicales attentions. Je n'oublie pas Polly Friedhoff (qui a pris désormais une retraite méritée), Franca Potts et Collette Caffrey, qui se sont montrées d'une disponibilité de tous les instants. À tous, et à toutes celles et ceux qui m'ont entouré de leur reconnaissance et de leur discret soutien, j'aimerais faire part ici de ma profonde gratitude.

Il y a bien sûr Yasmina Dif, mon assistante, qui tient mon bureau européen de façon à la fois chaleureuse et si efficace : un très grand merci, et pour tout ! Shelina Merani, au Canada, a également entrepris un travail difficile avec cœur et fraternité. Muna Alî, plus qu'une assistante basée aux États-Unis, n'a de cesse de lire, de commenter et de partager des idées avec fidélité et sérieux. Mme Claude Dabbak a traduit ce livre et n'a jamais manqué de mettre humblement son savoir au service des nécessaires corrections. Cet ouvrage n'aurait point vu le jour sans la collaboration de cette équipe, à la fois fraternelle, exigeante et dévouée. De tout mon cœur, je les remercie d'être avec moi sur la route et de nous permettre d'avancer ensemble, dans Sa lumière, contre vents et marées.

Mes ultimes remerciements et ma dernière prière vont à l'Unique, le Très Rapproché, afin qu'Il accepte et accueille cette « Vie du Prophète », qu'Il m'en pardonne les éventuelles erreurs ou insuffisances – qui ne sont dues qu'à moi – et qu'Il lui offre d'être un petit jalon dans l'œuvre humaine de la compréhension et de la réconciliation. Entre soi et soi, soi et autrui, soi et Son Amour. J'apprends tous les jours que la quête de l'humilité ne peut justifier les manquements aux exigences spirituelles comme à la probité intellectuelle.

Ce livre fut une initiation. Pour soi. Je prie l'Infiniment Bon (*ar-Rahmân*) afin qu'il le soit pour autrui. Longue est la route de cet exil qui mène à soi…

Table

Mon intime conviction
un essai de Tariq Ramadan
aux Éditions Archipoche

Préambule
DE LA VISIBILITÉ

Les controverses se suivent et se ressemblent. Durant les cinq dernières années, je me suis retrouvé au centre de polémiques qui, au-delà de ma personne, révèlent la nature des problèmes qui traversent les sociétés occidentales. Force est de constater que le pluralisme politique ne garantit point la gestion raisonnable et sereine du pluralisme culturel et religieux. En France comme aux États-Unis, en Belgique, en Suisse, en Angleterre, en Italie, en Espagne, et récemment aux Pays-Bas, j'ai fait face à des controverses nationales dont le point commun était, assez clairement, la nouvelle visibilité des citoyens occidentaux de confession musulmane. Chaque pays a sa culture, sa sensibilité propre, ses « pointes de friction », et, ce faisant, sa liste spécifiquement ordonnée de contentieux à régler avec l'islam et les musulmans. Le « foulard ramadan islamique » vient en tête en France ou en Belgique, les questions liées à l'homosexualité et aux mœurs aux Pays-Bas, les minarets en Suisse, etc. La violence, la femme, la « sharî'a » (charia) sont, entre autres, des thèmes qui reviennent partout et toujours : l'islam fait question.

Le point commun de tous ces débats tient à l'installation de générations successives de musulmanes et de musulmans, devenus citoyennes et citoyens de leur pays respectif. Installés, ils sortent de leur isolement géographique, de leurs ghettos sociaux, ou de leur marginalité sociopolitique. Ils sont désormais visibles, comme le relevait, il y a des années déjà, la sociologue Nilüfer Göle. Leur visibilité marque et prouve leur décloisonnement : il ne s'agit pas d'une nouvelle « communauté religieuse ou culturelle » qui s'installe, mais plutôt de l'émancipation d'une ancienne catégorie socio-économique (doublée d'une appartenance majoritaire à une même origine culturelle et religieuse) qui avait été doublement marginalisée, géographiquement et socialement.

Au gré des controverses et des crises, des peurs s'alimentent et des perceptions se façonnent et s'entretiennent. La crainte, la méfiance et le soupçon s'installent et tous les débats sur la culture et la religion se transforment en polémiques nationales, polémiques qui se caractérisent par des crispations et des surdités inquiétantes. Les médias rapportent les faits, les réactions s'amplifient, les politiciens réagissent à (ou parfois instrumentalisent) la controverse, et nous voilà embarqués dans des dynamiques incontrôlables. Des positionnements se dessinent, une sorte de clivage qui traverse tous les partis politiques, de gauche comme de droite, ainsi que les populations des sociétés occidentales. Alors que l'on parlait hier d'un éventuel « clash des civilisations », j'ai défendu très tôt l'idée d'un « clash des perceptions » :

un conflit d'images projetées sur soi et sur autrui, mêlant des doutes (quant à soi), des peurs (quant à autrui), des préjugés, ou simplement de l'ignorance (vis-à-vis de soi et d'autrui). On y trouve aussi parfois des positions idéologiques et politiques peu claires. Dans la nébuleuse des propos tenus, face à la visibilité de cet « autre », les débats récurrents sur « l'identité » deviennent dangereux et produisent exactement le contraire de ce que l'on pourrait espérer. À l'heure des crispations, nos identités deviennent négatives et se forment par distinction (crispation ou rejet) de ce que l'on croit être l'identité de « l'autre ». Il s'agit ainsi d'une « identité soustraite », cloisonnée et rigide, alors que nous aurions tant besoin d'accéder au sens d'une identité multiple, ouverte et en constant mouvement.

Dans la proximité, la présence d'autrui perturbe et gêne. C'est la raison pour laquelle les crises se sont surtout multipliées autour de phénomènes visibles et spectaculaires : foulards islamiques, niqab (voile cachant le visage), burqa, minarets, auxquels il faut ajouter les expressions culturelles ou religieuses perçues comme « étrangères », c'est-à-dire différentes, inhabituelles ou trop « visibles » car pas encore « normalisées » (voire « neutralisées », au sens de rendues « neutres » dans l'espace public). La violence a bien sûr été un facteur majeur d'amplification, avec le rejet d'assassinats aveugles perpétrés contre des innocents au nom de la religion musulmane. Tous ces phénomènes cumulés expliquent la situation présente, et la « nouvelle visibilité » des musulmans continue de provoquer son lot de crises cycliques. Gardons en tête que cette « nouvelle visibilité » est par nature une situation historique transitoire puisque ce qui est nouveau sera un jour ancien.

Nous voici revenus au temps de la dangereuse « politique émotionnelle ». L'autre nom de cette politique qui joue de l'émotion est « le populisme », et aucune société contemporaine n'en est définitivement protégée. Les anciens racismes peuvent encore habiter notre avenir.

Dans les débats de société sur l'islam, j'ai souvent joué le rôle de « l'intellectuel visible » : j'ai souvent essuyé des critiques très émotives et fait l'objet de projections qui m'ont parfois amusé, parfois franchement inquiété. Il n'est pas facile d'être au paysage intellectuel ce que le minaret est à la rue ! Présent, installé, en « nous » mais apparemment si différent de « nous ». Un « nous » réactif, exclusif, parfois dogmatique qui me mettait « à l'extérieur », étranger, autre, en un « vous » de la différence. Lors de la première conférence d'Estoril au Portugal en mai 2009, j'ai été interpellé à deux reprises comme un étranger alors même que mon sujet était « notre » Europe. L'ancien président du gouvernement espagnol José María Aznar, en affirmant qu'il n'y avait qu' « une seule civilisation [...] des gens civilisés », ne savait plus vraiment où me placer dans ce paysage. Entre le « nous » restrictif et le « nous » dominant, où peut-on bien situer celles et ceux que l'on considère comme les « étrangers » peu « civilisés » – à dominer, dompter, domestiquer ? Ces étrangers de l'intérieur, les « citoyens immigrés » ou les « immigrés citoyens », les allochtones jamais vraiment autochtones (selon la terminologie néerlandaise) : on peine à traduire des perceptions qui en fait défient les catégories les plus élémentaires du droit.

Les perceptions sont aussi des faits et il faut compter avec leur prégnance sur l'ensemble des débats contemporains. Un rapport de l'institut américain Gallup (mai 2009[1]) montre l'incroyable fossé entre les populations européennes en général et leurs concitoyens musulmans. Près des trois quarts des musulmans se sentent et se disent loyaux envers leur pays (France, Allemagne, Royaume-Uni pour le sondage) tandis que seulement un quart de la population générale les perçoit comme tel. En Allemagne, le pourcentage de musulmans qui s'identifient à leur pays (46 %) est plus important que celui des Allemands dits « de souche » (36 %). Les exemples de perceptions tronquées, inadéquates, voire dangereuses, sont légion. Les points d'accord ne sont pas moins intéressants : l'emploi, l'habitat, le bien-être sont considérés de façon identique comme des facteurs déterminants pour l'avenir de nos sociétés. Les perceptions sont souvent divergentes alors que les attentes et les espoirs sont similaires.

Au lieu de se confronter au visible qui fige, on ferait donc bien de souligner ce qui est profondément commun en matière de préoccupations sociales, économiques et politiques. Les citoyens occidentaux, dans leur pluralité culturelle et religieuse, partagent bien plus de valeurs et d'espoirs qu'ils ne le croient au premier abord. Encore faut-il prendre le risque de s'ouvrir à l'autre et de regarder les vrais problèmes qui concernent nos sociétés contemporaines. Il faut pour cela dire « nous », ensemble, contre la pauvreté, la marginalisation sociale, le chômage et l'insécurité. S'engager ensemble pour la dignité des êtres humains, des exclus, des sans-papiers, des immigrés et

1. The Gallup Cœxist Index 2009 : A Global Study of Interfaith Relations, rapport rendu public à Londres le 7 mai 2009.

pour celle de ces femmes et enfants devenus les marchandises d'un nouveau type de traite d'esclaves, de la prostitution à l'exploitation inhumaine. « Nous », ensemble pour refonder un projet de société plurielle et plus juste, une société qui dépasse les perceptions et qui offre connaissance et respect en renouant avec l'essence de l'acte politique (confrontant des visions, des philosophies de la gouvernance, des idées et des stratégies d'action).

Les pensées évoluent et il faudra du temps, beaucoup de temps, pour dépasser les crispations actuelles. Cela dépendra de l'engagement de femmes et d'hommes déterminés à changer les choses, à valoriser les différences et à célébrer les nouvelles visibilités culturelles et religieuses. Sans rejet mais également sans naïveté. Le débat doit rester ouvert et critique. Il s'agit d'aller audelà des perceptions, mais également des déclarations de bonnes intentions.

C'est ce chemin, sinueux et difficile, que j'ai décidé d'emprunter quand j'avais vingt ans et que je poursuis depuis. Il s'agit de rester fidèle à soi-même et d'accepter de confronter ses perceptions avec les analyses simplistes ou les manipulations idéologiques, de déterminer ses objectifs, de connaître ses amis et de reconnaître les horizons de l'adversité. La route est longue mais il n'est pas d'autre choix que celui d'accompagner l'histoire, de dépasser le transitoire et de réformer ce qui peut l'être : nos intelligences, nos arrogances, nos peurs, nos doutes, nos aveuglements. J'essaie, autant que faire se peut, de cheminer dans le bon sens, et mon intime conviction est que ce sera long, difficile, mais que l'avenir reste ouvert.

À « nous » de nous engager, avec l'humilité de ceux qui essaient et l'ambition de ceux qui servent.

Il faut désormais faire entendre la voix de ceux qui construisent des ponts et permettent des rencontres, et non plus le seul vacarme de ceux qui détruisent et cloisonnent. Il faut devenir positivement visibles, exprimer notre rejet des extrêmes et notre détermination à développer un vrai pluralisme, une philosophie assumée du pluralisme.

(*à suivre...*)

MON INTIME CONVICTION

ISBN 978-2-35287-184-2 / H 50-7883-7 / 224 pages / 7,50 €

DANS LA MÊME COLLECTION

Roger Caratini – Hocine Raïs

INITIATION À L'ISLAM

La foi et la pratique

Quelles règles les musulmans doivent-ils observer ? Quelles sont les prescriptions morales et rituelles fixées par le Coran ? Quelles sont les origines historiques de l'islam ?

Facile à consulter et accessible à tous, notamment aux jeunes qui s'initient à l'islam, ce guide présente les dogmes essentiels et les fondements religieux de la foi musulmane. Il indique comment réaliser chacun des « cinq piliers de l'islam » : profession de foi, prière rituelle, aumône légale, jeûne du ramadan et pèlerinage à La Mekke.

Organisé autour de questions simples, il présente en outre tous les rites et usages secondaires : quand prononce-t-on la shahâda ? À quoi sert la prière rituelle ? Comment effectuer les ablutions ? Que sont la shari'a et la sunna ? Comment s'acquitter de l'aumône légale de nos jours ? Peut-on être dispensé du jeûne de ramadân ? Qu'est-ce qu'une fatwâ ? Qu'entend-on par jihad ?

Ancien directeur des affaires culturelles de la Grande Mosquée de Paris, ***Hocine Raïs*** *enseigne le droit musulman à l'université et forme les imams. Philosophe des sciences et encyclopédiste,* ***Roger Caratini*** *est l'auteur de nombreux essais d'histoire et de philosophie, dont une somme sur la culture arabo-musulmane,* L'Islam, cet inconnu *(Michel Lafon, 2001).*

ISBN 978-2-84187-765-2 / H 50-7567-6 / 224 pages / 7,50 €

Suite de la page 4

Dar ash-shahada : l'Occident, espace du témoignage, Tawhid poche, Lyon, 2002.

Jihad, violence, guerre et paix en islam, Tawhid poche, Lyon, 2002.

Les Musulmans d'Occident et l'Avenir de l'islam, Actes Sud, Paris, 2003.

Peut-on vivre avec l'islam ?, entretiens avec Jacques Neirynck, Favre, Lausanne, 1999 (4e éd. 2004).

La Mondialisation : résistances musulmanes, Tawhid, Lyon, 2004.

Faut-il faire taire Tariq Ramadan ?, entretiens avec Aziz Zemouri, L'Archipel, 2005.

Quelques lettres du coeur, Tawhid, Lyon, 2008.

Un chemin, une vision. Être les sujets de notre histoire, 2008.

Face à nos peurs. Le choix de la confiance, Tawhid, Lyon, 2008.

Islam : la Réforme radicale. Éthique islamique et libération, Presses du Châtelet, 2008.

Cet ouvrage a été composé
par Atlant'Communication
aux Sables-d'Olonne (Vendée)

Impression réalisée par

La Flèche
en février 2014
pour le compte des Éditions Archipoche

Imprimé en France
N° d'édition : 78
N° d'impression : 3004564
Dépôt légal : septembre 2008